LUISA RAPACCINI

PARLO ITALIANO

SEDICESIMA EDIZIONE

RIVEDUTA E CORRETTA, CON AGGIUNTA
DI ESERCIZI ED APPENDICE DI TEMI DI VERSIONE

Sesta ristampa

LE MONNIER – FIRENZE

1991

ISBN 88-00-85275-0

C.M. 852.754   Giugno 1991

17420-9 - Stabilimenti Tipolitografici «E. Ariani» e «L'Arte della Stampa»
della S.p.A. Armando Paoletti - Firenze

PREFACE

The main purpose of learning a foreign language is obviously to use it. However, many of those who have undertaken the study of a language with this object in view have found themselves, when the time came, not only unable to speak it, but even to understand it when spoken. And yet, they had spent long hours on grammar books, or maybe on big volumes filled with pictures, cartoons and such like. Was it then just so much wasted time?

No, not entirely wasted. But either method – opposite as they seem – fails to achieve its purpose for these reasons:

a) because grammar is not the language, but merely the analysis of its separate parts, leading to the same result as knowing all the parts of a car and not being able to drive it;

b) because pictures and cartoons, with no lexical explanations (or such as there are scattered in a scrappy way), can at best make a student repeat parrot-fashion what is written under each picture (often mistaking one picture for another), but will leave him helpless when confronted with unfamiliar words and unable to make up a sentence of his own.

In recent years there has been this tendency to think that one can learn a second language in the same way as the first was learned: by ear and through heavily illustrated books, posters, etc., in an effort to exclude any use of the student's tongue. Apart from the fact that illustrations can represent only material things, but not abstract ideas, adverbs, etc., it is one thing to hear a language spoken all day, and quite another to hear it only a few hours a week at school. It is like matching a hare and a tortoise and expecting a draw.

There is no doubt that the mother tongue interferes with the learning of another language, and nobody expects a student to forget his own tongue and pretend that it does not exist. The only way then to cope with this problem is to turn it to use, especially at first, and make the student learn the corresponding words of the other language. It is not worth while spending, say, ten minutes in making gestures, pointing to things, or giving roundabout explanations to make a student learn words which, through translation, can be learned in ten seconds. After all, " knowing " what a term stands for does not really mean " learning " it. New words and phrases are learnt by hearing, seeing and using them several times, in various contexts and in association with other words, both in speech and writing.

Fortunately, in talking and writing about ordinary things, people use only a fraction of the words in the dictionary. But each topic has its own vocabulary and phraseology. Sport, for instance, requires words and expressions quite different from those used to buy food, discuss a film, or call in a plumber. A student must learn them, otherwise he will be at sea when the subject comes up. Very often our students are self-conscious and reluctant to speak. To help them to overcome that difficulty and speak with confidence we must make them speak from the very beginning. Above all that means training them to ask and answer questions on a familiar subject; and this is after all what makes up conversation.

Of course, to speak or write properly one also needs the essentials of grammar. A student needs a background. Grammar is to the language what the foundations are to a building: a necessary element, but the main concern is the building, which involves the skill and personality of the builder. Accordingly, a good system does not exclude grammar, which is indispensable, but, as it is a means and not the end, it relegates it to a subordinate position, leaving ample space for reading matter and spoken and written work, which lead the students to express themselves · in all forms of communication. In other words, it does not teach a language through the grammar, but grammar through the language.

These principles have been formed and tested during long teaching experience, and this book is based on them. It is a series of lessons – each dealing with an aspect of practical living – which I have prepared for my students, so that they may be at ease when they are listening, talking or writing to Italian people. And that is surely what we all wish to achieve.

This edition has been revised and enlarged with an appendix, which was formerly published separately to meet possible examination requirements, or special needs and interests. Moreover, each lesson has additional exercises, drawing together all that has been gradually learned. In planning these exercises I have used the latest teaching techniques. But at the same time I have considered the criticisms which often accuse technology (perhaps with good reason) of causing this study to become dehumanized and mechanical, turning the learner into a robot. I think I have managed to keep clear of those pitfalls in presenting the material in a lively way, and I hope students will enjoy the book. I shall also be grateful for any suggestions that might improve it.

Luisa Rapaccini

The Italian Alphabet

a	b	c	d	e	f	g	h	i	l
[a:]	[bi:]	[tʃi:]	[di:]	[e]	[ef:]	[dʒi:]	[a:ka]	[i:]	[elə]

m	n	o	p	q	r	s	t	u	v	z
[emə]	[enə]	[ɔ:]	[pi:]	[ku:]	[erə]	[esə]	[ti:]	[u:]	[vu:]	[zeta]

Pronunciation

Vowels:

a	as in	*arm*	–	banana, mamma, cara (*dear*), casa (*house*), ecc.
i	» »	*eve*	–	sì, lira, bambina, Italia, India, ecc.
u	» »	*put*	–	luna (*moon*), uva (*grapes*), tu (*you*), ecc.
e	» »	*pen*	–	America, Berna, erba (*grass*), è (*is*), ecc.
		pain	–	e (*and*), verde (*green*), pepe (*pepper*), ecc.
o	» »	*on*	–	porta (*door*), donna (*woman*), nove (9), ecc.
		oh	–	Roma, Londra, molto (*much*), come (*how*), ecc.

Consonants:

s	as in	*see*	–	sera (*evening*), sono (*am*), sedia (*chair*), ecc.
		rose	–	rosa, frase, vaso, uso, esame, misura, ecc.
z	» »	*Ritz*	–	grazie (*thanks*), dizionario, zio (*uncle*), ecc.
		zeal	–	zero, zona, Zurigo, zanzara (*mosquito*), ecc.
c	» »	*car*	–	cane (*dog*), architetto, che cosa (*what*), ecc.
		char	–	Cina, Francia, pace (*peace*), cento (*100*), ecc.
g	» »	*gala*	–	gatto (*cat*), agosto, Inghilterra, ecc.
		gin	–	Germania, Parigi, Genova, gita (*trip*), ecc.
gl	» »	*glory*	–	gloria, inglese (*English*), globo, ecc.
		million	–	figlio (*son*), famiglia, meglio (*better*), ecc.
gn	» »	*onion*	–	ogni (*every*), bagno (*bath*), ragno (*spider*), ecc.
r	is trilled		–	Roma, Berlino, Londra, Parigi, ecc.

The other consonants have the same sounds as in English.
Double consonants must be both pronounced: donna (don-na).

STRESS

1. Few Italian words have the stress on the final vowel.
   Those words have an accent on the final vowel.

   Caffè, città (*town*), lunedì (*Monday*), martedì (*Tuesday*), ecc.

2. Most Italian words bear the stress on the last syllable but one.

   Bambina, banana, Parigi, Zurigo, misura, esame, ecc.

3. In the vocabulary at the end of the book, in order to help the student, when the stress falls on the last syllable but two or three, the stressed vowel is written in italics.

   N*a*poli, G*e*nova, n*u*mero (*number*), c*a*mera (*bedroom*), ecc.

LETTERS WITH TWO SOUNDS

1. Two sounds of e: open as in *pen*, closed as in *pain*.
   In the said vocabulary, every open *e* is marked with an accent.

   Amèrica, Bèrna, zèro, èrba, cènto, ecc.

2. Two sounds of o: open as in *on*, closed as in *oh*.
   In the vocabulary, every open *o* is marked with an accent.

   Pòrta, dònna, nòve, zòna, ròsa, ecc.

3. Two sounds of s: hissing as in *see*, buzzing as in *rose*.
   In the vocabulary, every buzzing s is marked with a dot.

   Vaṡo, fraṡe, eṡame, uṡo, miṡura, ecc.

4. Two sounds of z: hard as in *Ritz*, soft as in *zeal*.
   In the vocabulary, every soft z is marked with a dot.

   Żurigo, żèro, żèta, żèlo, żòna, żanżara, ecc.

Verbo Essere.

Presente

Affermativo	*Negativo*	*Interrogativo*
io sono	io non sono	sono io?
tu sei	tu non sei	sei tu?
lui ⎱ è	lui ⎱ non è	è ⎱ lui?
lei ⎰	lei ⎰	⎰ lei?
noi siamo	noi non siamo	siamo noi?
voi siete	voi non siete	siete voi?
loro sono	loro non sono	sono loro?

TERMINAZIONI

Maschile		Femminile	
Singolare	*Plurale*	*Singolare*	*Plurale*
-o	-i	-a	-e
il maestro	i maestri	la maestra	le maestre
un maestro	alcuni maestri	una maestra	alcune maestre

Io sono la maestra
Io sono una donna
Io sono una signora
Io non sono a casa
Io sono a scuola
Voi siete a scuola

Dino è un allievo
Dino è un uomo
Lea è una signorina
Dino e Lea non sono a casa
Dino e Lea sono a scuola
Noi siamo a scuola

DOMANDE

Sono io la maestra?
Che cosa è Lei?
Chi sono io?
Chi è Lei?
Sono io un uomo o una donna?
È Dino un uomo o una donna?
È Lea una signora o una signorina?
Siamo noi a casa o a scuola?
Dove sono Dino e Lea?
Dov'è la scuola?
Dov'è la signora Rossi?
E la signorina Rossi?
È anche il signor Rossi a Berna?
Dov'è Berlino?
Dov'è Berna?
Dov'è Londra?
Dov'è Parigi?
È Madrid in Francia?
Dove sono Roma e Firenze?
E Napoli?

RISPOSTE

Sì, signora.
Io sono un allievo.
Lei è la signora N. N.
Io sono N. N.
Lei è una donna.
Dino è un uomo.
Lea è una signorina.
Noi siamo a scuola.
Anche loro sono a scuola.
La scuola è a ....
È a Londra.
È a Berna.
No, lui è a Berlino.
Berlino è in Germania.
Berna è in Svizzera.
Londra è in Inghilterra.
Parigi è in Francia.
No, Madrid è in Spagna.
Sono in Italia.
Anche Napoli è in Italia.

NUMERI

1	2	3	4	5	6	7	8	9	10
uno	due	tre	quattro	cinque	sei	sette	otto	nove	dieci

GIORNI DELLA SETTIMANA.

Lunedì, martedì, mercoledì, giovedì, venerdì, sabato, domenica.
Il lunedì, il martedì, il mercoledì, ecc., la domenica.
Lunedì prossimo, martedì prossimo, ecc., domenica prossima.
Lunedì scorso, martedì scorso, ecc., domenica scorsa.
Lunedì mattina, martedì pomeriggio, sabato sera, giovedì notte.

Convenevoli.

Buon giorno! Buona sera! Buona notte! Arrivederci! Ciao!
Scusi. Per favore. Per piacere. Grazie. Tante grazie. Prego.

Esercizi.

1. Coniugare il presente:
   Io sono a Londra. La domenica io non sono a scuola. Sono io a casa?

2. Rispondere a queste domande:
   Sono io la signora Berti?
   Chi sono io?
   Chi è Lei?
   Sono io un uomo o una donna?
   È Piero un uomo o una donna?
   È Maria un ragazzo o una ragazza?
   È Mrs. Temple una signora o una signorina?
   E Miss Temple?
   Dove siamo noi: a scuola o a casa?
   Dov'è la scuola?
   Siamo noi in Inghilterra o in Italia?
   È Roma in Inghilterra?
   Dove sono Londra, Parigi, Firenze, Berlino, Berna?
   È New York in Europa o in America?
   È Mosca in Russia o in Cina?

NOTA. – In Italian it is not always necessary to use the pronoun before the verb, as the verb itself expresses the person. The pronoun is used when we want to give special importance to the person. In this case, the 3rd person is *lui* (masculine), *lei* (feminine), *loro* plural for both. (The forms *egli*, *essa*, *essi*, *esse* are seldom used in colloquial speech).

In Italian there are two forms of address: the intimate form and the polite form. The intimate form is *tu* in the singular, and *voi* in the plural, and it is used when talking to relatives, intimate friends and children. The polite form is *Lei* in the singular and *Loro* in the plural, and it is used when talking to people in general. Actually *Lei* means *she*, but it is used also when talking to a man because, as a mark of deference, you do not talk to the person directly, but to the *Signoria* of the person (much the same as the Irish *Your Honour*). As the word *Signoria* is feminine, its pronoun is *lei*, and the verb is, accordingly, in the 3rd person; i.e. *Lei è* (singular), *Loro sono* (plural). This form was introduced into Italy from Spain in the 16th century.

3. Mettere *il, i, la, le.*

1. .... signor Lori
2. .... signora Bei
3. .... mercoledì
4. .... domenica
5. .... giorni
6. .... settimane

Mettere *un, una.*

1. .... giorno
2. .... mattina
3. .... scuola
4. .... numero
5. .... ragazzo
6. .... ragazza

4. Leggere.

1. 1 libro,   5 libri
2. 1 giorno,   2 giorni
3. 1 verbo,   4 verbi
4. 1 donna,   6 donne
5. 1 casa,   3 case
6. 1 lira,   10 lire

Completare.

1. 1 allievo,   9 ....
2. 1 maestro,   7 ....
3. 1 numero,   2 ....
4. 1 parola,   8 ....
5. 1 domanda,   5 ....
6. 1 pagina,   10 ....

5. Inserire il presente del verbo *essere.*

1. Io   .... Alberto.
2. Lui .... Ugo.
3. Lei .... Eva.
4. Loro .... Ugo e Eva.

5. Tu chi ...?
6. Voi chi ...?
7. Lei .... il maestro.
8. Noi .... allievi.

6. Completare. Es.: Il signor Lori *è un uomo.*

1. La signora Bei ....
2. Il mercoledì ....
3. Il lunedì, il sabato ....

4. Carlino ....
5. Rosetta ....
6. Due, sei, tre ....

7. Rispondere: Sì, ... No, ...

Es.: Ugo è a Roma? Sì, *è a Roma.* No, *non è a Roma.*

1. Il signor Lori è a casa?   Sì, ...   No, ...
2. La signora Bei è a casa?   Sì, ...   No, ...
3. I ragazzi sono a scuola?   Sì, ...   No, ...
4. Le ragazze sono a Berna?   Sì, ...   No, ...
5. Siete voi in Italia?   Sì, ...   No, ...
6. Scusi, Lei è allievo?   Sì, ...   No, ...

LEZIONE 2ª

LE COSE INTORNO A NOI

Questo (-a -i -e)	Quello (-a -i -e)
Questo è un libro	Quello è il soffitto
Questo è un quaderno	Quello è un muro
Questo è un dizionario	Quello è un quadro
Questo è un lapis	Quello è un orologio
Questa è una penna	Quella è una finestra
Questa è una gomma	Quella è una porta
Questa è una scatola	Quella è una lavagna
Questa è una tavola	Quella è una carta geografica
Questa è una sedia	Quella è una libreria
Questa è una poltrona	Quella è una stufa
Questa è una stanza	Quella è una lampada elettrica

Dov'è la penna?

Cos'è questo (-a)?
Cos'è quello (-a)?
Cosa sono questi (-e)?
Cosa sono quelli (-e)?
Questo è un ...?   *La penna è*
Quello è un ...?
Quanti .... sono questi?
Quante .... sono queste?
C'è, ci sono

sopra la tavola
sotto la tavola
in questa scatola
fra il libro e il quaderno
davanti a me
dietro a me
accanto a me
qui, **là**
lassù, **laggiù**

Cosa è = cos'è   Dove è = dov'è   Ci è = c'è.

DOMANDE	RISPOSTE
Cos'è questo?	È un libro.
Cos'è questa?	È una scatola.
Cos'è quello?	È il soffitto.
Cos'è quella?	È una libreria.
È questo un dizionario?	Sì, è un dizionario.
È questa una gomma?	No, non è una gomma, è una
Dov'è?	È sopra la tavola. [penna.
Dov'è ora?	È sotto la tavola.
E ora?	È fra il lapis e la gomma.
E ora?	È davanti a Lei.
E ora?	È dietro a Lei.
Dov'è la libreria?	È presso la finestra.
È a destra o a sinistra?	È a destra.
Dov'è la stufa?	È dietro a me e davanti a Lei.
Quante porte ci sono in questa stanza?	Ci sono due porte.
E quante finestre?	C'è soltanto una finestra.
La finestra è aperta o chiusa?	È chiusa.
Il libro è aperto o chiuso?	È aperto.
E ora?	Ora è chiuso.

LETTURA.

Questo è un lapis, e questa è una penna. Il lapis e la penna sono sopra la tavola. Ci sono altre cose sopra la tavola: ci sono tre libri, cinque quaderni e un dizionario. Il dizionario è chiuso, ma i libri e i quaderni sono aperti.

Noi siamo in una stanza. In questa stanza ci sono due finestre: una finestra è aperta e una è chiusa. Davanti a me c'è una porta, dietro a me c'è un quadro, accanto a me c'è una sedia. C'è anche una libreria in questa stanza: è là, fra le due finestre. Ci sono libri in quella libreria? Sì. Quanti libri ci sono? Ci sono dieci libri.

Questa è una scatola. In questa scatola ci sono tre lapis, due penne e una gomma. La scatola, i libri, i quaderni e il dizionario sono sopra la tavola, qui davanti a me.

NUMERI.

1 uno	6 sei	11 undici	16 sedici
2 due	7 sette	12 dodici	17 diciassette
3 tre	8 otto	13 tredici	18 diciotto
4 quattro	9 nove	14 quattordici	19 diciannove
5 cinque	10 dieci	15 quindici	20 venti

21 ventuno	26 ventisei	40 quaranta	90 novanta
22 ventidue	27 ventisette	50 cinquanta	100 cento
23 ventitre	28 ventotto	60 sessanta	200 duecento
24 ventiquattro	29 ventinove	70 settanta	1000 mille
25 venticinque	30 trenta	80 ottanta	2000 duemila, ecc.

NOTE.

1. Notare: ventuno, ventotto; trentuno, trentotto, ecc.

2. I numeri cardinali sono invariabili.

Due libri, due penne, tre quadri, sei sedie, cento lire, ecc.

Eccezioni:

Uno, come articolo indefinito: un libro, una lira.

Mille, plurale *-mila*: mille libri, duemila lire.

Milione, pl. *milioni*: un milione di libri, due milioni di lire.

ESCLAMAZIONI.

Che freddo! Che caldo! Con permesso! Ancora! Bene! Benissimo!

ESERCIZI.

1. Coniugare:

Essere in anticipo, – in ritardo, – contento (a, -i, -e), – scontento.

2. Domande:

Dov'è la libreria?

È aperta o chiusa?

C'è una stufa in questa stanza?

Dov'è la stufa?

C'è una lampada in questa stanza? Dov'è?

Dov'è la porta?

Dov'è il soffitto?

Quante finestre ci sono in questa stanza?

Quante sedie?

Quante porte?

Quanti allievi?

Quanti giorni ci sono in una settimana?

3. Mettere i sostantivi.

il	la	un	otto	mille ....
il	la	un	dieci	tremila ....
i	le	una	sette	seimila ....
i	le	una	nove	duemila ....

4. Es.: Cos'è questo?   Dov'è il libro?

   È un libro.   *È sopra la tavola.*

   1. Cos'è questo?   5. Cosa sono questi?   1. Dov'è la lavagna?
   2. Cos'è questa?   6. Cosa sono queste?   2. Dove sono i libri?
   3. Cos'è quello?   7. Cosa sono quelli?   3. Dove sono le penne?
   4. Cos'è quella?   8. Cosa sono quelle?   4. Dov'è la scatola?

5. Rispondere in senso opposto.

   1. Questo dizionario è aperto?   No, è   ....
   2. Questi libri sono aperti?   No, sono ....
   3. Quella finestra è aperta?   No, è   ....
   4. Quelle porte sono aperte?   No, sono ....
   5. La gomma è sotto la tavola?   No, è   ....
   6. La lavagna è dietro a voi?   No, è   ....
   7. I quadri sono laggiù?   No, sono ....

6. Leggere.

10 tavole	100 scuole	1000 maestri
40 sedie	500 stanze	2000 maestre
15 poltrone	700 lavagne	9000 allievi
20 quadri	250 orologi	1500 ragazzi
17 librerie	820 porte	7500 ragazze
75 libri	930 finestre	3900 scuole

7. Completare.

Questa casa .... una scuola. In .... scuola ci .... 20 o 25 stanze. Noi ....
in una di .... stanze. A destra c'è .... A sinistra c'è .... La finestra
di .... stanza è .... La porta è .... Davanti .... noi .... una lavagna.
Dietro .... noi ci .... due quadri. In .... stanza non .... una libreria,
non .... una stufa e non .... poltrone, ma .... 12 sedie. E
accanto .... me .... Giulia, ... bella ragazza!

LEZIONE 3ª

LE COSE IN UN UFFICIO

Questo è un ufficio. È una stanza con una finestra e due porte.
Fra le due porte c'è una scrivania, o scrittoio, con cinque cassetti. Dentro questi cassetti ci sono le cose necessarie per il lavoro di ufficio: penne, matite, gomme, fogli di carta, buste, francobolli, moduli, ecc. Sopra la scrivania c'è il telefono con l'elenco telefonico, accanto c'è il cestino per la carta straccia.

La macchina da scrivere è sopra una piccola tavola presso la finestra. In quella piccola tavola ci sono tre cassetti, e davanti c'è uno sgabello per la dattilografa.

Due cose necessarie in un ufficio sono anche l'orologio e il calendario. In questo ufficio l'orologio è fra le due porte, e il calendario è sotto l'orologio.

La stanza è vuota. Gl'impiegati non sono in ufficio: sono a casa. Gl'impiegati sono in ufficio otto ore ogni giorno: quattro ore la mattina e quattro ore il pomeriggio, eccetto il sabato pomeriggio e la domenica.

Durante le ore di lavoro, l'ufficio è pieno di movimento. Durante le ore di riposo, l'ufficio è tranquillo e silenzioso.

L'ARTICOLO

Maschile		Femminile	
Singolare	*Plurale*	*Singolare*	*Plurale*
un, il + consonante	i	una, la + consonante	le
un, l' + vocale	gli	un', l' + vocale	le
uno, lo + s impura o z	gli	— — —	—

un libro,	il libro	– i libri	una penna,	la penna	– le penne
un ufficio,	l'ufficio	– gli uffici	un'ora,	l'ora	– le ore
uno sbaglio,	lo sbaglio	– gli sbagli	una stanza,	la stanza	– le stanze
uno zero,	lo zero	– gli zeri	una zeta,	la zeta	– le zete

1. L'articolo *gli* è *gl'* davanti a *i*: Gl'impiegati, gl'italiani, ecc.

2. *Singolare*: ufficio, orologio, calendario, foglio, ecc.
   Plurale : uffici, orologi, calendari, fogli, ecc.

3. Gli aggettivi e i predicati sono variabili, come i sostantivi.
   Piccolo ufficio, piccola stanza. Piccoli uffici, piccole stanze.
   Io sono nato (-a) in Inghilterra. Noi siamo nati (-e) a Londra.

4. *Molto* } + aggettivo è invariabile (*very*)
   + sostantivo è variabile (*much, many*).

   Questa casa è molto piccola. Queste case sono molto piccole.
   C'è molto lavoro, molta carta. Ci sono molti fogli, molte buste.

NUMERI.

1 – 11 –	0	8, 11, 13, 17, 19, 20, 22, 26, 36,	11 – 111 – 1111
2 – 12 –	20	31, 15, 41, 45, 44, 54, 59, 60, 83,	22 – 222 – 2222
3 – 13 –	30	16, 68, 70, 17, 7, 77, 73, 81, 89,	33 – 333 – 3333
4 – 14 –	40	85, 92, 19, 86, 96, 100, 400, 500,	44 – 444 – 4444
5 – 15 –	50	800, 201, 301, 344, 356, 653, 953,	55 – 555 – 5555
6 – 16 –	60	716, 812, 515, 2000, 6000, 4073,	66 – 666 – 6666
7 – 17 –	70	5013, 4444, 3811, 2218, 8431,	77 – 777 – 7777
8 – 18 –	80	10.000, 35.013, 12.336, 53.910,	88 – 888 – 8888
9 – 19 –	90	64.822, 78.395, 115.210, 713.378,	99 – 999 – 9999
10 – 100 –	1000	915.601, 8.911, 765.987, 123.456.	1.000.000

OPPOSTI

Molto	– Poco		Piccolo	– Ampio
Sopra	– Sotto		Pieno	– Vuoto
Dentro	– Fuori		Silenzioso	– Rumoroso
Davanti	– Dietro		Lavoro	– Riposo

ESPRESSIONI IDIOMATICHE.

Essere in ufficio, – in classe, – in città, – fuori di città.

ESERCIZI.

1. Mettere gli articoli davanti a queste parole:

Giorno (un giorno, il giorno, i giorni), ufficio, cassetto, impiegato, lavoro, orario, francobollo, numero, modulo, scrittoio, telefono, casa, impiegata, macchina, stanza, scuola, lettera, busta, tavola, mattina.

2. Completare il presente:

Io non sono italiano, sono americano. Io sono in ufficio tutto il giorno. Il sabato pomeriggio sono a casa. La domenica non sono in città. Io sono nato (-a) a Londra. Io sono nato (-a) in Inghilterra.

3. Domande:

Che stanza è quella a pagina 13?
Dov'è la scrivania? l'orologio? il calendario?
Che cosa c'è sopra la scrivania?
Dov'è la macchina da scrivere?
Per chi è lo sgabello?
Quante porte e quante finestre ci sono in quella stanza?
Sono le porte aperte o chiuse?
È la finestra aperta o chiusa?
Dove sono gl'impiegati?
È l'ufficio aperto ogni giorno?
Quante ore di lavoro ci sono in un giorno?
Quando è l'ufficio pieno di movimento?
Quando è tranquillo e silenzioso?
Ci sono uffici anche in una scuola?
Quante ore di scuola ci sono in un giorno?
Quante ore di scuola ci sono in una settimana?
Quando una scuola è tranquilla e silenziosa?

4. Mettere i sostantivi.   Mettere gli articoli.

il ...., i	un ...., alcuni	.... orario,	.... orari
la ...., le	una ...., alcune	.... esempio,	.... esempi
lo ...., gli	uno ...., alcuni	.... opera,	.... opere
l' ...., gli	un ...., alcuni	.... studio,	.... studi
l' ...., le	un' ...., alcune	.... strada,	.... strade

5. Inserire *molto* (*-i, -a, -e*).   Inserire *poco* (*pochi, poca, poche*).

1. Un ufficio .... piccolo.
2. Una tavola .... piccola.
3. Due cassetti .... piccoli.
4. Un libro con .... esempi.
5. Un libro con .... figure.
6. Un orario con .... lavoro.

1. Un ufficio .... silenzioso.
2. Una strada .... rumorosa.
3. Una scuola con .... allievi
4. Una scuola con .... allieve.
5. Una stanza con .... aria.
6. Una strada con .... traffico.

6. Inserire *molto* e l'opposto (≠) *poco* in queste frasi.
   Es.: In questo foglio ci sono molti sbagli ≠ pochi sbagli.

1. In questo ufficio c'è .... lavoro ≠ .... lavoro.
2. In questo cassetto c'è .... carta ≠ .... carta.
3. In questa casa ci sono .... donne ≠ .... donne.
4. In quelle case ci sono .... uffici ≠ .... uffici.
5. In questi libri ci sono .... esempi ≠ .... esempi.
6. In questo libro ci sono .... pagine ≠ .... pagine.

7. Riempire i vuoti per descrivere la figura a pagina 12.

La figura .... pagina 12 è un .... In questo .... ci sono due .... e una ....
Sotto .... finestra c'è .... tavola con tre .... Sopra quella .... c'è una ....
.... per la .... C'è anche .... sgabello. Anche .... sgabello è per la ....
Al muro c'è .... orologio, e sotto .... orologio c'è .... calendario. Ma
dove sono .... impiegati? Dove sono .... impiegate? Dov'è .... dattilografa? Perché .... ufficio è ...? Forse perché è sabato o domenica.
.... sabato e .... domenica .... uffici .... chiusi. Ma probabilmente gli ....
e la .... sono al bar!

8. Guardare la figura a pag. 15 e descrivere quella figura.

LEZIONE 4ª

L'OROLOGIO

Parti di un orologio:	Ci sono:
la cassa	orologi a cucù
il meccanismo	orologi da muro
le lancette	orologi da polso
il cristallo	sveglie

Che ora è? È l'una
Che ore sono? Sono:

(mattina)		*(frazioni)*	
le due	– 2 a. m.	le due e 5	– 2.5 a. m.
le tre	– 3 a. m.	le due e 10	– 2.10 a. m.
le quattro	– 4 a. m.	le due e 15	– 2.15 a. m.
le cinque	– 5 a. m.	le due e 20	– 2.20 a. m.
le sei	– 6 a. m.	le due e 25	– 2.25 a. m.
le sette	– 7 a. m.	le due e 30	– 2.30 a. m.
le otto	– 8 a. m.	le due e 35	– 2.35 a. m.
le nove	– 9 a. m.	le due e 40	– 2.40 a. m.
le dieci	– 10 a. m.	le due e 45	– 2.45 a. m.
le undici	– 11 a. m.	le due e 50	– 2.50 a. m.
le dodici	– 12 a. m.	le due e 55	– 2.55 a. m.
è mezzogiorno	– noon	le tre	– 3.00 a. m.

(pomeriggio)		*(forme di colloquio)*
le tredici	– 1 p. m.	le tre precise
le quattordici	– 2 p. m.	circa le tre
le quindici	– 3 p. m.	quasi le tre
le sedici	– 4 p. m.	le tre passate
le diciassette	– 5 p. m.	le tre e un quarto
le diciotto	– 6 p. m.	le tre e mezzo
le diciannove	– 7 p. m.	le tre meno 5
le venti	– 8 p. m.	le tre meno 20
le ventuno	– 9 p. m.	le tre pomeridiane

le ventidue	– 10 p. m.	le tre di giorno
le ventitre	– 11 p. m.	le tre di notte
le ventiquattro	– 12 p. m.	le nove di mattina
è mezzanotte	– midnight	le nove di sera

IL TEMPO E GLI OROLOGI.

Gli orologi sono strumenti per misurare il tempo. In un orologio ci sono due lancette: una lancetta lunga per i minuti, e una lancetta corta per le ore. Qualche volta c'è anche una piccola lancetta per i secondi.

Ci sono orologi in ogni casa, in ogni ufficio, in ogni scuola. Anche in questa stanza c'è un orologio. Che ore sono a questo orologio? Sono le quattro. È giusto questo orologio? No, è indietro. Perché? Perché sono le quattro e mezzo. Questo orologio è indietro di 30 minuti, o mezz'ora.

Questo è un orologio da muro. Anche l'orologio a cucù è un orologio da muro. In un orologio a cucù c'è una piccola porta, e dietro la porta c'è un piccolo uccello: il cuculo. In una sveglia, invece, c'è un campanello. Che fastidio questo campanello la mattina!

Ci sono inoltre orologi da polso, orologi di metallo prezioso come l'oro e l'argento, e modesti orologi di metallo cromato. Ci sono infine orologi famosi, come l'orologio di Westminster: Big Ben, e l'orologio di Piazza San Marco a Venezia, con due mori. È bello essere in Piazza San Marco a mezzogiorno, quando i due mori sono in movimento per un minuto, e i colombi – i famosi colombi di Piazza San Marco – sono a un tratto tutti in aria.

NOTA.

Ogni (every) e *qualche* (some) sono singolari, ma con senso plurale.

Ogni ufficio, ogni casa, ogni scuola, ogni volta, ecc.
Qualche ufficio, qualche casa, qualche scuola, qualche volta, ecc.

OPPOSTI.

Un prezioso orologio	–	Un modesto orologio
L'orologio è avanti	–	L'orologio è indietro
Essere in anticipo	–	Essere in ritardo
Qualche volta, spesso	–	Raramente
Sempre. Quasi sempre	–	Mai. Quasi mai

LE SILLABE.

Ogni parola è formata da sillabe. Ecco com'è composta una sillaba:

		Es.				
a)	semplice vocale	Es.	*ora*:	o-ra	*amico*:	a-mi-co
b)	consonante e vocale	»	*muro*:	mu-ro	*secolo*:	se-co-lo
c)	dittongo	»	*dieci*:	die-ci	*pieno*:	pie-no
d)	più consonanti e vocale	»	*primo*:	pri-mo	*libro*:	li-bro
e)	*l, r, m, n,* a sinistra	»	*molto*:	mol-to	*porta*:	por-ta
			tempo:	tem-po	*cinque*:	cin-que
f)	*s* impura, a destra	»	*busta*:	bu-sta	*questo*:	que-sto
g)	doppia consonante divisa	»	*penna*:	pen-na	*tutto*:	tut-to

ESERCIZI.

1. Mettere gli articoli davanti a queste parole:

Orologio, minuto, ora, lancetta, sera, strumento, settimana, moro, piazza, colombo, uccello, muro, sveglia, parola, scatola, quadro, porta.

2. Dividere queste parole in sillabe:

Numero, ogni, lampada elettrica, oro, argento, metallo cromato, aria, città, finestra, Inghilterra, Francia, Italia, Germania, Svizzera, India.

3. Leggere queste ore in italiano:

(24 ore)		(forma di colloquio)	
6.35 a. m.	12.00 a. m.	12.00 a. m.	2.10 a. m.
4.50 p. m.	12.00 p. m.	12.00 p. m.	2.10 p. m.
8.20 a. m.	9.30 p. m.	9.30 a. m.	4.40 a. m.
8.20 p. m.	3.45 p. m.	2.45 p. m.	9.15 p. m.

4. Completare il presente:

La domenica mattina io sono raramente in casa. Sono qui ogni pomeriggio? Non sono quasi mai a letto prima di mezzanotte.

5. Domande:

Che cosa c'è in un orologio?
Quante lancette ci sono in un orologio?
Che cosa c'è dentro un orologio a cucù?
Che cosa c'è dentro una sveglia?
Che ore sono ora?
Che cos'è Big Ben? Dov'è?
Dov'è l'orologio con due mori?
Perché è bello essere in Piazza San Marco a mezzogiorno?

6. Formare le domande per queste risposte.

    1. ....? È quasi mezzogiorno.
    2. ....? È l'una meno venti.
    3. ....? Sono le cinque e un quarto.
    4. ....? È mezzanotte passata.
    5. ....? Sono le tre e mezzo.
    6. ....? Ci sono due o tre lancette
    7. ....? Big Ben è a Londra.
    8. ....? Il Colosseo è a Roma.

7. Riempire i vuoti.

    1. In un'ora ci sono .... minuti.
    2. In .... settimana ci sono .... giorni.
    3. In .... anno ci sono .... giorni.
    4. .... questo libro ci sono .... pagine.
    5. .... pagina 16 .... una figura.
    6. .... pagina 18 .... cinque esercizi.
    7. .... Venezia .... molti colombi.
    8. .... oro e .... argento .... metalli preziosi.

8. *a*) Mettere l'articolo definito.

.... articolo,	.... articoli	.... entrata,	.... entrate
.... alfabeto,	.... alfabeti	.... uscita,	.... uscite
.... studio,	.... studi	.... stufa,	.... stufe
.... sbaglio,	.... sbagli	.... strada,	.... strade

b) Mettere l'articolo indefinito.

.... allievo,	.... allieva	.... scrittoio,	.... scrivania
.... impiegato,	.... impiegata	.... studio,	.... stanza
.... operaio,	.... operaia	.... sbaglio,	.... scuola
.... amico,	.... amica	.... specchio,	.... sveglia

9. Scrivere queste frasi con l'opposto delle parole in corsivo.

    1. Io sono *in ritardo* perché l'orologio di casa è *indietro*.
    2. Noi *non* siamo *mai* a letto *prima di* mezzanotte.
    3. Io sono *spesso* a casa la *sera*.
    4. Che *freddo*! Perché quella finestra è *aperta*?

Verbo **Avere.**

Presente

Affermativo	*Negativo*	*Interrogativo*
ho	non ho	ho ?
hai	non hai	hai ?
ha	non ha	ha ?
abbiamo	non abbiamo	abbiamo ?
avete	non avete	avete ?
hanno	non hanno	hanno ?

Avere: caldo, – freddo, – appetito, – fame, – sete, – sonno, – ragione, – torto, – fretta, – i nervi, – paura (di), – bisogno (di), – voglia (di), – tempo (di). Avere da fare, da scrivere, ecc. Avere dieci anni, vent'anni, ecc. (di età).

Conversazione: **Un incontro.**

Signora Bini – Buon giorno, signora Nuti, come va?
Signora Nuti – Bene, grazie, signora Bini, e Lei?
Signora Bini – Benissimo. E il signor Nuti?
Signora Nuti – Così e così. Non troppo bene.
Signora Bini – Oh. Che cos'ha?
Signora Nuti – Ha un po' di raffreddore e non ha appetito. Perciò è un po' giù.
Signora Bini – Che noia questi raffreddori! È il tempo: un momento è caldo, un momento è freddo. Il signor Nuti non ha torto se ha i nervi. Ma è a letto?
Signora Nuti – Oh, no, ho un appuntamento con lui per le cinque, e ho paura di essere in ritardo.
Signora Bini – (looking at her watch) Sono soltanto le quattro e mezzo!
Signora Nuti – (looking at her watch) Le quattro e mezzo? No, cara signora Bini, sono le cinque meno cinque!
Signora Bini – Oh, questo orologio è sempre indietro! Allora, Lei ha ragione di avere fretta. Arrivederci!
Signora Nuti – Ha voglia di venire a teatro con noi? C'è una commedia.
Signora Bini – Oggi? Grazie, oggi no. Non ho tempo: ho molto da fare. Un'altra volta con piacere.
Signora Nuti – Allora arrivederci. Tanti saluti a casa!
Signora Bini – Grazie, altrettanto. E buon divertimento!
Signora Nuti – Grazie. Arrivederci a presto!

Espressioni speciali.

Come va? – Bene, grazie, e Lei? / Non c'è male. Così e così. / Non troppo bene. Sono un po' giù.

Che cos'ha? – Ho mal di testa, un raffreddore. Non ho appetito. / Ho i nervi. Ho bisogno di riposo. Non ho nulla!

Ha freddo? (fretta? ecc.) – Sì, ho molto freddo (molta fretta, ecc.). / Piuttosto. Un poco (un po'). Un pochino. / Per nulla. Affatto.

Esclamazioni:

Che fame! Che sete! Che paura! Che sonno! Che noia!
Buon divertimento! Tanti saluti a casa! Grazie, altrettanto!
Arrivederci a presto! Arrivederci a domani! A domani!

Esercizi.

1. Mettere gli articoli davanti a queste parole:

Appuntamento, mamma, teatro, volta, saluto, casa, divertimento, ritardo, cinematografo, commedia, studio, sgabello, stufa, giorno.

2. Completare il presente:

Ho spesso sonno la sera. Oggi sono contento e ho voglia di ridere. Non ho né fame né sete. Ho molto da studiare. Non ho tempo da perdere. Non ho nulla da fare. Non ho mai freddo. Ho sempre caldo. Non ho bisogno di nulla. Ho forse torto? Non ho molta voglia di studiare. Ho bisogno di denaro? Ho molto da fare e ho fretta. Quanti anni ho?

3. Cambiare il singolare in plurale e viceversa:

Un orologio svizzero. Tutti i giorni. La prossima settimana. Le ore di studio. Il secolo passato. Il bambino è a letto, la bambina è in giardino. Cos'ha il bambino? Ha l'influenza, ma ora è quasi guarito. Ha soltanto bisogno di riposo. Non abbiamo voglia di andare a letto. Abbiamo voglia di andare a teatro. Avete ragione. A mezzogiorno ho fame, a mezzanotte ho sonno. Quella stanza ha la finestra sempre chiusa.

4. Domande:

Fra chi c'è un incontro?
Perché la signora Nuti ha fretta?
A che ora è l'appuntamento fra la signora e il signor Nuti?
Perché la signora Nuti ha paura di essere in ritardo?
Perché il signor Nuti è un po' giù?
Qual è la causa (secondo la signora B.) di questo raffreddore?
Ha voglia la signora Bini di andare a teatro?
Che spettacolo c'è a teatro?
Abbiamo noi raffreddori quando è freddo o quando è caldo?
Abbiamo voglia di ridere quando abbiamo un raffreddore?
A che ora generalmente abbiamo appetito?
Quando abbiamo voglia di andare a letto?
Abbiamo noi bisogno di riposo la mattina o la sera?
Quando non abbiamo tempo da perdere?

5. Mettere in forma negativa.

1. Noi abbiamo il telefono.
2. Voi avete molto denaro.
3. Io ho una bicicletta.
4. Chi ha un orologio?
5. Gianni ha appetito.
6. Tu hai sempre ragione.

6. Rispondere in senso affermativo e negativo, usando *sempre* nella frase affermativa e *non .... mai* in quella negativa.

Es.: Lei ha fretta? 〈 Sì, io ho sempre fretta
〈 No, io non ho mai fretta.

1. Lei ha molto da studiare?
2. Tu hai sonno la sera?
3. Loro hanno molti amici?
4. Questo orologio è indietro?
5. Lui ha voglia di giocare?
6. Avete voi un'ora di riposo?

7. Leggere queste frasi con l'opposto delle parole in corsivo.

1. Avete il telefono? Sì, è là *davanti* a Lei.
2. Dov'è l'elenco telefonico? È *sotto* quella scatola.
3. Alcune persone hanno sempre *freddo*, anche quando è *caldo*.
4. Alcuni uffici sono *fuori di* città.
5. Io ho *spesso* bisogno di bere durante il giorno.
6. Che ore sono? È *presto* per andare a teatro?
7. Noi abbiamo *molto* tempo, perché siamo *in anticipo*.
8. È questa una *domanda* giusta?

8. Mettere in queste frasi il presente dei verbi in corsivo.

1. Io *avere* un orologio, ma *essere* piuttosto vecchio.
2. Tu *avere* bisogno di un nuovo orologio.
3. Quanti anni *avere* questi due ragazzi?
4. Un ragazzo *avere* 13 anni, l'altro *avere* 6 anni.
5. Quando *essere* caldo, noi non *avere* appetito, ma sete.
6. Voi *avere* un dizionario inglese-italiano?
7. Lui *avere* un dizionario, ma *essere* soltanto inglese.
8. Noi *avere* soltanto un'ora per fare questo esercizio.

9. Conversazione. Dare una logica risposta a queste domande.

1. Come va?
2. Lei è americano?
3. Lei ha amici qui?
4. Lei ha lezioni ogni giorno?
5. A che ora Lei ha le lezioni?
6. Lei ha un orologio? Com'è?

IL CALENDARIO

1º	Il primo	mese dell'anno è	gennaio	(genn.)
2º	Il secondo	» »	febbraio	(febbr.)
3º	Il terzo	» »	marzo	(marzo)
4º	Il quarto	» »	aprile	(apr.)
5º	Il quinto	» »	maggio	(maggio)
6º	Il sesto	» »	giugno	(giugno)
7º	Il settimo	» »	luglio	(luglio)
8º	L'ottavo	» »	agosto	(agosto)
9º	Il nono	» »	settembre	(sett.)
10º	Il decimo	» »	ottobre	(ott.)
11º	L'undicesimo	» »	novembre	(nov.)
12º	Il dodicesimo	» »	dicembre	(dic.)

13º	Il tredicesimo	30º	Il trentesimo
14º	Il quattordicesimo	40º	Il quarantesimo
15º	Il quindicesimo	50º	Il cinquantesimo
16º	Il sedicesimo	60º	Il sessantesimo
17º	Il diciassettesimo	70º	Il settantesimo
18º	Il diciottesimo	80º	L'ottantesimo
19º	Il diciannovesimo	90º	Il novantesimo
20º	Il ventesimo	100º	Il centesimo
21º	Il ventunesimo	101º	Il centunesimo, ecc.
22º	Il ventiduesimo, ecc.	1000º	Il millesimo.

I numeri ordinali sono variabili.

Es.: Il primo, la prima, i primi, le prime; il terzo, la terza, ecc.

1 un intero	il primo	una decina
1/2 una metà	l'ultimo	una dozzina
1/3 un terzo	il penultimo	una ventina
2/3 due terzi	il terzultimo	una trentina
e così via	e così via	e così via.

LA DATA.

Per la data usare i numeri cardinali, eccetto il primo giorno del mese.

1º aprile 1960	1/4/1960	Primo aprile millenovecentosessanta.
3 marzo 1320	3/3/1320	Tre marzo milletrecentoventi.
9 agosto 1602	9/8/1602	Nove agosto milleseicentodue.

DOMANDE	RISPOSTE
Che giorno è oggi?	Oggi è sabato.
Quanti ne abbiamo oggi?	Oggi ne abbiamo 15.
In che mese siamo?	Siamo in novembre.
In che anno siamo?	Siamo nell'anno 19...
In che secolo siamo?	Siamo nel ventesimo secolo.
Qual è la data di oggi?	Oggi è il 15 novembre 19...
Quando ha lezione d'italiano?	Ho lezione il martedì e il sabato.
A che ora?	Dalle tre alle sei del pomeriggio.
Quando è vacanza?	La domenica è vacanza.
Perché?	Perché è un giorno festivo.
E gli altri giorni?	Gli altri sono giorni di lavoro.
Quanti giorni ci sono in marzo?	Ci sono 31 giorni.
E in aprile?	In aprile ci sono 30 giorni.
E in febbraio?	In febbraio 28, ogni 4 anni 29.
In che mese è nato Lei?	Io sono nato (-a) in novembre.
In che giorno?	Il 15 novembre.
Ma oggi è il 15 novembre!	Sì, oggi è il mio compleanno.
Tanti auguri!	Tante grazie!

PREPOSIZIONI ARTICOLATE

	il	lo	la	l'	i	gli	le
di	del	dello	della	dell'	dei	degli	delle
a	al	allo	alla	all'	ai	agli	alle
da	dal	dallo	dalla	dall'	dai	dagli	dalle
in	nel	nello	nella	nell'	nei	negli	nelle
su	sul	sullo	sulla	sull'	sui	sugli	sulle
con	col	con lo	con la	con l'	coi	con gli	con le

il giorno	*lo studio*	*l'anno*	*la data*	*l'ora*
del giorno	dello studio	dell'anno	della data	dell'ora
al giorno	allo studio	all' anno	alla data	all' ora
dal giorno	dallo studio	dall'anno	dalla data	dall'ora
nel giorno	nello studio	nell'anno	nella data	nell'ora
sul giorno	sullo studio	sull'anno	sulla data	sull'ora
col giorno	con lo studio	con l'anno	con la data	con l'ora

i giorni	*gli studi*	*gli anni*	*le date*	*le ore*
dei giorni	degli studi	degli anni	delle date	delle ore
ai giorni	agli studi	agli anni	alle date	alle ore
dai giorni	dagli studi	dagli anni	dalle date	dalle ore
nei giorni	negli studi	negli anni	nelle date	nelle ore
sui giorni	sugli studi	sugli anni	sulle date	sulle ore
coi giorni	con gli studi	con gli anni	con le date	con le ore

LETTURA: **Le feste dell'anno.**

Nel calendario sono segnati tutti i giorni dell'anno. Nell'anno ci sono molti giorni festivi, oltre alle domeniche.

Il primo giorno di gennaio è Capodanno. Dopo alcuni giorni, il 6 gennaio, è l'Epifania, in memoria della visita dei Re Magi al Bambino Gesù. Perciò questa è specialmente la festa dei bambini.

Il tempo fra l'Epifania e la Pasqua è diviso in due periodi: il carnevale e la quaresima. L'ultima domenica di quaresima è la Domenica delle Palme, in ricordo dell'entrata di Gesù in Gerusalemme, sulla strada coperta di palme.

Circa un terzo dell'anno è passato. Il freddo è finito. È Pasqua. Ci sono molti fiori nei giardini, nei campi e negli orti. L'aria è piena di profumi. La Pasqua è la festa della natura.

Il cinquantesimo giorno dopo Pasqua è Pentecoste, o Pasqua di Rose, perché ci sono rose in tutti i giardini.

Dopo poco tempo è caldo. Le vacanze sono vicine. In agosto tutti sono via: chi in campagna, chi in montagna, chi al mare: è sempre festa.

Dopo le vacanze, i divertimenti sono finiti: i ragazzi sono di nuovo a scuola, gli adulti sono di nuovo al lavoro. In novembre c'è la festa dei Santi. È freddo. Il fuoco è acceso nei caminetti. Il tempo è quasi sempre cattivo. Ma in dicembre ecco il Natale, con l'albero pieno di candele e di doni. Il Natale è un giorno caro a tutti, perché è la festa della famiglia.

Sei giorni dopo Natale è San Silvestro, l'ultimo giorno dell'anno. Che allegria quella sera! Ci sono danze, musica, champagne. L'anno è finito, e tutti sono in attesa dell'anno nuovo. Salve, Nuovo Anno! Auguri! Auguri! Buon Anno!

OPPOSTI

Il primo giorno	-	L'ultimo giorno
Il giorno prima	–	Il giorno dopo
Giorno di lavoro	–	Giorno di festa
Periodo di lavoro	–	Periodo di riposo
È freddo	–	È caldo
Il tempo è bello, buono	–	Il tempo è brutto, cattivo
Il fuoco è acceso	–	Il fuoco è spento
Prima delle vacanze	–	Dopo le vacanze
Nell'anno 30 a. C.	–	Nell'anno 30 d. C.

ESPRESSIONI IDIOMATICHE

Quanti ne abbiamo oggi?
Ne abbiamo sei, dieci, ecc.
Essere in montagna, al mare.

BIGLIETTI DI AUGURI.

Auguri di Buon Natale e Buon Anno!
Tanti auguri per il Nuovo Anno!
Vivissimi auguri di Buone Feste!

ESERCIZI.

1. Mettere l'articolo e le varie preposizioni articolate, nel singolare e nel plurale, davanti a queste parole:

Calendario, bambino, campo, orto, giardino, caminetto, albero, dono, ricordo, orologio, augurio, candela, danza, festa, famiglia, vacanza.

2. Cambiare il singolare in plurale e viceversa:

Nel calendario. Dalla montagna. Nelle scuole. Che bella rosa c'è nel giardino! Gli ultimi giorni. La festa del Santo. Sull'albero di Natale. I nastri intorno ai doni natalizi sono rossi. Per chi è questo libro con la copertina rossa? I fuochi sono accesi nei caminetti. Gli alberi sono fioriti nei campi e negli orti. Il ricordo dell'anno passato.

3. Domande:

Che giorno è oggi?
Com'è diviso un giorno?
In che mese siamo?
Quanti ne abbiamo oggi?
Oggi è un giorno festivo?
Quanti mesi ci sono in un anno?
Qual è il primo mese dell'anno?
Qual è il terzo? il sesto? il nono?
Qual è l'ultimo? il penultimo?
Qual è la prima festa dell'anno? e l'ultima?
Quando è l'Epifania? Perché l'Epifania è la festa dei bambini?
Quando è Natale? Capodanno? San Silvestro? la Pentecoste?
Perché la Pentecoste è chiamata anche Pasqua di Rose?
Qual è la festa della natura? della famiglia?

4. Inserire dei numeri ordinali.

1. Il .... giorno di vacanza
2. La .... settimana del mese.
3. L' .... anno di studi.
4. L' .... festa dell'anno.
5. Questo è il .... numero.
6. Questa è la .... domanda.
7. 1/3 è la .... parte.
8. 1/10 è la .... parte.

5. Inserire le preposizioni articolate.

1. Il santo .... giorno.
2. I giorni .... anno.
3. Il giardino .... scuola.
4. Il periodo .... vacanze.
5. Le lancette .... orologio.
6. I quaderni .... allievi.
7. I quaderni .... allieve.
8. Le pagine .... libri.
9. Il numero .... pagine.
10. Il traffico .... strade.

1. Rispondere .... telefono.
2. Rispondere .... amici.
3. Rispondere .... amiche.
4. Rispondere .... insegnante.
5. Inserire .... vuoti.
6. Scrivere .... lapis.
7. Scrivere .... quaderno.
8. Scrivere .... quaderni.
9. Imparare .... libri.
10. Imparare .... maestro.

6. *Di* + articolo (del, dei, della, delle, ecc.) = *some, any*.
   Es.: Ecco .... vino. *Ecco del vino*:

1. Ecco .... denaro.
2. Ecco .... carta.
3. Ecco .... buste.
4. Ecco .... francobolli.

5. Ecco .... esempi.
6. Ecco .... acqua.
7. Ecco .... fiori.
6. Ecco .... sigarette.

7. Completare queste frasi con le varie preposizioni articolate.

1. Io ho sete. C'è .... acqua minerale in casa?
2. Sì, l'acqua è .... frigo, e c'è anche .... vino e .... birra.
3. C'è un calendario qui? Sì, è là .... muro.
4. C'è anche un telefono? Sì, è là .... scrivania.
5. Dov'è la scrivania? È là, davanti .... finestra.
6. C'è un elenco telefonico? Sì, è accanto .... telefono.
7. C'è una matita? Sì, è accanto ... elenco.
8. C'è anche .... carta? Sì, è .... terzo cassetto .... scrittoio.
9. Lei ha .... libri inglesi? No, ma ho .... riviste inglesi.
10. Dove sono queste riviste? Sono .... libreria.
11. E la libreria dov'è? La libreria è .... studio.
12. La porta .... studio è chiusa: c'è Gino con .... amici.
13. Che profumo c'è .... aria! È il profumo .... fiori.
14. Dove sono questi fiori? I fiori sono .... vasi.
15. Dove sono questi vasi? Un vaso è .... tavola.
16. Dove sono gli altri vasi? Due vasi sono .... pavimento.
17. C'è .... acqua .... vasi? Sì, c'è sempre .... acqua.
18. In Maggio ci sono molti fiori .... giardini e .... case.
19. Lei è americano? Sì, io sono nato .... Stati Uniti.
20. Io sono nato a Washington, la capitale .... Stati Uniti.

LEZIONE 7ª

I COLORI

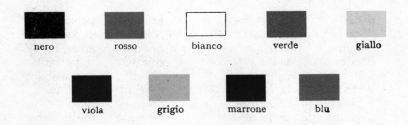

nero   rosso   bianco   verde   giallo

viola   grigio   marrone   blu

Di che colore è { il cielo?   Il cielo è blu.

l'erba?   L'erba è verde.

il fuoco?   Il fuoco è rosso.

il latte?   Il latte è bianco.

il carbone?   Il carbone è nero.

la tavola?   La tavola è marrone.

l'acqua?   L'acqua è incolore.

Di che colore sono { le nuvole?   Le nuvole sono grige.

le violette?   Le violette sono viola.

i limoni?   I limoni sono gialli.

le foglie?   Le foglie sono verdi.

le rose?   Le rose sono rosse, rosa e gialle.

i fiori?   I fiori sono di tutti i colori.

I colori: *rosa, viola, blu, avana* sono invariabili.
Es.: vestito rosa, inchiostro viola, penne blu, quaderni avana, ecc.

LA TERMINAZIONE -e:

La terminazione -o è maschile: plurale -i
La terminazione -a è femminile: plurale -e
La terminazione -e è maschile e femminile: plurale -i

il mese – i mesi   la notte   – le notti
il fiore – i fiori   la lezione – le lezioni

Anche gli aggettivi in -e sono maschili e femminili: plurale -i

il libro }   i libri }
la penna } verde   le penne } verdi

Alcuni sostantivi in -e: *Alcuni aggettivi in -e:*

il cane	la stagione	arancione	gentile
il carbone	la cenere	breve	giovane
il fiume	la classe	brillante	grande
il latte	la fine	celeste	importante
il limone	la gente	difficile	impossibile
il mare	la luce	diligente	incolore
il monte	la madre	dolce	inutile
il padre	la neve	elegante	multicolore
il ponte	la notte	facile	triste
il sangue	la pace	fedele	utile
il temporale	la parete	forte	verde

Sono maschili: **Sono femminili:**

I nomi in *-ore*:   I nomi in *-ione*:

  il colore, il calore,   la lezione, la stagione,
  il fiore, l'amore, ecc.   la nazione, l'espressione, ecc.

Gli alberi: I frutti:

  il pero, il ciliegio,   la pera, la ciliegia,
  il melo, l'arancio, ecc.   la mela, l'arancia, ecc.

C'è l'articolo davanti a:

  nomi di *sostanze*: il latte, il carbone, l'acqua, ecc.
  nomi di *stagioni*: la primavera, l'inverno, ecc.
  nomi di *colori*: il rosso, il verde, il blu, ecc.
  nomi *astratti*: il tempo, la natura, ecc.

LETTURA: I colori.

I colori principali sono: il bianco, il nero, il grigio, il rosso, il blu (azzurro), il verde, il giallo, il marrone. Ci sono varie gradazioni di colore: il blu chiaro è celeste; il blu scuro è turchino; il marrone chiaro è avana; il marrone scuro è bruno; il rosso chiaro è rosa.

Nei fiori ci sono tutti i colori. Anche gli alberi da frutto hanno fiori di vario colore: i fiori del melo sono bianchi, i fiori del pesco sono rosa, i fiori del ciliegio sono rossi.

I colori sono anche i simboli delle nazioni. I colori dell'Italia sono il bianco, il rosso e il verde; i colori della Francia sono il bianco, il rosso e il blu; la bandiera svizzera ha il bianco e il rosso, e così via.

Perfino il tempo e la natura hanno diversi colori. La notte è scura, ma il giorno è chiaro; l'inverno è scolorito, ma la primavera è piena di colori; durante un temporale il cielo è grigio, ma quando il temporale è finito, il cielo è di nuovo azzurro, e l'arcobaleno, con tutti i colori, è come un ponte fra il cielo e la terra.

NOTA.

I colori, come sostantivi, sono maschili: Il rosso, il blu, il verde, ecc.
I colori, come aggettivi: dopo il nome: Il libro rosso, la penna blu.

GRADAZIONI DI COLORE	ESPRESSIONI
Giallo limone, giallo banana.	Colori nazionali (della bandiera).
Bianco avorio, bianco latte.	Colori a olio, a tempera, a acquerello.
Grigio perla, grigio fumo.	Libri gialli (intorno a criminali).
Verde oliva, verde mare, ecc.	Essere al verde (senza denaro).

OPPOSTI.

Chiaro	–	Scuro	Grande	–	Piccolo
Breve	–	Lungo	Facile	–	Difficile
Dolce	–	Amaro	Utile	–	Inutile
Forte	–	Debole	Brillante	–	Opaco
Triste	–	Allegro	Diverso	–	Uguale
Fedele	–	Infedele	Colorito	–	Scolorito

ESERCIZI.

1. Cambiare il singolare in plurale e viceversa, con gli articoli:

a) Lezione facile. Luce rossa. Luce brillante. Bambino difficile. Bambina triste. Pareti scolastiche. Cosa impossibile. Stanze grandi. Signora gentile. Vestito celeste. Vestito rosa. Cani neri. Cani marroni. Neve eterna. Scolari diligenti. Fiore viola. Grande e comoda poltrona.

b) Il cane è fedele. Il gatto non è fedele. I frutti di questi alberi sono dolci. Le foglie sono verdi. La notte è scura, ma il giorno è chiaro. Questo compito è facile. I temporali sono violenti, ma brevi. Il limone è giallo, la mela è rossa, la pera è avana. Quelle signore sono molto eleganti. Questa sedia è inutile. C'è una nuvola rosa nel cielo.

2. Completare il presente:

Ho un cane nero e marrone. Sono contento quando ho da fare. Sono giovane e forte. Ho un lapis rosso e blu. Sono triste quando sono al verde. Ho molte lezioni da fare. Quando sono al mare ho sempre fame.

3. Domande:

Quali sono i colori principali?
Di che colore è il carbone? il latte? il sangue?
Di che colore è la sabbia? la neve? la pietra?
Di che colore sono i fiori del pesco?
Qual è il frutto del pesco?
Di che colore sono l'aria e l'acqua?
Di che colore sono i fiori?
Di che colore è il cielo durante il temporale? e dopo?
Che colori ci sono nell'arcobaleno?
Che cos'è il Po? il Cervino? il Mediterraneo?
Che cosa sono la Francia, l'Inghilterra e la Spagna?
? – Il mare è azzurro ([1]).
? – La birra è gialla.
? – I fiori del ciliegio sono rossi.
? – Il frutto del pero è la pera.
? – Il frutto del melo è la mela.
? – Il Tevere è un fiume.

([1]) Questa è la risposta: compilare la domanda. Così anche più avanti.

4. Altre parole in -e molto importanti:

il nome – *name*	la carne – *meat*	veloce – *fast*
il pane – *bread*	la chiave – *key*	giovane – *young*
il sale – *salt*	la torre – *tower*	semplice – *simple*
il sole – *sun*	la cattedrale – *cathedral*	piacevole – *pleasant*
il pesce – *fish*	il giornale – *newspaper*	interessante – *interesting*

5. Inserire una parola in -e in queste frasi.

1. La primavera è una bella ....
2. Questa porta è chiusa: dov'è la .....?
3. "The Times" è un .... famoso.
4. Il .... di molti cani è Fido.
5. La chiesa principale di una città è la ....
6. Nel .... ci sono molti pesci.
7. Le piante hanno bisogno di acqua e di ....
8. Alcuni alimenti necessari sono il ...., la .... e il ....

6. Terminare queste frasi con un aggettivo in -e.

1. Essere al verde non è ....
2. Le foglie degli alberi non sono sempre ....
3. Oggi al cinema c'è un film molto ....
4. L'automobile è un veicolo ....
5. Questo ragazzo ha un carattere piuttosto ....
6. In estate il sole ha una luce ....
7. Questo esercizio è .... e ....
8. Imparare bene una lingua non è ....

7. Mettere queste frasi al singolare.

1. Dove sono i giornali di oggi?
2. Dove sono le chiavi di questi cassetti?
3. I cani sono intelligenti e utili.
4. Quelle automobili non sono molto grandi.
5. Le donne francesi sono quasi sempre eleganti.
6. Dove ci sono i fiumi ci sono i ponti.
7. Le torri di questi palazzi sono molto alte.
8. Queste frasi sono semplici e chiare.

8. Soggetti per conversazione.

Qual è il colore più bello per Lei?
Lei ha un cane? Se sì, di che colore è? Che nome ha?
Per Lei è più piacevole leggere un libro o ascoltare un disco?

LEZIONE 8ª

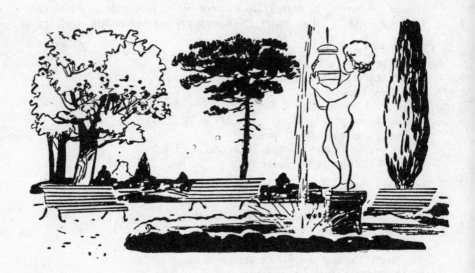

IL GIARDINO

Io ho un giardino. Non è un grande giardino; al contrario, è piuttosto piccolo, ma è bello perché è pieno di fiori, specialmente in maggio. Ci sono bei fiori: rose, garofani, violette, tulipani, narcisi e mughetti. In mezzo al giardino c'è una vasca rotonda, e in mezzo alla vasca c'è la statua di un bambino con un alto getto d'acqua. Non ci sono molti alberi, soltanto tre: un cipresso, un pino e un platano. Sotto ogni albero c'è una panchina.

È una gioia stare sotto quegli alberi quando è caldo, o la sera quando ci sono tanti uccelli nell'aria. Gli alberi sono la casa degli uccelli: una bella casa piena di nidi. *Ci-ci-ci* dalla mattina alla sera.

Che buon'aria c'è nel giardino, e che bello spettacolo è quel verde intorno a noi! Un giardino, una panchina sotto un albero e un buon libro sono un piccolo paradiso su questa terra!

Com'è una casa?   **Com'è una strada?**

$$\grave{E} \begin{cases} grande \neq piccola \\ alta \neq bassa \\ bella \neq brutta \end{cases}$$ $$\grave{E} \begin{cases} lunga \neq corta \\ larga \neq stretta \\ diritta \neq curva \end{cases}$$

GRAMMATICA: Aggettivi irregolari.

Quello e **bello:** come le preposizioni articolate:

il	lo	la	l'	i	gli	le
quel bel	quello bello	quella bella	quell' bell'	quei bei	quegli begli	quelle belle

il quadro   *lo specchio*   *la donna*   *l'orto*   *l'ora*

quel quadro   quello specchio   quella donna   quell'orto   quell'ora
bel quadro   bello specchio   bella donna   bell'orto   bell'ora

i quadri   *gli specchi*   *le donne*   *gli orti*   *le ore*

quei quadri   quegli specchi   quelle donne   quegli orti   quelle ore
bei quadri   begli specchi   belle donne   begli orti   belle ore

Buono: come l'articolo indefinito:

un giorno   un uomo   uno stomaco   una donna   un'amica
buon giorno buon uomo buono stomaco buona donna buon'amica

Grande è qualche volta *gran* + consonante, *grand'* + vocale.

un gran giorno   un grand'uomo
una gran festa   una grand'amica

Santo: *San* + consonante. *Sant'* + vocale. *Santo* + s impura.

San Lorenzo   Sant'Antonio   Santo Spirito   Santa Maria
San Pietro   Sant'Anna   Santo Stefano   Santa Croce

ma: Santo Padre. Santo Paradiso! Santo cielo! Tutto il santo giorno,

ESERCIZI.

1. Scrivere con l'articolo definito, poi con *quello, bello:*

Libro (il libro, quel libro, bel libro), giardino, albero, spettacolo, fiore, fiori, vasca, panchina, aria, mattina, sera, acqua, statue, uccelli, cipressi, ponte, case, strade, colori, orologi, fiume, stagione, stanze, arcobaleno.

2. Scrivere con l'articolo indefinito, poi con *buono:*

Libro (un libro, buon libro), quadro, orologio, famiglia, amico, pera, calore, lezione, letto, dizionario, strumento, tempo, divertimento, cane.

4. Completare appropriatamente con gli aggettivi *quello, bello, buono, santo:*

La chiesa di .... Pietro è a Roma, ... di .... Stefano è a Vienna, ... di .... Rita è a Cascia, ... di .... Antonio è a Padova. Io ho dei .... regali per Natale. Per esempio: .... specchio è un regalo, ... orologio è un altro regalo: è un .... orologio! .... libri su .... scaffali sono altri regali. Un libro è un .... amico. Il padre di Carlo è un .... uomo, la madre è una .... donna. In .... giardino c'è una .... vasca. E che .... fiori! Che .... aria!

3. Cambiare il singolare in plurale e viceversa:

Il grande giardino. La grande casa. Le belle case. Quel giardino. Quel bel giardino. Quelle panchine sotto i pini. Quella rosa. Le alte statue. Quei buoni bambini. Quelle buone bambine. Quello scaffale. Quel bello scaffale. Quelle grandi porte. Che bei libri! Che bel ponte! Che bell'orto!

5. Domande:

Com'è il giardino a pagina 31?
Che cosa c'è in mezzo al giardino? in mezzo alla vasca?
Quando è quel giardino pieno di fiori?
Quali fiori ci sono?
Ci sono alberi in quel giardino? Quanti?
Che cosa c'è sotto ogni albero?
Quando è bello stare sotto quegli alberi?
? - La vasca di quel giardino è rotonda.
? - In quel giardino ci sono tre panchine.
? - I pini sono alti e diritti.

6. Mettere nei vuoti l'aggettivo dimostrativo *quello, quel, quei*, ecc.

.... ragazzo, ... ragazzi   .... donna, ... donne
.... albero, ... alberi   .... strada, ... strade
.... studio, ... studi   .... ponte, ... ponti
.... allieva, ... allieve   .... notte, ... notti

7. Inserire l'aggettivo *bello, bel, bei*, ecc.

Che .... quadro! Che .... quadri!   Che .... fiore! Che .... fiori!
Che .... chiesa! Che .... chiese!   Che .... torre! Che .... torri!
Che .... albero! Che .... alberi!   Che .... opera! Che .... opere!

8. Cambiare il singolare in plurale e viceversa.

Che bello spettacolo!   Che bell'orologio!   Che bel colore!
Che bell'automobile!   Che bei calendari!   Che bell'idea!
Che bella montagna!   Che begli uffici!   Che belle città!

Quel bel giorno. Quella bella ragazza, Quei bei francobolli.
Quel bel cane. Quella bella torre. Quelle belle cattedrali.

9. Mettere nei vuoti l'aggettivo *buono* (*buon, buoni*, ecc.).

.... giorno!   .... amico   .... pane   .... scuole
.... sera!   .... amica   .... carne   .... idee
.... anno!   .... libri   .... latte   .... esempi

10. Completare queste frasi con *quello, bello, buono, santo*.

1. Chi è .... uomo? Chi è .... donna? Chi sono .... bambini?
2. Che .... rose ci sono in .... giardino!
3. Che .... colore è il verde di .... panchine!
4. Il Chianti è un .... vino della .... Toscana.
5. Che .... aria c'è in .... campi! E che .... vista!
6. In .... orto ci sono anche dei .... alberi.
7. .... compleanno, Carlino! Questi .... dolci sono per te.
8. Roma è una .... città, con tanti .... monumenti.
9. In un calendario, ogni giorno ha il nome di un ....
10. Il .... patrono dell'Inghilterra è .... Giorgio.
11. La chiesa di .... Francesco è ad Arezzo.
12. In .... chiesa ci sono dei .... affreschi.
13. Due .... chiese di Firenze sono .... Croce e .... Spirito.
14. Il Papa è anche chiamato il .... Padre, e il Vaticano è la .... Sede.
15. .... Cielo! È tardi: .... notte e .... riposo a tutti!

DAL BALCONE

Io lavoro in una stanza piena di sole. Questa stanza ha un balcone, e sotto il balcone c'è il giardino di una scuola.

Dal balcone io vedo una classe durante le lezioni. L'insegnante parla, gli allievi ascoltano. Ma non sempre ascoltano con attenzione. Qualche volta, specialmente se il tempo è bello, i ragazzi guardano le finestre e il giardino. Forse, vedendo gli alberi e il cielo sereno, sentono il desiderio di essere all'aria aperta, invece che a scuola.

Ma fra una lezione e un'altra, durante il breve intervallo, i ragazzi hanno il permesso di andare in giardino: parlano, ridono, corrono, sono felici. Quando sentono il campanello, tornano in classe.

Io guardo quei ragazzi e penso: è duro per i giovani stare in una stanza quando fuori c'è il sole, la campagna, la primavera. Ma è anche necessario. Tutti noi abbiamo cominciato così, e da ragazzi abbiamo sentito e pensato le stesse cose, ma dopo ognuno ha avuto un destino diverso

Ora anche voi siete, o sembrate, tutti uguali. Ma domani, nella vita che differenza! Perché?

Perché la via che avete davanti è come un sentiero di montagna: non è sempre agevole, ma ad ogni passo offre nuovi orizzonti e meraviglie. Più saliamo e più vediamo. Ma non tutti hanno la stessa forza o volontà di camminare. Alcuni arrivano fino a un certo punto, altri più lontano, altri molto lontano.

Quella è la strada che ha portato gli uomini sulla luna.

GRAMMATICA: La coniugazione del verbo.

Il verbo italiano ha tre coniugazioni:
La 1ª coniugazione ha l'infinito in *-are.*
La 2ª coniugazione ha l'infinito in *-ere.*
La 3ª coniugazione ha l'infinito in *-ire.*

Infinito	parl **-are**	ved **-ere**	sent **-ire**
Caratteristica	**-a**	**-e**	**-i**
Radice	parl **-**	ved **-**	sent **-**
Gerundio	parl **-ando**	ved **-endo**	sent **-endo**
Participio passato	parl **-ato**	ved **-uto**	sent **-ito**

Formare il gerundio e participio passato di questi verbi:

Guardare, ascoltare, pensare, avere, sembrare, camminare, salire, andare, arrivare, stare, credere, portare, cominciare, dormire, dare.

Presente indicativo

I	II	III
parl-are	**ved-ere**	**sent-ire**
parl-**o**	ved-**o**	sent-**o**
parl-**i**	ved-**i**	sent-**i**
parl-**a**	ved-**e**	sent-**e**
parl-**iamo**	ved-**iamo**	sent-**iamo**
parl-**ate**	ved-**ete**	sent-**ite**
parl-**ano**	ved-**ono**	sent-**ono**

Neg.	non parlo, ecc.	non vedo, ecc.	non sento, ecc.
Interr.	parlo? ecc.	vedo? ecc.	sento? ecc.

CONVERSAZIONE.

Lei parla italiano?	Sì, un poco.
Ha studiato molto l'italiano?	No, soltanto tre mesi.
È facile per Lei l'italiano?	Sì, è abbastanza facile.
Lei frequenta una scuola?	Sì, frequento l'università.
Le lezioni sono interessanti?	Oh sì, molto interessanti.
A che ora cominciano?	Scusi, non ho capito.
Parlo troppo in fretta per Lei?	Credo di sì. Parli piano, per favore.
A che ora cominciano le lezioni?	Cominciano alle 9 di mattina.
Tutti i giorni?	No, soltanto 3 volte la settimana.
Lei ha una buona pronunzia.	Grazie del complimento.
Non è un complimento: è vero.	Lei è molto gentile.
Perché Lei studia l'italiano?	Perché spero di andare in Italia.
Davvero? Quest'anno?	Spero di sì: durante le vacanze.
Benissimo! Tanti auguri!	Tante grazie!

NOTE.

Il verbo *parlare* è seguito dalle preposizioni *con* o *di*.

Io parlo con Maria. Quando parlo con lei parlo inglese.
Noi parliamo di sport, di arte, di musica, ecc.

Il verbo *pensare* è seguito dalle preposizioni *a* o *di*.

Io penso a Maria, alle vacanze, all'Italia, ecc.
Io penso di andare in Italia, di imparare l'italiano, ecc.

Il verbo *sperare* è seguito dalla preposizione *di*.

Io spero di ricevere una lettera oggi.

I verbi *ascoltare* e *guardare* sono transitivi (nessuna preposizione).

I ragazzi ascoltano l'insegnante.
Ma qualche volta guardano le finestre e il giardino.

ESPRESSIONI IDIOMATICHE.

Scusi, non ho capito.
Parli piano, per favore!
Grazie del complimento.

OPPOSTI.

Credo di sì   ≠ Credo di no
Spero di sì   ≠ Spero di no
Parlare piano ≠ Parlare in fretta

— 45 —

ESERCIZI.

1. Coniugare il presente:

   a) Guardare, ridere, pensare, ascoltare, credere, dormire, imparare.

   b) *Parlare* piano. *Frequentare* l'università. *Sentire* che *avere* fame. Quando *essere* felice, *parlare* e *ridere*. *Pensare* di passare un mese in Italia. *Sperare* di imparare l'italiano. La sera *non ascoltare* la radio, perché *guardare* la televisione. *Dormire* otto ore ogni notte? *Credere* di sì.

2. Cambiare il singolare in plurale e viceversa, con gli articoli:

   Balcone. Insegnante. Classe. Attenzione. Autore. Consolazione. Onore. Umore. Traduzione. Operazione. Odore. Raffreddore. Limone. Fiume. Sentieri agevoli. Vasti orizzonti. Grandi stazioni. Frasi semplici e brevi. Lezioni lunghe e difficili. Letture piacevoli e interessanti.

3. Domande:

   Che cosa c'è sotto il balcone?
   Che cosa vediamo dal balcone?
   Chi vediamo nella classe?
   Chi parla? Chi ascolta?
   Ascoltano gli allievi sempre con attenzione?
   Perché gli allievi guardano le finestre e il giardino?
   Quando c'è un breve intervallo?
   Dove sono i ragazzi durante l'intervallo?
   Perché i ragazzi sono felici durante l'intervallo?
   ? – I ragazzi ritornano in classe quando sentono il campanello.
   ? – No, in questa stanza non c'è un balcone, c'è una finestra.
   ? – Da questa finestra vediamo alcuni alberi.

4. Mettere il presente di questi verbi accanto ai vari soggetti.

guardare		*ridere*		*dormire*	
Lei	voi	tu	loro	io	lui ....
noi	lui	voi	io	loro	tu ....
tu	io	lui	noi	voi	Lei ....
loro	Ada	Lei	Ugo	Dino	noi ....

5. Sostituire il soggetto in queste due frasi:

    1. Io studio e lavoro nello stesso tempo.
    2. Io rido quando vedo un film comico.

Lui	Voi	Marco	Chi di voi non ....?
Noi	Loro	Adele	Perché tu non ....?
Tu	Lei	Tutti	Anche i bambini ....?

6. Mettere il presente al posto dell'infinito.

    1. Io *frequentare* una scuola serale di lingua italiana.
    2. Alcune lezioni *cominciare* alle 19, altre alle 20.
    3. Dopo la lezione noi *avere* fame e *correre* a casa.
    4. Durante la lezione l'insegnante *parlare* italiano.
    5. Gli studenti *ascoltare* e poi *rispondere* in italiano.
    6. Noi *desiderare* imparare l'italiano, perché *sperare* di andare in Italia quando *parlare* bene questa lingua.
    7. Ora noi *cominciare* a capire quando la gente *parlare* con noi.
    8. Qualche volta io *credere* di capire e *avere* voglia di rispondere, ma *avere* paura di sbagliare.
    9. Anche Lei *pensare* di andare in Italia?
    10. Sì, ma quel giorno *sembrare* ancora lontano.
    11. Noi *usare* un libro facile, chiaro, con molte figure.
    12. Ora io *descrivere* una di quelle figure: la figura a pag. 34.

7. Descrizione della figura a pag. 42. Usare il presente dei verbi indicati e aggiungere le parole mancanti (*the missing words*).

    .... pag. 42 noi *vedere* .... balcone e .... donna. La donna che *essere* .... balcone *guardare* la finestra aperta .... una scuola. In .... classe *c'essere* .... lezione. La donna non *sentire* .... lezione perché *essere* lontana, ma *vedere* .... allievi che *guardare* e *ascoltare* .... insegnante. Il giardino intorno .... scuola non *sembrare* molto bello. Quando noi *pensare* .... un giardino, noi *immaginare* .... fiori, ... piante, ... alberi. Ma in .... giardino *c'essere* soltanto due alberi: uno .... sinistra e uno .... destra .... figura principale che *essere* .... balcone.

LEZIONE 10ª

UNA VISITA ALL'UNIVERSITÀ

È interessante visitare un'università, dove gli studenti compiscono gli studi fino a prendere una laurea, nella facoltà che preferiscono: in medicina, in ingegneria, in economia e commercio, in legge, ecc. Prima della laurea, i giovani sono studenti universitari. Dopo la laurea, sono professionisti: medici, ingegneri, commercialisti, avvocati, ecc.

Entriamo nell'università. In un'aula c'è una lezione d'inglese. Il professore presenta alcune parole inglesi, e gli studenti le ripetono per imparare bene la pronunzia. Poi il professore scrive quelle parole sulla lavagna, le spiega, le commenta, costruisce piccole frasi, sempre parlando inglese. Il professore proibisce agli studenti di usare un'altra lingua durante la lezione, così anche loro, quando parlano, parlano inglese. Se un ragazzo è brillante, il professore lo loda; se sbaglia, lo corregge; se una ragazza è timida, la incoraggia; se non capisce, le ripete la domanda, o sostituisce una parola con un'altra.

Quando tutti hanno capito, aprono i libri per leggere a turno. Il professore finisce la lezione con queste parole:

"È molto importante imparare le lingue moderne, non solo per capire ed essere capiti quando siamo all'estero, ma anche perché queste lingue ci istruiscono sulla letteratura e sui costumi di altre nazioni, le uniscono e aboliscono le distanze. Oggi una persona colta parla almeno una lingua straniera, e la parla bene – perché molti balbettano queste lingue, ma pochi le parlano bene.

Per imparare bene una lingua è necessario frequentare le lezioni regolarmente, studiare a casa e avere la costanza di ripetere. Bisogna ripetere e ripetere. 'Noi sappiamo soltanto ciò che ricordiamo', insegna un vecchio proverbio.

Inoltre, bisogna parlare quella lingua fino dalle prime lezioni, perché è facile parlare se siamo abituati a parlare.

Infine, bisogna amare quella lingua, perché lo studio diventa facile quando la materia ci piace. Anche secondo un verso di Shakespeare, "dove non c'è piacere non c'è progresso".

GRAMMATICA: Verbi in -isco.

Alcuni verbi della 3ª coniugazione (-ire) hanno -isc- dopo la radice, al presente singolare e alla terza persona plurale.

capire	finire	istruire	preferire
cap-isco	fin-isco	istru-isco	prefer-isco
cap-isci	fin-isci	istru-isci	prefer-isci
cap-isce	fin-isce	istru-isce	prefer-isce
cap-iamo	fin-iamo	istru-iamo	prefer-iamo
cap-ite	fin-ite	istru-ite	prefer-ite
cap-iscono	fin-iscono	istru-iscono	prefer-iscono

Altri verbi in -isco:

abolire – *to abolish*	proibire – *to forbid*	stabilire – *to establish*
compire – *to accomplish*	punire – *to punish*	ubbidire – *to obey*
costruire – *to construct*	sostituire – *to replace*	unire – *to unite*

FORME DEL PRONOME PERSONALE.

Soggetto (nominativo)	Oggetto diretto (accusativo)	Oggetto indiretto (dativo)
io – *I*	mi – *me*	mi – *to me*
tu – *you*	ti – *you*	ti – *to you*
lui – *he*	lo – *him*	gli – *to him*
lei – *she*	la – *her*	le – *to her*
noi – *we*	ci – *us*	ci – *to us*
voi – *you*	vi – *you*	vi – *to you*
loro – *they*	li, le – *them*	... loro – *to them*

Questi pronomi precedono il verbo (eccetto *loro*).

Gino mi vede	– *sees me*	Gino mi scrive	– *writes to me*
Gino ti vede	– *sees you*	Gino ti scrive	– *writes to you*
Gino lo vede	– *sees him*	Gino gli scrive	– *writes to him*
Gino la vede	– *sees her*	Gino le scrive	– *writes to her*
Gino ci vede	– *sees us*	Gino ci scrive	– *writes to us*
Gino vi vede	– *sees you*	Gino vi scrive	– *writes to you*
Gino li, le, vede	– *sees them*	Gino scrive loro	– *writes to them*

io vedo il libro	= lo vedo	io scrivo a Gino	= gli scrivo
io vedo la porta	= la vedo	io scrivo a Emma	= le scrivo
io vedo i libri	= li vedo	io scrivo a G. e E.	= scrivo loro
io vedo le porte	= le vedo	loro scrivono a noi	= ci scrivono

1. I pronomi *mi, ti* diventano *me, te* dopo una preposizione e quando sono molto accentati.

Gino parla spesso con me, ma parla di te. Lui ama te, non me.

2. *Permettere, proibire, domandare, rispondere* hanno l'oggetto indiretto.

Io gli permetto di fumare, ma gli proibisco di fumare in classe.

3. Notare la costruzione del verbo *piacere* (*to like, be fond of*).

Mi (ti, gli le, ci, vi, ... loro) piace la musica, l'arte, lo sport, ecc.
Mi (idem) piacciono i fiori, i musei, le gallerie, gli animali, ecc.

4. *Entrare* è seguito da *in*: Entrare in casa, in un bar, in una stanza.

Esercizi.

1. Completare in tutte le persone:

L'insegnante mi guarda, – mi capisce, – mi corregge, – mi loda.
L'insegnante mi parla, – mi spiega, – mi ripete, – mi permette.

2. Cambiare il plurale in singolare e viceversa:

La lezione finisce a mezzogiorno. Preferite il cinema o il teatro? Io
preferisco il teatro, lui preferisce il cinema. Oggi il cinematografo sostituisce il teatro. Ti piace andare al cinema? Sì, mi piace, ma non tutti
i giorni. L'insegnante ci proibisce di parlare inglese, e se noi non lo
ubbidiamo, lui ci punisce.

3. Sostituire le parole in corsivo coi pronomi adatti:

Io apro *il libro*. Maria chiude *la finestra*. Noi guardiamo *gli alberi*.
Gli studenti ascoltano *il professore*. Il professore parla *a noi, a lui,
a lei, a voi, a loro*. Noi domandiamo *a lui* molte cose, e lui risponde
a noi. Vedi *Giulio*? No, non vedo *Giulio*. Se Emma parla *a voi*, voi
capite *Emma*? Carlo scrive *ad Anna* in italiano, e lei risponde *a Carlo*
in inglese. Noi finiamo *le lezioni* alle cinque. Ora capisco *i pronomi*.

4. Domande:

Che lezione c'è in un'aula dell'università?
Che lingua parla il professore? E gli studenti?
Perché gli studenti parlano inglese durante la lezione?
Quando il professore loda o corregge uno studente?
Quando il professore incoraggia una ragazza?
Quando le ripete una domanda?
Che cosa bisogna fare per imparare bene una lingua straniera?
? – Il professore le scrive sulla lavagna.
? – Sì, io le frequento regolarmente.
? – Sì, l'italiano mi piace molto.
? – No, mi piacciono anche le altre lingue.
? – Il francese? Lo capisco, ma non lo parlo bene.
? – L'ho imparato a scuola.
? – No, non sempre io capisco la grammatica.
? – Io preferisco la conversazione alla grammatica.
? – Sì, per me è molto importante.

5. Inserire i pronomi complemento (diretto o indiretto) nelle risposte.

Domande	*Risposte*
Io leggo il giornale. E Lei?	Anch'io .... leggo.
Lei dove compra i giornali?	Io .... compro in città.
Tu leggi delle riviste?	Sì, ... leggo qualche volta.
Voi ascoltate mai la radio?	Sì, ... ascoltiamo spesso.
In famiglia guardate la TV?	Sì, ... guardiamo la sera.
Voi dove studiate l'italiano?	.... studiamo all'Università.
I docenti vi trovano bravi?	Sì, in genere .... trovano bravi.
Che cosa vi insegnano a scuola?	.... insegnano a parlare e scrivere.
Cosa vi spiega oggi l'insegnante?	.... spiega i pronomi.
Luigi, hai telefonato a Marco?	Sì, ... ho telefonato stamani.
Hai telefonato anche a Gisella?	No, ma .... telefono subito!
Ti piace Gisella?	Sì, ... piace: è una buona amica.
Lei scrive spesso agli amici?	Io scrivo .... quando ho tempo.
Gli amici le rispondono sempre?	Sì, ... rispondono sempre.

6. Completare queste frasi coi pronomi adatti e i verbi indicati.

1. Signora, Lei viaggia spesso. .... *piacere* viaggiare?
2. Sì, ... *piacere* molto viaggiare e vedere nuovi paesi.
3. Lei *preferire* viaggiare in treno o in aereo?
4. Per i viaggi lunghi io *preferire* l'aereo.
5. Molte persone *preferire* viaggiare in treno o in macchina.
6. Sono le 5. Amici, voi *preferire* un tè o un caffè?
7. La mattina .... *piacere* il caffè. A quest'ora *preferire* il tè.
8. Avete le sigarette? Dopo il tè .... piace fumare una sigaretta.
9. All'Università gl'insegnanti .... *proibire* di fumare.
10. Io *ubbidire*, ma gli altri non sempre *ubbidire*.
11. Il direttore non .... *punire* se .... *promettere* di non fumare più.
12. Se io non *finire* questo esercizio ora, non .... *finire* più!

7. Conversazione. Usare i pronomi quando è possibile.

1. A che ora del giorno Lei prende il tè? Io ....
2. Lei prende il tè col latte o col limone? Io ....
3. Lei usa molto spesso il telefono? Io ....
4. Lei a chi preferisce telefonare? Io ....
5. Lei ora capisce questi pronomi? Io ....

UNA GITA IN AUTOMOBILE

C'è il sole e non fa freddo. Io ho voglia di fare una gita in automobile. Ma io non ho un'automobile. So che Vittorio ha una bella macchina a due posti, e gli faccio una telefonata.

"Vittorio? Che fai di bello oggi?"

"Io? Nulla di speciale. Non sto molto bene."

"Davvero? Che cosa hai?"

"Ho un raffreddore, e mi dà noia: non ho voglia di far nulla."

"Il tempo è così bello: andiamo a fare una gita in automobile?"

"È un'idea," mi risponde Vittorio. "Va bene."

"Andiamo al mare o in montagna?"

"Veramente io preferisco andare a trovare un amico."

"Chi è? Dove sta?"

"È Ubaldo Rossi, e sta a 20 chilometri da qui, ma non so la via."

"È semplice: tu fai una telefonata a Ubaldo e gli chiedi l'itinerario."

"Sì, ma prima faccio il bagno, poi faccio colazione, e quando ho parlato con Ubaldo vado in garage e prendo la macchina."

"Va bene. Fai presto!"

Dopo un'ora sento il klaxon di Vittorio giù nella strada. Che bella macchina ha Vittorio! È rossa, col cofano lungo, i sedili bassi e la carrozzeria fuori serie. Facciamo il pieno di benzina presso un distributore, verifichiamo la pressione delle ruote, i serbatoi dell'acqua e dell'olio, se il motore, lo sterzo, la frizione e i freni funzionano bene. Non è piacevole avere un guasto ed essere in panna durante il viaggio!

" Questa macchina fa uno strano rumore quando è in moto, non so perché," osserva Vittorio, " un rumore che dà noia."

L'uomo guarda qui, guarda là, poi apre il portabagagli. "Sono queste due racchette da tennis: non stanno ferme e battono contro il cric e la ruota di ricambio. Ecco fatto."

Ora tutto è pronto e stiamo per partire. Un ragazzo pulisce il parabrezza, e Vittorio gli dà una mancia. Poi montiamo in macchina, chiudiamo gli sportelli, Vittorio mette la macchina in moto, e via verso la campagna verde e l'aria pura.

Parti principali di un'automobile:

Carrozzeria	Telaio	Verbi
il cofano	il motore	mettere in moto
i sedili	il volante	guidare
gli sportelli	i pedali	cambiare marcia
le gomme	la frizione	sorpassare
i para-urti	l'acceleratore	voltare
i parafanghi	i freni	accelerare
il parabrezza	il serbatoio	rallentare
il tergicristallo	il radiatore	frenare
il portabagagli	la batteria	fermare
i fari	le balestre	dare un passaggio
la targa	le ruote	essere in panna

GRAMMATICA: PRESENTE IRREGOLARE.

avere	andare	dare	fare	stare	sapere
ho	vo, vado	do	fo, faccio	sto	so
hai	vai	dai	fai	stai	sai
ha	va	dà	fa	sta	sa
abbiamo	andiamo	diamo	facciamo	stiamo	sappiamo
avete	andate	date	fate	state	sapete
hanno	vanno	danno	fanno	stanno	sanno

Gerundio:	andando	dando	facendo	stando	sapendo
Part. passato:	andato	dato	fatto	stato	saputo

Avere: un raffreddore, – la febbre, – la tosse. Cos'hai? Non ho nulla.
Avere un cane, – una casa, – una macchina, – la patente di guida.
Avere il telefono, – notizie. Hai notizie di Jim? Sì, ma non da lui.

Andare: a casa, – a scuola, – a letto, – a spasso, – a piedi, – a
teatro, – a Roma, – a ballare, – a trovare un amico, – a prendere un'amica.
Andare al mare, – al cinema, – al bar, – al telefono, – alla posta.
Andare in campagna, – in montagna, – in città, – in giardino, – in
chiesa, – in bicicletta, – in autobus, – in macchina, – in treno, – in Italia.
Andare da un amico, – da Maria, – da Sabatini. Come va? Va bene. Non va.

Dare: il buon giorno, – la buona sera, – la buona notte, – l'addio.
Dare un esame, – una mancia, – una mano, – uno sguardo, – una
festa, un tè, – un passaggio (in macchina), un colpo di telefono.
Che cosa danno (che cosa c'è) al cinema Odeon? Danno (c'è) un bel film.

Fare: il bagno, – i compiti, – uno sbaglio, – una domanda, – una
visita, – una telefonata, – una passeggiata, – una gita, – l'autostop.
Fare colazione, – rumore ≠ silenzio, – attenzione, – amicizia, – vacanza.
Fare presto ≠ tardi, – in tempo. Che tempo fa? Fa freddo ≠ caldo.
Fare ridere, – piangere, ecc. Non fa nulla (non ha importanza). Tutto fa.

Stare: a casa, – a Roma, – in Italia, – in albergo, – in pensione.
Stare buono, – fermo, – calmo, – attento. Stare in piedi ≠ a sedere.
Stare bene ≠ male. Come stai? Non molto bene. Non c'è male. Così e così.
Dove stai di casa? Sto in Via Roma, – vicino al bar ≠ lontano dal bar.
Che cosa stai facendo? Sto leggendo, – scrivendo, – facendo i compiti.
Sto per partire. Il treno sta per arrivare. La lezione sta per finire.

Sapere: l'italiano, – l'inglese, ecc. Saper ballare, – cantare, ecc.
Lo so ≠ non lo so. Non so che (cosa) fare, – che dire, – che pensare.
So tutto ≠ non so nulla. Non so nulla di Maria (non ho notizie).

NOTE.

Dà (verbo) ha l'accento. Vittorio dà una mancia al ragazzo.
Da (prep.) senza accento. Il ragazzo riceve la mancia da Vittorio.

Il presente di avere e essere + part. passato = passato prossimo.

ho	dato	(*given*	sono	andato (-a, ecc.)	(*gone*)
hai	detto	(*said*)	sei	venuto (» »)	(*come*)
ha	fatto	(*done*)	è	stato (» »)	(*been*)
ecc.	veduto	(*seen*)	ecc.	arrivato (» »)	(*arrived*)
	letto	(*read*		partito (» »)	(*left*)
	scritto	(*written*)		tornato (» »)	(*returned*)

— 55 —

Esercizi.

1. Leggere in terza persona, con soggetto « Vittorio ».

Ho avuto un raffreddore e poi l'influenza, sono stato a letto una settimana, ma ora sto bene, vado di nuovo in città in macchina, oppure
faccio una passeggiata. La mattina faccio colazione presto, e poi vado
all'università. Nel pomeriggio preferisco stare a casa a studiare, oppure
vado a trovare un amico. La sera non ho voglia di andare a letto presto,
telefono agli amici e andiamo al cinema o a teatro. Non andiamo a
ballare, perché io non so ballare e non mi piace ballare. La domenica,
se fa bel tempo, facciamo una gita. Se il tempo è brutto e non sappiamo cosa fare, stiamo generalmente a casa e ascoltiamo dei dischi.

2. Coniugare il presente:

Andare in città a trovare un amico. Quando fa bel tempo, andare a
fare una passeggiata. Quando piove, andare a scuola in autobus. Oggi
andare a fare una gita in bicicletta. Alle dieci dare la buona notte e
andare a letto. Non dare noia a nessuno. D'inverno stare volentieri
vicino al fuoco. Stare in Via Roma. Non sapere giocare a bridge. Il
poco che sapere lo sapere bene. Non sapere nulla di Alberto da molto
tempo. Stare lontano dalla scuola e andare in bicicletta ogni mattina.
Non fare nulla di male. Non avere nulla da fare. Andare via, altrimenti
fare tardi. Non parlare bene, ma cominciare a capire se stare attento.

3. Dare l'opposto di:

Il tempo è bello. Fa bel tempo. Fa caldo. Apriamo le finestre. Sto
bene. Non so nulla. È tardi. Dare una mancia. Accelerare. Partire.

4. Domande:

Che tempo fa quando Vittorio e l'amica fanno la gita?
Chi ha un'automobile: Vittorio o l'amica?
Com'è l'automobile di Vittorio?
Dove desidera andare l'amica? e Vittorio?
Che cosa fa Vittorio prima di partire?
Perché la macchina fa uno strano rumore quando è in moto?
Dov'è la ruota di ricambio?
Che cosa fa il ragazzo? Che cosa gli dà Vittorio?
? - È Ubaldo Rossi.
? - Gli fa una telefonata per sapere la via.
? - Lo fa presso un distributore.

5. Dare tre risposte per ogni domanda, come nell'esempio.

Che cosa fai? ⎧ Aspetto l'autobus.
⎨ Faccio una telefonata.
⎩ Scrivo una lettera.

1. Dove va Lei?
2. Che cosa vede?
3. Che cosa sa fare?

6. Formare le domande per queste risposte.

1. ....? Stasera noi andiamo a teatro.
2. ....? Noi facciamo colazione alle 8.
3. ....? Io sto vicino alla stazione.
4. ....? Noi diamo gli esami alla fine del corso.
5. ....? Io so sonare il piano, ma non la chitarra.
6. ....? Lui sa scrivere a macchina, ma non è veloce.
7. ....? Sì, è una macchina sportiva a due posti.
8. ....? No, io non gli do la mancia.
9. ....? No, io non faccio mai l'autostop.
10. ....? Forse perché non ha abbastanza denaro.

7. Riempire i vuoti e usare il presente dei verbi indicati.

1. I fari di una macchina *stare* davanti e dietro la macchina.
2. La domenica pomeriggio noi *stare* .... casa e *fare* un bridge.
3. Tu *sapere* che cosa *dare* oggi al cinema?
4. Io non .... *sapere*. Ma se noi *guardare* il giornale .... *sapere*.
5. Ragazzi, dove *andare*? Non *vedere* che *stare* .... piovere?
6. Se noi non *andare* via subito, *fare* tardi .... lezioni.
7. Noi *sapere* che Ada *dare* una festa. Lei .... *andare*?
8. Ogni anno loro *fare* un viaggio, e spesso *andare* .... estero.
9. Io *vedere* che tu non *stare* bene: perché non *andare* .... casa?
10. Se io .... *fare* una domanda, Lei *sapere* rispondere?
11. Dipende .... domanda che Lei .... *fare*, e se io *sapere* la risposta.
12. Ugo, ... *fare* un favore? .... *dare* una mano con questo esercizio?

8. Completare queste frasi.

1. Io so guidare la macchina, ma ....
2. Questa macchina non va perché ....
3. Se fa bel tempo noi di solito ....
4. Ora finisco di scrivere, e poi ....
5. Io so giocare a tennis, e ....

LEZIONE 12ª

UN PO' DI GEOGRAFIA

La terra è chiamata anche globo terracqueo, perché è coperta di terra e di acqua: un quarto di terra e tre quarti di acqua.

La parte coperta di terra forma *monti, colline, valli* e *pianure*. Una lunga serie di monti è una *catena*. Sulle alte cime dei monti c'è sempre la neve. Una parte di questa neve scende lentamente lungo i *fianchi* del monte, formando una massa di ghiaccio perpetuo detta *ghiacciaio*. La parte superiore delle montagne è rocciosa e non ha vegetazione. Ma nella parte inferiore, i fianchi sono coperti di boschi, foreste e pinete; e più giù, le colline, le valli e le pianure sono fertili e coltivate. In quest'ultima parte vive l'uomo, in città, paesi e villaggi.

L'acqua del globo forma *mari, laghi* e *fiumi*. Il luogo dove l'acqua finisce e la terra comincia è la *costa* o *riva*. L'acqua del mare è salata, l'acqua dei laghi e dei fiumi è dolce.

Un fiume ha sempre la *sorgente* in un monte. Da principio, quando scende dal monte alla valle, è un *torrente*. Il *letto* di un torrente è pieno di massi; a volte trova un dislivello nel terreno, e l'acqua cade dall'alto al basso formando una *cascata*. Lungo la via il torrente riceve dei *ruscelli* (piccoli corsi d'acqua), diventa gradatamente un fiume, riceve altri fiumi chiamati *affluenti* e finalmente sbocca nel mare.

L'acqua è un elemento essenziale alla vita animale e vegetale, serve inoltre a scopi industriali ed è anche un mezzo di trasporto e comunicazione fra città e continenti.

Un *continente* è una vasta estensione di terra. La massa d'acqua fra i continenti è l'*oceano*. Vi sono cinque continenti: l'Europa, l'Asia, l'Africa, l'America e l'Australia.

Un territorio circondato dall'acqua è un'*isola*, come l'Inghilterra; se una parte è unita al continente, è una *penisola*, come l'Italia.

Nazioni del mondo

Nazioni	Abitanti	Capitali
Italia	italiano	Roma
Francia	francese	Parigi
Inghilterra	inglese	Londra
Germania	tedesco	Berlino
Svizzera	svizzero	Berna
Austria	austriaco	Vienna
Belgio	belga	Bruxelles
Olanda	olandese	l'Aia
Spagna	spagnuolo	Madrid
Portogallo	portoghese	Lisbona
Turchia	turco	Ankara
Russia	russo	Mosca
Cina	cinese	Pechino
Giappone	giapponese	Tokio
Egitto	egiziano	Cairo
Grecia	greco	Atene
Polonia	polacco	Varsavia
Svezia	svedese	Stoccolma
Norvegia	norvegese	Oslo
Ungheria	ungherese	Budapest
Stati Uniti	americano	Washington

Un inglese è nato in Inghilterra e parla inglese.

Completare similmente: Uno spagnuolo.... Un cinese.... Un tedesco.... Un americano.... Un belga.... Uno svizzero.... Un russo.... Un austriaco.... Un francese.... ecc.

GRAMMATICA: LE PREPOSIZIONI **di, con.**

1. La preposizione **di** indica:

    proprietà – Il cane del cieco. La casa di Carlo, ecc.
    materia – Una palla di gomma. Una penna d'oro, ecc.

contenuto – Una tazza di tè, un bicchiere di vino, ecc.
misura – Un litro di latte, un metro di stoffa, ecc.
tempo – Di giorno, di notte, tre mesi di vacanze, ecc.

Verbi:

avere bisogno di — Ho bisogno di un libro nuovo.
avere paura di — Ho paura di sbagliare.
essere contento di — Sono contento di essere qui.
cercare di — Cerco di capire, ma non sempre capisco.
coprire di — I monti sono coperti di neve.
credere di — Noi crediamo di avere ragione.
finire di — Quando finisci di andare a scuola?
parlare di — Mi piace parlare di politica.
pensare di — Penso di passare un mese in Italia.
permettere di — Mi permetti di fumare una sigaretta?
proibire di — Vi proibisco di parlare inglese.
pregare di — Vi prego di parlare italiano.
ringraziare di — Ti ringrazio della bella lettera.
sperare di — Spero di non essere in ritardo.

2. La preposizione **con** indica:

compagnia – L'uomo vive con altri uomini.
strumento – Io scrivo con un lapis, tu scrivi con una penna.
verso (*to*) – Maria è buona e gentile con me e con tutti.

Verbi:

partire con – Parto col treno delle 7,10.
parlare con – Elena parla con me, e io parlo con lei.

ESERCIZI.

1. Completare in tutte le persone:

Quando parlo con persone italiane, capisco quasi tutto. Se parlo con loro al telefono, non capisco molto. Ho paura di sbagliare e cerco di essere breve. Di che parlo? Generalmente parlo di viaggi. Mi piace viaggiare, di giorno e di notte, d'estate e d'inverno. Un giorno spero di fare il giro del mondo. Ho bisogno di denaro perché sono al verde. Non so che fare. Penso di ritornare a casa. Se parto col treno delle 9 arrivo prima di sera. Credo di fare bene facendo così. Spero di sì.

2. Formare delle frasi usando le preposizioni *di, con*.

3. Completare, usando le giuste preposizioni:

.... inverno, le cime .... monti sono coperte .... neve e .... ghiaccio. Ecco un litro .... birra. Non ho bisogno .... birra, ma .... latte. Parli .... me? No, parlo .... tutti. Ho finito .... viaggiare, e sono contento .... essere finalmente qui .... voi. Un torrente è pieno .... acqua .... inverno, ed è quasi secco .... estate. Quando piove, le strade sono coperte .... fango. Desidero ringraziare il maestro .... essere stato così gentile .... me. Dove pensi .... andare il prossimo anno? Spero .... ritornare presto in Italia.

4. Cambiare il plurale in singolare, con gli articoli:

a) Valli verdi. Terreni fertili. Fianchi dei monti. Lunghe catene. Sorgenti dei fiumi. Mari blu. Isole interessanti. Bei paesi e villaggi. Vasti continenti. Città importanti. Città principali. Scopi industriali.

b) I torrenti scendono dai monti alle valli. Gli oceani sono grandi estensioni di acqua. I territori circondati dall'acqua sono isole. Ci piace camminare lungo i fiumi. Non sappiamo i nomi di quegli affluenti. Quei villaggi sulle rive dei laghi sono luoghi incantevoli.

5. Domandare:

Perché la terra è chiamata anche globo terracqueo?
Che forma prende la terra che copre il globo?
Che forma prende l'acqua?
Che cos'è una catena? un ghiacciaio?
Perché sulla cima dei monti non c'è vegetazione?
Dove troviamo vegetazione?
Dove vive l'uomo?
Che differenza c'è fra l'acqua del mare e l'acqua dei fiumi?
Dov'è la sorgente di un fiume?
Com'è il letto di un torrente?
Che cos'è un ruscello?
Come sono chiamati i fiumi che sboccano in altri fiumi?
Che cos'è un continente? un oceano?
Che differenza c'è fra un'isola ed una penisola?
? – È chiamata costa o riva.
? – È una massa d'acqua che cade da una grande altezza.
? – Sono Oslo, Stoccolma, Ankara, Tokio.
? – È uno specchio d'acqua, più o meno grande, circondato da terra.
? – L'acqua di un lago è generalmente dolce.
? – In Svizzera ci sono più laghi che in Italia.
? – Mi piacciono i laghi, ma preferisco il mare.

6. Inserire le giuste preposizioni in queste frasi.

   1. In primavera il terreno è coperto .... erba e .... fiori.
   2. Grazie .... fiori e .... lettera. Grazie .... tutto.
   3. Lina è molto gentile .... me. È così gentile .... tutti?
   4. Ragazzo, quando finisci .... fare tanto rumore?
   5. C'è il permesso .... fumare qui? Io credo .... no!
   6. Dove Lei pensa .... passare le vacanze .... estate?
   7. Io spero .... andate .... mare o .... montagna.
   8. Al momento, io ho bisogno .... denaro perché sono .... verde.
   9. Se io parto .... treno .... 9.30, arrivo prima .... sera.
   10. Io cerco .... parlare .... persone italiane.
   11. Mi piace parlare .... arte .... persone competenti.
   12. Quando io parlo .... Lei ho sempre paura .... sbagliare.

7. Completare il discorso.

   1. La scienza che studia la superficie terrestre è chiamata ....
   2. Lo stato solido dell'acqua a bassa temperatura è ....
   3. Uno specchio d'acqua circondato di terra è ....
   4. L'acqua che cade dall'alto di un monte è ....
   5. Un gruppo di monti è ....
   6. Lo spazio di terreno fra due monti è ....
   7. Un piccolo e rapido corso d'acqua è ....
   8. Un lungo corso d'acqua è ....
   9. Un fiume che sbocca in un altro fiume è ....
   10. La città principale di uno stato è ....
   11. Le capitali dell'Austria e della Cina sono rispettivamente ....
   12. Il paese natale dei greci e dei turchi è rispettivamente ....

8. Soggetti di conversazione:

   1. Parlare delle capitali che avete visitato.
   2. Dire che lingua parla la gente in quelle capitali.
   3. Dire se preferite la montagna o il mare, e perché.

9. Terminare queste frasi come nell'esempio.
   Es.: L'Italia è la patria degli Italiani.

La Turchia	L'Austria	L'Egitto ....
La Grecia	La Svezia....	La Scozia ....
La Polonia	Il Belgio	La Cina ....

LEZIONE 13ª

GEOGRAFIA
DELL'ITALIA

L'Italia è circondata da tre mari: il mare Tirreno a ovest, il mare Ionio a sud, il mare Adriatico a est. A nord le Alpi uniscono l'Italia al continente europeo. I paesi che confinano con l'Italia sono: la Francia, la Svizzera, l'Austria e la Jugoslavia.

Oltre al territorio della penisola, l'Italia comprende anche due grandi isole: la Sardegna e la Sicilia. L'isola d'Elba e altre isole minori formano l'arcipelago toscano, davanti a Livorno.

Una lunga catena di monti, gli Appennini, va da nord a sud, dividendo l'Italia in due versanti: il versante occidentale e il versante orientale. Sull'Appennino meridionale, vicino a Napoli, c'è un vulcano: il Vesuvio; un altro vulcano è l'Etna, in Sicilia; e un terzo vulcano, lo Stromboli, è nell'isola Stromboli a nord della Sicilia.

I principali fiumi italiani sono: il Po, l'Adige, l'Arno e il Tevere. Il Po scende dalle Alpi, passa da Torino e sbocca nel mare Adriatico. Anche l'Adige scende dalle Alpi, poi bagna Trento e Verona, e finisce nel mare Adriatico. L'Arno e il Tevere hanno origine nell'Appennino Toscano. L'Arno attraversa la verde valle del Casentino, passa da Arezzo, Firenze, Pisa, e sbocca nel Tirreno. Il Tevere passa a poca distanza da Perugia, attraversa Roma e porta le sue torbide acque nel mare Tirreno.

L'Italia è famosa per la bellezza dei laghi. Il Lago Maggiore, il Lago di Lugano, il Lago di Como e il Lago di Garda sono ai piedi delle Alpi. Nel Lago Maggiore ci sono delle isole incantevoli, come l'Isola Bella e l'Isola Madre. La zona dei laghi è costante mèta dei turisti, ma tutta l'Italia è un paese turistico, pieno di attrattive varie e interessanti.

Questa terra ha ricevuto dalla natura la bellezza del paesaggio, e dagli uomini la bellezza dell'arte.

GRAMMATICA: LE PREPOSIZIONI **a, da.**

1. La preposizione **a** indica:

direzione – Vado a scuola, a casa, a Roma, ecc.

soggiorno – Sono (abito, vivo) a Firenze, a Fiesole, ecc.

tempo – A mezzogiorno, alle 5, alla fine del mese, ecc.

modo – Un lavoro a mano, a macchina, a penna, ecc.

Verbi:

andare a – Vado a scrivere, a ballare, a studiare, ecc.
arrivare a – Sono arrivato a Firenze domenica scorsa.
aiutare a – Maria aiuta la mamma a pulire la casa.
cominciare a – Ora comincio a capire e a parlare.
continuare a – Se continui a fare rumore, vado via.
domandare a – Domando a Elena dove va stasera.
giocare a – Noi giochiamo a tennis, a bridge, ecc.
imparare a – Noi impariamo a parlare e a scrivere.
insegnare a – Il maestro ci insegna a parlare a scrivere.
mandare a – Io mando molte cartoline agli amici.
offrire a – Carlo offre sempre dei fiori alle signore.
pensare a – Emma pensa alla mamma, alle vacanze, ecc.
permettere a – Il maestro non permette agli allievi di fumare.
portare a – Ora porto questa lettera alla posta.
proibire a – Il maestro proibisce ai ragazzi di fumare.
rispondere a – Rispondi sempre alle lettere che ricevi?
scrivere a – Carlo scrive a Elena tutti i giorni.
stare a – Noi stiamo al primo piano.

2. La preposizione **da** indica:

provenienza	– Parto da Roma. Il Po scende dalle Alpi.
passaggio	– L'Arno passa da Firenze e da Pisa.
luogo	– Vado da Maria, dal tabaccaio, ecc.
agente	– L'Italia è amata dai turisti.
uso	– Macchina da scrivere, carta da lettere, ecc.
tempo (durata)	– Sono qui da 3 mesi, dal 15 marzo.
prezzo	– Un francobollo da 70 (lire), da 30 (lire).

Verbi:

avere da	– Ho da fare, da scrivere, da studiare, ecc.
dipendere da	– Non dipende da noi, dipende dal tempo.
esserci da	– C'è molto da vedere qui, da lavorare, ecc.
ricevere da	– Ho ricevuto una lettera da Carlo.
passare da	– Passo dal droghiere, dall'avvocato, ecc.

Distinguere:

Una tazza da tè = per il tè   (*a tea-cup*).
Una tazza di tè = piena di tè (*a cup of tea*).

Esercizi

1. Coniugare:

Ho da scrivere molte lettere. Ho bisogno di una macchina da scrivere. Vado a comprare un libro da ragazzi. Quando il tempo è bello, vado in città a piedi. Quando disegno a penna, ho bisogno di carta da disegno. Quando non ho nulla da fare, vado a trovare un amico che sta al piano di sopra. Vado spesso da lui. Non so scrivere a macchina.

2. Formare alcune frasi con le varie preposizioni.

3. Completare usando le giuste preposizioni:

Porto questa lettera .... posta e torno subito .... casa. Io sono nato ....
America, ma vivo .... Londra, ora sono .... Italia, e precisamente ....
Firenze, ma presto parto .... qui, vado .... Parigi, resto un mese ....
Francia, poi ritorno .... Inghilterra, viaggiando .... aereo. L'uomo non
vive .... cima .... montagne, ma .... colline, valli e pianure. Dov'è
Maria? È .... giardino. Che cosa fa? Parla .... giardiniere, ma poi va ....
signora Melli, e con lei va .... teatro. Vanno .... piedi o .... automobile? Dipende .... tempo: se comincia .... piovere, vanno .... automobile,
altrimenti vanno .... piedi. Che fai .... bello? Hai molto .... fare? Ho
soltanto .... scrivere due lettere. Ora vado .... mercato .... comprare
qualcosa .... mangiare, poi passo .... fioraio .... comprare dei fiori,
e .... tabaccaio .... comprare le sigarette. Sono partito .... Genova ....
dieci .... stamattina, ho cambiato treno .... Bologna. Quanti chilometri ci sono .... Genova .... Firenze? Dipende se passi .... Bologna
o .... Pisa. .... Milano .... Roma ci sono sette ore .... treno. Che cosa
c'è .... questa valigia? Ci sono dei vestiti .... inverno, delle calze ....
lana, le scarpe .... sci, della carta .... lettere, due tazze .... tè, un barattolo .... tè e una bottiglia .... cognac. È chiaro che tu vai .... sciare ....
montagna. Sì, parto oggi .... treno .... 6,30. Il Tamigi passa ....
Londra.

4. Domande:

Da quali mari è circondata l'Italia?
Quali paesi confinano con l'Italia?
Dov'è la Sardegna? la Sicilia? l'Elba?
Dove sono le Alpi? gli Appennini?
Quanti vulcani ci sono in Italia? Dove sono?
Quali sono i principali fiumi e laghi dell'Italia?
Da dove passa il Po? l'Arno? il Tevere? Dove sboccano?
Dov'è l'Isola Bella?
? – Gli Appennini danno origine all'Arno e al Tevere.
? – L'Adige passa da Trento e da Verona.
? – È un gruppo di isole.
? – Le attrattive dell'Italia sono le bellezze artistiche e naturali.

5. Inserire le giuste preposizioni.

1. Le Alpi sono montagne .... Nord .... Italia.
2. Le grandi città sono nate vicino .... un fiume, o vicino .... mare.
3. Il Tamigi passa .... Londra, la Senna passa .... Parigi.
4. L'acqua è un elemento essenziale .... vita .... uomo.

5. In questa città ci sono molte belle cose .... vedere.
6. Lo so, ma io non ho tempo .... pensare .... queste cose.
7. Io ho molto .... fare, sono occupato .... mattina .... sera.
8. Ho .... scrivere alcune lettere. Hai della carta .... lettere?
9. Sì, c'è anche la macchina .... scrivere; è là .... quel tavolino.
10. Io scrivo sempre .... mano. Non so scrivere .... macchina.
11. Ora vado .... mercato .... comprare qualcosa .... mangiare.
12. Ma prima passo .... fioraio. Compro, dei fiori e un vaso .... fiori.
13. Oggi sono invitato .... pranzo .... signora Buti.
14. Io vado .... signora Buti due o tre volte .... mese.
15. Io porto sempre un mazzo di rose .... questa signora.

6. Completare i due paragrafi con le preposizioni adatte e i verbi indicati.

1. Io *essere* stanco ed *avere* bisogno .... una vacanza. Forse io *andare* .... trovare un vecchio zio che *abitare* .... una città .... mare. Io *partire* .... treno .... 11 e *arrivare* là .... due .... pomeriggio, perché ci *essere* tre ore .... treno. Questo zio *vivere* solo, ed *essere* contento .... ricevere visite.

2. Signora, ... telefono! È un amico .... Signor Aldo.
Pronto? .... Chi *parlare*? Lei *desiderare* parlare .... Aldo? Aldo non *essere* .... casa. È andato .... dottore. Quando Aldo *ritornare*? Non lo *sapere*; non prima .... 6.30, perché il dottore *ricevere* .... 5 .... 6. Come? Lei stasera *andare* .... opera? E Lei *offrire* due biglietti .... noi? Oh grazie .... invito, Lei *essere* sempre molto gentile .... noi! Peccato noi *avere* fissato .... andare .... cinema .... alcuni amici! Grazie lo stesso, anche .... parte .... Aldo. Tante grazie .... nuovo! Arrivederci .... presto!

7. Definire l'uso di questi oggetti, come nell'esempio.
Es.: Carta da lettere: *È carta per scrivere le lettere.*

1. Macchina da caffè.
2. Macchina da scrivere.
3. Scarpe da tennis.
4. Scarpe da montagna.
5. Vaso da fiori.
6. Bicchiere da birra.
7. Orologio da muro.
8. Libro da ragazzi.

8. Per conversazione:

1. Da quanto tempo Lei studia l'italiano?
2. Con chi Lei ha parlato oggi? Di che cosa ha parlato?

GLI ANIMALI DOMESTICI

Il cane, il gatto, il cavallo, l'asino sono animali domestici. La scimmia, invece, è un animale selvatico. Gli animali domestici vivono vicino all'uomo. Gli animali selvatici vivono nei boschi e nelle foreste.

Il cane è fedele e affettuoso. Il gatto è grazioso, ma egoista. Il cavallo è intelligente e dòcile. L'asino è stupido e ostinato.

Il cane dorme generalmente in un canile in giardino, e di notte fa la guardia alla casa. Il gatto ha la cuccia in un luogo caldo: o in cucina vicino al focolare, o in salotto vicino al caminetto, ma gli piace anche stare sulle poltrone e sui sofà. Il cavallo e l'asino dormono nelle stalle.

In quasi tutte le case troviamo almeno uno di questi animali, o un uccellino in una gabbia, o dei pesci rossi in un vaso di vetro, o una tartaruga in giardino.

In campagna ci sono molti altri animali: galli, galline, pulcini, oche, tacchini, conigli e piccioni. I contadini hanno anche buoi, mucche, porci e pecore.

I polli dormono nel pollaio, i conigli nella conigliera, i porci nel porcile, le pecore nell'ovile, il bue e la mucca nella stalla. Tutti questi animali sono utili, ciascuno a suo modo: le galline fanno le uova, le mucche danno il latte, i buoi lavorano nei campi, le pecore forniscono la lana, i cavalli e gli asini tirano i veicoli.

Gli animali domestici stanno vicino all'uomo, perché l'uomo ha bisogno di loro e loro hanno bisogno di lui.

GRAMMATICA: Osservazioni sul plurale.

1. Le parole con l'ultima lettera accentata, o consonante, sono invariabili.

La città, le città. La virtù, le virtù. Il sofà, i sofà, ecc.
Il lapis, i lapis. L'autobus, gli autobus. Un virus, alcuni virus, ecc.
anche: Il vaglia, i vaglia. La metropoli, le metropoli. Il re, i re, ecc.

2. I maschili in **-io** hanno il plurale in **-i**.

L'orologio, gli orologi. L'ufficio, gli uffici. Vario, vari, ecc.
ma: Lo zio, gli zii. L'addio, gli addii (*perché i ha l'accento tonico*).

3. I maschili in **-co**, **-go** hanno il plurale in **chi**, **-ghi**.

Il bosco, i boschi. Il lago, i laghi. Fresco, freschi. Lungo, lunghi.
ma: Il porco, i porci. Greco, greci. Austriaco, austriaci.

4. Ma i maschili in **-ico** hanno il plurale in **-ici**.

L'amico, gli amici. Il medico, i medici. Domestico, domestici, ecc.
ma: Il fico, i fichi. Il manico, i manichi. Antico, antichi.

5. I femminili in **-ca**, **-ga** hanno il plurale in **-che**, **-ghe**.

L'amica, le amiche. L'oca, le oche. La tartaruga, le tartarughe, ecc.
Fresca, fresche. Lunga, lunghe, ecc.

6. I femminili in **-cia**, **-gia** hanno il plurale in **-ce**, **-ge**.

L'arancia, le arance. La ciliegia, le ciliege. La mancia, le mance, ecc.
ma: La camicia, le camicie. La valigia, le valigie.
e: La bugia, le bugie. La farmacia, le farmacie, ecc. (*i accentato*).

7. I maschili in **-a** hanno il plurale regolare in **-i**.

l'autista	– gli autisti	il papa	– i papi
l'artista	– gli artisti	il pianista	– i pianisti
il clima	– i climi	il pilota	– i piloti
l'elettricista	– gli elettricisti	il poeta	– i poeti
il dentista	– i dentisti	il problema	– i problemi
il diploma	– i diplomi	il programma	– i programmi
il farmacista	– i farmacisti	il sistema	– i sistemi
il giornalista	– i giornalisti	lo stemma	– gli stemmi
il musicista	– i musicisti	il telegramma	– i telegrammi
l'oculista	– gli oculisti	il turista	– i turisti
il panorama	– i panorami	il pigiama	– i pigiami
egoista	– egoisti (-e)	ottimista	– ottimisti (-e)
entusiasta	– entusiasti (-e)	pessimista	– pessimisti (-e)

8. Hanno il plurale irregolare:

l'uomo	– gli uomini	il dito	– le dita
il bue	– i buoi	il braccio	– le braccia
la mano	– le mani	il labbro	– le labbra
l'ala	– le ali	il grido	– le grida
l'uovo	– le uova	il miglio	– le miglia

Dire: un uovo, due uova, ecc. fino a 10; così con le altre parole.

9. Hanno il doppio plurale:

il muro	– i muri	(*di una casa*)	– le mura	(*di una città*)
il frutto	– i frutti	(*di mare o albero*)	– la frutta	(*da tavola*)
il membro	– i membri	(*di una società*)	– le membra	(*del corpo*)
l'osso	– gli ossi	(*della carne*)	– le ossa	(*di esseri vivi*)

10. Sono sempre singolari:

la gente – C'è molta gente qui. Quanta gente!
la roba – C'è troppa roba in questa casa.
l'uva – L'uva è buona quando è matura.

11. Sono sempre plurali:

i dintorni – I dintorni di questa città sono belli.
le fondamenta – Le fondamenta di questa casa sono solide.
le nozze – " Le nozze di Figaro " è un'opera di Mozart.

Distinguere: il bacio, i baci; il baco, i bachi.

OPPOSTI

Domestico	– Selvatico	Grazioso	– Sgraziato
Intelligente	– Stupido	Gentile	– Sgarbato
Fedele	– Infedele	Necessario	– Supèrfluo
Docile	– Ostinato	Pulito	– Sporco, sudicio

Esercizi.

1. Mettere al plurale con gli articoli (Es. un gatto, il gatto, i gatti):

Oca, poeta, luogo, fuoco, amica, porco, mucca, canapè, pesce, pesca, bue, uomo, uovo, mano, pollaio, foglio, miglio, papa, amico, parco, ala.

2. Cambiare il singolare in plurale:

Il gatto è grazioso e pulito. C'è il gatto domestico e il gatto selvatico. L'asino è stupido e ostinato. Il cavallo è intelligente, dignitoso e docile. La scimmia è un animale selvatico. Il porco è sporco. Anche la pecora è sporca. Il baco da seta fa il filo di seta. L'oca è sciocca. Il bue è lento. Il cane è l'amico dell'uomo. Ho la mano sporca di terra. La gallina ha fatto l'uovo: è un uovo fresco. Io sono figlio unico. Tu sei figlia unica. Questa è una bugia. Quello è un vaglia telegrafico.

3. Cambiare il plurale in singolare:

I buoi, le mucche e i porci vivono in campagna. Le tartarughe camminano lentamente. Le arance, le ciliege e le pesche sono i frutti degli aranci, dei ciliegi e dei peschi. Questi fichi non sono buoni. I parchi delle città sono belli. Sopra le porte di quelle case ci sono gli stemmi di antiche famiglie. Gli autisti sono molto utili ai turisti. I musicisti sono artisti, e così i poeti. I dentisti sono medici, e così gli oculisti.

4. Completare il presente:

Io non ho né gatti, né cani. Io sono autista e meccanico. Io ho le mani pulite. Quando sono in campagna non ho nulla da fare. La sera sono stanco e ho sonno. Mi piacciono le uova? Scrivo a macchina con due dita.

5. Domande:

Che differenza c'è fra animali domestici e selvatici?
Quali sono i comuni animali domestici?
Quali animali sono intelligenti? sciocchi?
Dove stanno di notte i cani, i polli, i porci?
Dov'è generalmente un canile?
Il gatto è pulito? la scimmia? la pecora? il porco?
Qual è il carattere del cane? del cavallo? dell'asino? del gatto?
Quali animali vivono in campagna? in città?
In che modo sono utili questi animali?
? – Preferisco il cane perché è intelligente e fedele.
? – Perché il gatto ama il caldo e la comodità.
? – Perché l'uomo ha bisogno di loro, e loro hanno bisogno di lui.

6. Dare il plurale di: Dare il singolare di:

Quel viaggio	Quel parco	Quei boschi	Quegli stemmi
Quella valigia	Quella banca	Quei laghi	Quei medici
Quell'albergo	Quel lapis	Quelle mani	Quelle pesche
Quella città	Quel vaglia	Quelle dita	Quegli uomini

7. Cambiare queste frasi dal singolare in plurale e viceversa.

1. Il bue è un animale domestico docile e tranquillo.
2. L'oca è considerata un animale molto sciocco.
3. L'uovo del piccione è piccolo e bianco.
4. La tartaruga è lenta. Anche l'asino è lento.
5. L'automobile è un veicolo moderno e veloce.
6. All'ora di punta l'autobus è sempre pieno.
7. Che bel panorama! Che bello stemma! Che bel mosaico!
1. Questi problemi sono troppo lunghi e difficili per noi.
2. Le uova di Pasqua sono spesso uova di cioccolata.
3. I pittori sono artisti, come i poeti, gli scrittori e i musicisti.
4. Gli artisti sono generalmente persone simpatiche.
5. Ma i dentisti sono simpatici soltanto come amici.
6. Amici nemici, fratelli coltelli, parenti serpenti.
7. Queste sono opinioni piuttosto pessimiste!

8. Completare queste frasi con le giuste preposizioni e i verbi indicati.

1. Gli animali domestici *vivere* vicino .... casa .... uomini.
2. Chi *amare* gli animali ed è gentile .... loro ha buon cuore.
3. I gatti *avere* sempre freddo e *preferire* i luoghi caldi.
4. Io *vedere* un cane che *dormire* .... sole.
5. La gente stupida *parlare* .... cose stupide.
6. Quando una persona *chiedere* aiuto, noi .... *dare* una mano.
7. Dov'è la stanza .... bagno? È là, ... fondo .... corridoio.

9. Trovare l'opposto.

1. Un sistema antico ≠ ....   4. Un animale stupido ≠ ....
2. Un grosso sbaglio ≠ ....   5. Un uomo antipatico ≠ ....
3. Una frase difficile ≠ ....   6. Un poeta pessimista ≠ ....

10. Conversazione:

1. Lei preferisce il cane, il gatto o il cavallo? Perché?
2. Che nome Lei crede adatto ad un cane, un gatto, un cavallo?

LEZIONE 15ª

ALTRI ANIMALI

La terra è abitata da uomini e animali. Vi sono:

a) animali che vivono sulla terra;
b) animali che vivono nell'aria;
c) animali che vivono nell'acqua.

Noi già conosciamo il cane, il gatto, la scimmia, ecc. Questi animali vivono sulla terra. Il loro corpo è coperto di pelo. Hanno quattro gambe e la coda. Non hanno né mani, né piedi: al posto delle mani e dei piedi hanno le zampe. Alcuni animali, come il cavallo, l'asino, il leone e la zebra hanno una lunga criniera sul collo.

Gli animali che vivono nell'acqua sono chiamati pesci. Il loro corpo è coperto di squame e nuotano nell'acqua con le pinne e la coda. I pesci mangiano piante acquatiche, le uova di altri pesci, e i pesci grossi mangiano i pesci piccoli, ma il pescecane mangia anche la carne umana quando gli capita l'occasione.

Ci sono animali, come la vipera, la serpe e il serpente, che non hanno né zampe né pinne, ma solo la testa, il corpo e la coda che è un prolungamento del corpo. Sono rettili: strisciano sulla terra e fuggono quando vedono l'uomo. Alcuni rettili hanno quattro piccole zampe, come la lucertola e la salamandra.

Ci sono anche animali con molte zampe: il ragno, il bruco, il baco da seta e il millepiedi. Essi sembrano strisciare, ma effettivamente camminano usando tutti i piedi.

Gli animali che vivono nell'aria sono chiamati uccelli. Il corpo degli uccelli è coperto di penne. Un uccello ha due zampe terminanti in artigli, le ali per volare e un duro becco per acchiappare gl'insetti nell'aria e beccare il cibo per terra. Quasi tutti gli uccelli sono migratori: lasciano l'Europa in autunno e ritornano in primavera.

Le mosche, i moscerini, le zanzare e le vespe sono insetti. Hanno un pungiglione per pungere e succhiare il sangue degli altri animali e anche dell'uomo. Gl'insetti hanno sei zampe e le ali: camminano, volano, pungono e affliggono il mondo.

Alcune parti di animali

la testa	– *head*	gli artigli	– *claws*
il muso	– *muzzle*	le penne	– *feathers*
le zanne	– *fangs*	il mantello	– *coat*
il becco	– *bill*	le squame	– *scales*
le ali	– *wings*	le pinne	– *fins*
le zampe	– *paws*	la coda	– *tail*

GRAMMATICA: Osservazioni sul presente dei verbi.

I verbi della 1ª coniugazione conservano il suono del c e g.

mancare	mangiare	pagare	lasciare
manco	mangio	pago	lascio
manchi	mangi	paghi	lasci
manca	mangia	paga	lascia
manchiamo	mangiamo	paghiamo	lasciamo
mancate	mangiate	pagate	lasciate
mancano	mangiano	pagano	lasciano

Non così i verbi della 2ª e 3ª coniugazione.

vincere	pungere	conoscere	fuggire
vinco	pungo	conosco	fuggo
vinci	pungi	conosci	fuggi
vince	punge	conosce	fugge
vinciamo	pungiamo	conosciamo	fuggiamo
vincete	pungete	conoscete	fuggite
vincono	pungono	conoscono	fuggono

Questi verbi hanno **-uo-** quando l'accento cade sulla prima sillaba:

giocare : giuoco, giuochi, giuoca, giochiamo, giocate, giuocano
sonare : suono, suoni, suona, soniamo, sonate, suonano
muovere : muovo, muovi, muove, moviamo, movete, muovono
cuocere : cuocio, cuoci, cuoce, cociamo, cocete, cuociono
scuotere : scuoto, scuoti, scuote, scotiamo, scotete, scuotono.

NOTA.

Il verbo *giocare* è seguito dalla preposizione *a*.
Maria giuoca a palla (a tennis, a bridge, ecc.) con Carlo.

ESERCIZI.

1. Coniugare il presente:

a) Strisciare, legare, dimenticare, giocare, piegare, pregare, negare, scacciare, cominciare, consigliare, leggere, dipingere, correggere, spingere, spengere, piangere, sbagliare, affliggere, spiegare, pungere, viaggiare.

b) *Scacciare* le mosche con la mano. Quando *vedere* una serpe, *fuggire* dalla paura. *Acchiappare* le zanzare a volo. *Essere* giovane e *conoscere* poco il mondo. *Leggere* molti libri gialli. *Dipingere* quando *avere* tempo. *Viaggiare* raramente. Non *conoscere* quell'uomo. *Cuocere* un dolce al forno. *Cucire* un vestito per la bambola. Quando *giocare* a carte, *vincere* sempre. *Comprare* e *pagare* a contanti. Non *mancare* mai di andare in chiesa la domenica. *Sonare* bene la chitarra.

2. Cambiare il singolare in plurale e viceversa:

Non conosco nessuno in questa città. Se giuochi col gatto, il cane è geloso. Spesso dimentico di impostare le lettere. Non leggo il giornale tutti i giorni. Le sarte cuciono dalla mattina alla sera. Il pesce grosso mangia il pesce piccolo. La cuoca sta in cucina e cuoce le pietanze, così il cuoco. Quando ho fame cuocio un uovo e lo mangio. Lasci mai il libro a casa? Pagate sempre a contanti? Perché scuoti quell'albero? Non manchiamo mai alle lezioni. Qualche volta il leone fugge alla vista dell'uomo, ma più spesso l'uomo fugge alla vista del leone.

3. Mettere al plurale con gli articoli (Es.: un cane, il cane, i cani):

Asino, serpe, serpente, bacio, baco, bruco, rettile, occasione, pescecane, artiglio, manico, braccio, piede, parte, paese, panorama, città, automobile, valigia, metropoli, farmacia, sistema, stagione, sbaglio.

4. Domande:

Dove vivono gli animali?
Di che cosa è coperto il corpo degli animali?
Che cosa fa un uccello con le ali e col becco?
Che cosa fanno i pesci con le pinne e la coda?
Che cosa mangiano i pesci? gli uccelli?
Quali animali strisciano sulla terra?
Gli animali hanno tutti la criniera?
Quali animali hanno gli artigli?
Quali animali pungono?
In che stagione ci sono le mosche e le zanzare?
In che stagione gli uccelli lasciano l'Europa?
Gl'insetti sono animali piacevoli? Perchè?
Quali animali hanno 4 gambe? 2 gambe? molte gambe? non hanno
    gambe?
Quali sono le parti di un cavallo? di un'aquila? di un pesce?
Perché molti animali fuggono quando vedono l'uomo?
Che cosa fai quando vedi una serpe?
? – Il leone mangia la carne cruda.
? – I pesci vivono nell'acqua.
? – Perché gli uccelli non sopportano il freddo.
? – No, non mi piace affatto.
? – Ho veduto questi animali in un circo.
? – Vivono nelle grandi foreste dell'Africa e dell'India.

5. Inserire in queste frasi il presente dei verbi indicati e colmare i vuoti.

    1. Molti animali *fuggire* quando *vedere* l'uomo.
    2. Ma anche l'uomo *fuggire* quando, ... esempio, *vedere* una tigre!
    3. Tu *mancare* spesso .... lezioni. Noi .... *mancare* mai.
    4. Leo, per favore .... *spiegare* questa regola? Io non .... *capire*.
    5. Io non *spingere* mai.... gente quando sono .... autobus.
    6. La domenica noi ragazzi *giocare* .... tennis, i grandi *giocare* .... bridge.
    7. Molte persone *leggere* soltanto .... libri gialli.
    8. Non tutti *spengere* .... luce quando *guardare* .... TV.
    9. Spesso i bambini *piangere* per cose da poco.
    10. Noi *pagare* sempre a contanti tutto quello .... noi *comprare*.
    11. La scimmia *dormire* .... alberi per non essere attaccata .... altri animali della foresta.
    12. Ma il serpente *salire* .... tronco .... alberi, *attaccare* le povere scimmie mentre *dormire* e .... *mangiare*!

6. Completare queste frasi.

    1. Uno zoo è .... In uno zoo noi vediamo ....
    2. Se per caso io vedo una vipera, io ....
    3. Io non ho mai veduto ...., ma ho veduto ....
    4. Io ho [non ho] un cane, perché ....
    5. Dove ci sono alberi, di solito ci sono anche ....
    6. In autunno gli uccelli .... In primavera gli uccelli ....

7. Scegliere la giusta definizione di questi detti popolari fra *a*), *b*), *c*).

    Chi dorme non prende pesci. Questa persona è:
    a) una persona che va a pescare, ma non pesca nulla;
    b) una persona che ha sempre sonno;
    c) una persona che perde buone occasioni perché non agisce in tempo.

    Le cose lunghe diventano serpi. Queste cose sono:
    a) le metamorfosi dei rettili di quella specie;
    b) le cose che finiscono male perché troppo prolungate;
    c) le cose che richiedono molto tempo per essere compiute.

    Una mosca bianca. È:
    a) un animale che vive in Africa;
    b) un animale che ha le ali bianche;
    c) una persona eccezionale.

LA FAMIGLIA

I genitori:

| Il padre, la madre | { il figlio | { il fratello |
| Il marito, la moglie | { la figlia | { la sorella |

Il nonno, la nonna { il nipote (maschio) / la nipote (femmina)

| Lo zio, la zia | { il nipote (maschio) / la nipote (femmina) | { il cugino / la cugina |

Parenti acquistati: { il suocero, la suocera / il genero, la nuora / il cognato, la cognata

| Il patrigno, la matrigna | { il figliastro / la figliastra | { il fratellastro / la sorellastra |

Il padrino, la madrina { il figlioccio / la figlioccia

Stato civile: { essere scapolo (lui), nubile (lei); sposato, sposata (con). / essere divorziato, divorziata (da); vedovo, vedova.

La famiglia di Renzo.

Il mio nome è Renzo. Il mio cognome è Luti. La mia famiglia è composta di mio padre, mia madre, le mie due sorelle, io e una vecchia donna di servizio, che è come di casa perché sta con noi da molto tempo.

I genitori di mio padre vivono in campagna: sono mio nonno e mia nonna. I genitori della mamma stanno in città, non lontano dalla nostra casa.

Il mio babbo ha un fratello e una sorella: sono mio zio e mia zia. Mio zio ha moglie, e mia zia ha marito. I loro figli sono i miei cugini, le loro figlie sono le mie cugine.

La mia mamma non ha né fratelli, né sorelle, è figlia unica. Perciò, da parte di mia madre io non ho né zii, né zie, né cugini, né cugine; e il babbo, da quella parte, non ha né cognati, né cognate, né nipoti.

Ogni domenica noi andiamo a trovare i nonni che stanno in campagna. Come sono contenti i nonni quando vedono il loro figlio (mio padre), la loro nuora (mia madre) e i loro nipoti (noi ragazzi). E la mamma è felice di vedere i suoi suoceri, perché la mamma è anche la loro figlioccia.

Qualche volta, specialmente per Natale, per Pasqua e durante le vacanze, anche i miei zii e cugini sono là. Che allegria quando siamo tutti insieme! In tutti allora siamo quindici: una famiglia numerosa e felice.

GRAMMATICA: IL POSSESSIVO.

Maschile		Femminile	
Singolare	*Plurale*	*Singolare*	*Plurale*
il mio	i miei	la mia	le mie
il tuo	i tuoi	la tua	le tue
il suo	i suoi	la sua	le sue
il nostro	i nostri	la nostra	le nostre
il vostro	i vostri	la vostra	le vostre
il loro	i loro	la loro	le loro

1. Il possessivo ha l'articolo della cosa posseduta.

il mio libro	i miei libri	la mia penna	le mie penne
il tuo amico	i tuoi amici	la tua amica	le tue amiche
il suo gatto	i suoi gatti	la sua stanza	le sue stanze
il nostro cane	i nostri cani	la nostra casa	le nostre case
il vostro dono	i vostri doni	la vostra borsa	le vostre borse
il loro cugino	i loro cugini	la loro cugina	le loro cugine

2. **Loro** (*their*) è invariabile, con l'articolo della cosa posseduta.

I miei fratelli hanno la loro stanza. (una stanza comune)
I miei fratelli hanno le loro stanze. (una stanza ognuno)

3. Il pronome possessivo ha la stessa forma dell'aggettivo.

La mia penna è rossa, la tua è bianca, la sua è gialla.
Ecco i vostri quaderni: dove sono i miei? I tuoi sono là.

4. I nomi di parenti **singolari, senza aggettivo,** non hanno articolo.

Mio padre, tua sorella. Il mio buon padre, la tua cara sorella.

5. **Babbo** e **mamma** (*daddy, mummy*) hanno sempre l'articolo.

Il mio babbo e la tua mamma sono parenti lontani.

ESPRESSIONI IDIOMATICHE.

Un mio amico, questo tuo amico, quel vostro cane, due miei zii.
I miei, i tuoi = le persone della mia, della tua, famiglia.
I nostri padri = i nonni, i bisnonni, i trisnonni.
Avere marito, moglie. Essere figlio unico, figlia unica.
Essere di casa (molto intimo). Stare di casa (abitare).

UN PROVERBIO.

Natale coi tuoi, Pasqua con chi vuoi.

ESERCIZI.

1. Cambiare il singolare in plurale e viceversa:

Mia sorella è sempre elegante. I miei fratelli sono troppo giovani per andare all'estero. Mio zio è nel suo studio. Mia zia è al mare. Quando il mio compito è difficile, chiedo la spiegazione a mia sorella. Quando arrivano le tue cugine? I miei nonni vivono a Roma coi miei cugini.

2. Cambiare il maschile in femminile e viceversa:

Mia suocera è malata, e mia cognata è presso di lei. Dov'è tua cugina? Dov'è tuo nipote? Le nuore vanno d'accordo con le suocere? Sì, se una suocera è comprensiva e una nuora è buona e paziente, e soprattutto se ambedue, suocera e nuora, sono persone educate e gentili.

3. Completare in tutte le persone:

Il figlio di mia zia è mio cugino. Mio fratello è giovane e forte. I miei zii vivono a Torino. Mia madre ha sempre ragione. Non ho parenti da parte di mio padre. Io sono figlia unica: non ho né fratelli né sorelle. La mia famiglia non è numerosa. Carlo è un mio amico? Riccardo è un mio parente lontano. I miei nonni materni stanno in Svizzera.

4. Domande:

Com'è composta la famiglia di Renzo?
Chi sono i parenti di Renzo da parte di sua madre?
E da parte di suo padre?
Dove vivono i nonni paterni e materni di Renzo?
Perché il babbo di Renzo non ha nipoti da parte di sua moglie?
Dove vanno Renzo e i suoi ogni domenica?
Che cosa sono per il signor Luti i genitori di sua moglie?
Che cos'è il signor Luti per loro?
Quanti cugini ha Renzo?
? – Per la signora Luti sono suo cognato e sua cognata.
? – La signora Luti è la loro nuora e anche figlioccia.
? – Sì, io ho molti parenti, e sono in Inghilterra.
? – Le famiglie si riuniscono di solito a Natale, non sempre a Pasqua.

5. Mettere un possessivo, singolare e plurale, a queste parole. Es.: Libro. *Il mio libro, i miei libri.*

 a) Cane. Cavallo. Bicicletta. Domanda. Risposta. Esercizio. Viaggio. Insegnante. Amico. Amica. Speranza. Divertimento. Foglio. Famiglia.

 b) Zio. Zia. Cugino. Cugina. Fratello. Sorella. Cognato. Cognata. Nonno. Nonna. Nipote (f.). Nipote (m.). Figlio. Figlia. Parente.

6. Es.: La casa dove io abito è .... *la mia casa.*

 1. La casa dove lui abita è ....   4. La casa dove voi abitate è ....
 2. La casa dove lei abita è ....   5. La casa dove noi abitiamo, è ....
 3. La casa dove tu abiti è ....   6. La casa dove loro abitano è ....

7. Inserire i possessivi negli spazi vuoti.

 1. Dov'è .... scuola? Chi sono .... insegnanti?
 2. Questo ombrello è ....? No, ... è questo qui.
 3. È questa .... chitarra? No, ... è quella là.
 4. Signora, che cosa cerca? Cerco .... occhiali.
 5. Oh, ecco finalmente .... autobus. Ciao!

8. Completare queste frasi.

 1. Una famiglia è generalmente composta ....
 2. La mia famiglia è composta ....
 3. La mia famiglia vive ....
 4. Alcuni dei miei parenti vivono ....
 5. Fra tutti i miei parenti io preferisco ....

9. In questa lettera usare il presente dei verbi e inserire i possessivi.

 Cara Carolina,

 Ho ricevuto la .... lettera e *essere* felice di sapere che voi *stare* tutti bene, e che .... zio, ... zia e i .... bambini ora *abitare* vicino a voi. Ora io ti *dare* le .... notizie. La .... salute è buona, il .... lavoro è interessante. Ma ora io *finire* le .... vacanze qui in campagna con .... padre, ... madre e le .... sorelle. Anche Piero, il .... fratello maggiore, è qui con .... moglie e i .... figli, cioè i .... nipoti. Così, ora la .... famiglia è al completo. Ma loro *partire* domani, perché le .... vacanze *essere* finite. Come *stare* i .... nonni? Il .... caro nonno *avere* ancora il .... bel cavallo bianco? E .... nonna *leggere* sempre i .... libri gialli? Ti *pregare* di salutare tutti i .... parenti e anche i .... comuni amici.

 Ti *abbracciare* la .... amica Gelsomina.

NEL PARCO

È piacevole passeggiare nel parco. Gli alberi, le panchine, il laghetto, le piante e i fiori danno un senso di pace e di riposo. C'è sempre gente nel parco. Vediamo mamme, bambini, vecchietti. C'è un omino che vende palloncini colorati e trombette, un altro che vende gelati e panini. I ragazzi corrono qua e là con le palle, i palloni e gli aquiloni. Alcuni stanno intorno al laghetto, gettano il pane ai pesciolini o mettono le barchette di carta sull'acqua. Altri pescano con la canna. Ma a volte, invece di un pesce pescano una scarpaccia, e tutti ridono.

Il parco offre l'occasione di passeggiate romantiche. Soldati e bambinaie fanno presto amicizia: camminano lentamente, mentre lui fuma la sigaretta e lei spinge la carrozzina. Il bimbo non vede e non sente, perché dorme dietro le tendine rosa.

In un angolo del parco c'è una casetta di legno. Davanti a quella casetta ci sono tavolini e poltroncine sotto gli ombrelloni rossi, gialli e blu. È un piccolo bar. Là i vecchietti leggono il giornale; le mamme fanno la maglia; i turisti riposano le gambe stanche; gli innamorati parlano sottovoce, ridono e sorridono davanti a un bicchierone di birra o un cappuccino.

GRAMMATICA: PAROLE ALTERATE.

Molte parole italiane sono spesso alterate da un suffisso, come **-ino, -etto, -ello, -one, -accio,** al posto dell'ultima vocale.

Vocabolo originale	Piccolo -ino, -etto, -ello	Grande -one (-a)	Brutto o cattivo -accio
gatto	gattino	gattone	gattaccio
paese	paesello	paesone	paesaccio
scarpa	scarpina	scarpona	scarpaccia
casa	casetta	casona	casaccia

1. Alcuni nomi femminili diventano maschili con **-one:**

una donna – un donnone
una stanza – uno stanzone
una camera – un camerone
una sala – un salone

una barca – un barcone
una strada – uno stradone
una tromba – un trombone
una scala – uno scalone

2. Alcuni nomi hanno un senso diverso quando sono alterati:

aquila (*eagle*)
aquilone (*kite*)

porta (*door*)
portone (*street-door*)

sigaro (*cigar*)
sigaretta (*cigarette*)

ombrello (*umbrella*)
ombrellino (*sunshade*)
ombrellone (*beach umbrella*)

cavallo (*horse*)
cavalletto (*easel*)
cavallone (*breaker*)

carrozza (*cab*)
carrozzina (*pram*)

pane (*bread*)
panino (*bun, roll*)

panca (*pew*)
panchina (*bench*)

finestra (*window*)
finestrino (*same in a vehicle*)
finestrone (*french window*)

palla (*ball*)
pallone (*football*)
palloncino (*balloon*)

3. Osservare le seguenti alterazioni:

cane	(*dog*)	fiume	(*river*)
cagnolino	(*lap dog*)	fiumicello	(*stream*)
topo	(*mouce*)	poltrona	(*armchair*)
topolino	(*tiny mouse*)	poltroncina	(*little armchair*)
pesce	(*fish*)	balcone	(*balcony*)
pesciolino	(*little fish*)	balconcino	(*little balcony*)
porco	(*pig*)	uomo	(*man*)
porcellino	(*baby pig*)	omino	(*little man*)
fiore	(*flower*)	ometto	(*short man*)
fiorellino	(*little flower*)	omaccio	(*great brute*)

4. Anche alcuni aggettivi e avverbi sono spesso alterati:

bello	(*beautiful*)	poco	(*little*)
bellino	(*pretty*)	pochino	(*very little*)
caro	(*dear*)	bene	(*well*)
carino	(*charming*)	benino	(*pretty well*)
		benone	(*very well*)
povero	(*poor*)	male	(*badly*)
poverino	(*poor thing*)	malino	(*pretty badly*)
poveretto	(*poor man*)	malaccio	(*very badly*)
poveraccio	(*poor wretch*)		

ESERCIZI.

1. Scrivere con l'articolo e coi suffissi:

-*ino* : babbo, mamma, nonna, letto, uccello, bacio, scatola, mano.
-*etto* : giardino, quadro, ragazzo, muro, cucina, camera, erba, isola.
-*ello* : albero, asino, bambino, serpente, cascata, fontana, stupido.
-*one* : libro, letto, uomo, donna, bacio, elegante, bicchiere, bene.
-*accio*: mondo, carta, tempo, gente, strada, via, uomo, bicicletta, bestia.

2. Completare il presente:

Io ho un gattino e un coniglietto. Io dormo in una bella cameretta con le tendine rosa. Dal mio balconcino vedo un giardinetto e un bambino in carrozzina. Io giuoco spesso col mio cagnolino. Io vedo tutti i giorni un vecchietto con un asinello.

3. Domande:

   1. Perché è piacevole passeggiare nel parco?
   2. C'è gente nel parco? Chi c'è?
   3. Che cosa fanno i ragazzi nel parco?
   4. Perché quei bambini ridono?
   5. Che cosa fanno i soldati e le bambinaie?
   6. Perché il bimbo nella carrozzina non vede e non sente?
   7. Che cosa c'è in un angolo del parco?
   8. Che cos'è quella casetta?
   9. Che cosa fa la gente al piccolo bar?
  10. Qual è il nome per un uomo e una donna molto grandi?
  11. Qual è il nome per un brutto animale? giornale? ombrello?
  12. Qual è il nome per una piccola chiesa? isola? donna? mano?
  13. Cos'è un esamaccio, un librone, un canaccio, un piattino?
  14. ? – Nel parco vediamo alberi, panchine e un laghetto.
  15. ? – Davanti al piccolo bar ci sono tavolini e ombrelloni.
  16. ? – Gli ombrelloni sono rossi, gialli e blu.
  17. ? – È uno scatolone, un tavolone, un gelatone, un lavorone.
  18. ? – È un torrentello, un foglietto, una letterina, un libretto.

4. Sostituire le parole in corsivo con parole alterate.

   1. I bambini spesso imparano le *brutte parole* nella strada.
   2. Il franco svizzero è una *piccola moneta* d'argento.
   3. I giocatori di calcio giuocano con *una grossa palla*.
   4. I miei parenti hanno una *piccola casa* al mare.
   5. Io passo le mie vacanze in un *piccolo paese* di montagna.
   6. Fa freddo, tira vento e sta per piovere. Che *brutto tempo*!
   7. Le *piccole chiese* di campagna sono molto romantiche.
   8. Lei ha sete? Ecco un *grande bicchiere* di birra fresca.
   9. Ma forse Lei preferisce una *piccola tazza* di caffè?
  10. Questo *piccolo fiore* è per te: è del mio *piccolo giardino*.

5. Completare queste frasi con parole alterate.

   1. La grande porta di casa che dà sulla strada è ....
   2. Una finestra grande come una porta è ....
   3. Il veicolo per portare fuori i bambini molto piccoli è ....
   4. Il pittore, mentre dipinge, ha il suo quadro su ....
   5. Quando il mare è molto agitato, l'acqua fa ....

6. Dire il vocabolo originale e il senso di queste parole alterate.
   Es.: Un galletto. *È un giovane gallo.*

Un boschetto	Un animalaccio	Un negozietto
Una candelina	Un ponticello	Una fogliolina
Un moscone	Una piazzetta	Una nuvoletta
Un muretto	Un vestitino	Un posticino
Un paesello	Un'erbaccia	Un campicello
Un affaretto	Un mesetto	Una gabbietta
Un vecchione	Un vinello	Una svegliaccia
Una vecchietta	Una carnaccia	Una figurina

7. Usare il presente dei verbi indicati e alterare le parole in corsivo.

Cara Rosetta,

Ti *mandare* questo *piccolo regalo* per il tuo compleanno. È una *piccola cosa* da poco, ma ti *portare* il pensiero affettuoso e un *grosso bacio* della tua amica Donatella.

Pinocchio *nascere* da un *piccolo pezzo* di legno. In principio è un *ragazzo cattivo* e gli *accadere* molte *brutte cose.* Ma poi, con l'aiuto della *piccola fata* dai capelli turchini e del suo *caro babbo* – un *piccolo vecchio* molto povero – Pinocchio *diventare* un *piccolo ragazzo* per bene in carne e ossa. La storia di Pinocchio *essere* nata come una *modesta storia* a puntate in un *piccolo giornale* per ragazzi.

8. Descrizione della figura a pagina 82. Usare il presente dei verbi in corsivo e aggiungere le parole mancanti.

La figura .... pagina 82 *rappresentare* una scenetta in un parco. Noi *vedere* soltanto una parte .... parco, dove tre .... e una .... *stare* intorno .... un laghetto. Due .... *pescare* nel .... Forse *sperare* .... pescare un .... Ma uno di ...., invece .... prendere un ...., *prendere* una ....! La bambina .... *guardare* e *ridere.* A sinistra c'è una .... che *stare* parlando .... un .... Ci .... sempre delle .... e dei .... in un parco! Lei è così occupata .... quella conversazione che *dimenticare* .... spingere la .... del bambino. Il bambino non *protestare*, non *piangere*, perché per fortuna *dormire*!

NOTA. – Le parole alterate sono molto usate nel linguaggio comune e letterario. Ma queste alterazioni sono spesso idiomatiche. Alcune parole hanno varie alterazioni, altre hanno alterazioni speciali, altre non sono mai alterate. È dunque bene non inventare le alterazioni, ma usare soltanto quelle che conosciamo.

LA MIA GIORNATA

Io mi chiamo Riccardo Berni e mi occupo di compra e vendita di case in un'agenzia della città.

Mi sveglio ogni mattina alle sette. Un nuovo giorno comincia. Mi alzo, mi metto la vestaglia e le pantofole, poi vado alla finestra a vedere che tempo fa. Se c'è il sole e la giornata si presenta buona mi rallegro, se piove mi rattristo un poco, ma mi consolo pensando che quando abbiamo da fare, non ci accorgiamo se il tempo è bello o brutto. Poi vado nella stanza da bagno, mi faccio la barba, mi lavo e mi pettino. Infine torno in camera e mi vesto.

Dopo colazione m'incammino verso il garage, prendo la macchina e vado in ufficio. Parlo coi clienti, mi interesso dei loro desiderî, li accompagno fuori se è necessario, cercando di concludere gli affari.

All'una ritorno a casa dove la famiglia mi aspetta. Ci mettiamo a tavola e mangiamo con grande appetito. Dopo il pasto, mio padre si riposa nella sua poltrona accanto alla radio e ascolta le notizie (ma spesso si addormenta); mia madre si contenta di sedersi per qualche minuto a leggere il giornale; io accendo una sigaretta e vado in giardino, mi diverto col cane o mi fermo a parlare col giardiniere.

Alle tre ognuno si affretta a tornare al suo lavoro. Per me ci sono altre interviste coi clienti, lettere, telefonate. Non mi fermo un minuto e non mi accorgo che il tempo passa così presto.

Alle otto la famiglia si riunisce di nuovo per la cena. Dopo una lunga giornata di lavoro, ci sentiamo finalmente tranquilli e contenti.

Facciamo una vita semplice, ma non ci annoiamo. Dopo cena, se non ci sentiamo di uscire, guardiamo la televisione o parliamo del più e del meno. L'ora di coricarsi si avvicina. Io mi decido per primo a dare la buona notte. Quando sono in camera mia, mi spoglio, mi metto il pigiama e mi lavo; poi vado a letto e mi addormento profondamente. La giornata è finita.

GRAMMATICA: Pronomi e verbi riflessivi.

Soggetto	Oggetto	Dativo	Riflessivo
io	mi	mi	mi
tu	ti	ti	ti
lui	lo	gli	si
lei	la	le	si
noi	ci	ci	ci
voi	vi	vi	vi
loro	li, le	.... loro	si

Il verbo che si còniuga coi pronomi *mi*, *ti*, *si*, *ci*, *vi*, *si* si chiama riflessivo, perché l'azione ritorna sul soggetto.

	I	II	III
Infinito:	lav-**are**	decid-**ere**	divert-**ire**
Riflessivo:	lav-**arsi**	decid-**ersi**	divert-**irsi**
Presente	mi lavo	mi decido	mi diverto
	ti lavi	ti decidi	ti diverti
	si lava	si decide	si diverte
	ci laviamo	ci decidiamo	ci divertiamo
	vi lavate	vi decidete	vi divertite
	si lavano	si decidono	si divertono

Ecco alcuni verbi riflessivi:

accorgersi (di)	decidersi (a)	presentarsi (a)
addormentarsi	farsi la barba	rallegrarsi
affrettarsi (a)	fermarsi	riposarsi
alzarsi	incamminarsi	riunirsi
ammalarsi	interessarsi (di)	sedersi
annoiarsi (a)	lamentarsi (di)	sentirsi (di)
avvicinarsi (a)	lavarsi	spogliarsi
chiamarsi	mettersi (a)	stancarsi
consolarsi	occuparsi (di)	svegliarsi
contentarsi (di)	pentirsi (di)	trattenersi (a)
coricarsi	pettinarsi	vestirsi

NOTA.

I seguenti verbi hanno doppio significato:

cercare } *to look for* – Che cosa fai? Cerco le mie scarpe.
         { *to try to* – Che cosa fai? Cerco di dormire.

mettersi } *to put on* – Che cosa fai? Mi metto le scarpe.
         { *to set to* – Che cosa fai? Mi metto a studiare.

sentirsi } *to feel* – Mi sento bene, stanco, felice, ecc.
         { *to feel like* – Non mi sento di uscire, bere, ecc.

OPPOSTI.

Addormentarsi	– Svegliarsi		Divertirsi	– Annoiarsi
Alzarsi	– Coricarsi		Rallegrarsi	– Rattristarsi
Avvicinarsi	– Allontanarsi		Riunirsi	– Separarsi
Contentarsi	– Lamentarsi		Vestirsi	– Spogliarsi

ESPRESSIONI IDIOMATICHE.

Farsi la barba. Fare una vita semplice, sana, ecc.
Ascoltare le notizie alla radio. Guardare la televisione.
Parlare al telefono. Parlare del più e del meno.

Esercizi.

1. Completare il presente:

Se mi corico presto, non mi addormento. A che ora mi sveglio? Non mi diverto a giocare a carte. Io mi contento di poco. La mattina mi vesto, la sera mi spoglio. Se non mi riposo·un poco dopo i pasti, non mi sento bene. Perché non mi decido a comprare una casa più grande?

2. Leggere il brano di questa lezione in 3ª persona, con soggetto « Riccardo ».

3. Cambiare il singolare in plurale e viceversa:

Ti diverti o ti annoi al concerto? Se il concerto è interessante mi diverto, se è noioso mi annoio e qualche volta mi addormento. La sera non mi sento di uscire, mi riunisco con alcuni amici, parlo del più e del meno, e mi sento tranquillo e felice. Non ci occupiamo di politica. Non ci pentiamo di vivere in campagna. Se lavoro troppo mi stanco e mi ammalo. Quando non so il nome di una strada, mi avvicino a un vigile e m'informo. Quelle vecchie signore si contentano di poco e non si lamentano: si alzano presto, vanno in chiesa ogni mattina, poi si occupano della casa, e quando sono stanche si riposano in giardino.

4. Domande:

A che ora si alza Riccardo?
Che cosa fa per prima cosa?
Perché si consola se piove?
Dove si lava? Dove si veste?
Che cosa fa Riccardo dopo colazione?
Di che cosa si occupa Riccardo?
Che cosa fa durante le ore di lavoro?
Che cosa fa all'una?
Che cosa fa il padre di Riccardo dopo il pasto?
Che cosa fa la madre? e Riccardo?
Che cosa fanno tutti dopo cena?
? – La famiglia di Riccardo si riunisce all'una e alle otto.
? – Io mi alzo alle otto e vado a letto a mezzanotte.
? – Perché la sera io sono molto stanco.
? – Mi sento bene, grazie.

5. Scrivere una breve composizione: "Come passo la mia giornata".

6. Ripetere queste due frasi con la sostituzione del soggetto.

a) *Io di solito mi alzo presto.*
b) *Io ho lavorato molto: perché non mi riposo un po'?*

Lei	Voi	Maria	Lo so che loro ....
Noi	Loro	Marco	Io vedo che Lei ....
Tu	Lui	Tutti	Sappiamo che tu ....

7. Completare queste frasi col presente dei verbi riflessivi indicati.

1. *interessarsi* – Gli uomini politici .... di politica.
2. *fermarsi* – Se una macchina ...., c'è un guasto o non c'è benzina.
3. *sentirsi* – Oggi non ho appetito: non .... di mangiare.
4. *affrettarsi* – Ragazzi, se non .... perdete l'autobus.
5. *accorgersi* – Chi ride sempre non .... di essere sciocco.
6. *divertirsi* – Spesso i bambini .... con piccole cose.
7. *annoiarsi* – Io non .... mai, ho sempre qualcosa da fare.
8. *stancarsi* – Chi ama viaggiare non .... di viaggiare.
9. *contentarsi* – Le persone semplici .... di poco.
10. *svegliarsi* – " Chi dorme coi cani .... con le pulci. "
    (È un proverbio. "Pulce" in inglese è *flea*).

8. Formare 10 frasi con l'aiuto del materiale dato per ogni frase.
Es.: *Svegliarsi* alle 7 – *Io mi sveglio ogni mattina alle 7.*

1. *Addormentarsi* con la luce accesa.
2. *Dimenticarsi* di impostare le lettere.
3. *Mettersi* in una poltrona davanti al televisore.
4. *Fermarsi* a parlare con gli amici.
5. *Accorgersi* di avere torto e *scusarsi*.
6. *Interessarsi* di sport (o di arte, di musica, ecc.).
7. *Occuparsi* dei fatti degli altri.
8. *Coricarsi* tardi – *alzarsi* tardi.
9. *Svegliarsi* quando *sentire* il campanello della sveglia.
10. *Lavarsi* il viso, le mani e i denti prima di andare a letto.

9. Leggere questa storiella usando il presente dei verbi in corsivo.

Due pulci *andare* al cinema. Quando il film è finito, le pulci *incamminarsi* verso l'uscita. Fuori *fare* freddo e *piovere*. Le pulci *fermarsi* perplesse. Poi una pulce *domandare* alla sua compagna: " Cosa (noi) *fare*? (Noi) *decidersi* ad andare a piedi, o *prendere* un cane? "

UNA TAVOLA APPARECCHIATA

Carolina racconta:

Io appartengo a una famiglia modesta, e non teniamo persone di servizio. Nei giorni feriali io non posso fare molto in casa, perché devo rimanere molte ore in camera mia a studiare per la scuola, ma nei giorni di vacanza posso aiutare la mamma a fare le faccende, e inoltre apparecchio la tavola per la colazione, il desinare e la cena.

Oggi è vacanza. Le stanze sono tutte in ordine e la mamma è in cucina. Deve essere quasi mezzogiorno, perché ho fame. È l'ora di apparecchiare. Vado nella stanza da pranzo, distendo la tovaglia sulla tavola e ci metto sopra i piatti, le scodelle e i bicchieri. I piatti sono per la carne, le scodelle per la minestra, i bicchieri grandi per l'acqua, i piccoli per il vino. Il vino sta in una bottiglia e l'acqua in una caraffa.

Adesso devo mettere le posate. Poiché mangiando teniamo il cucchiaio e il coltello nella mano destra e la forchetta nella mano sinistra, metto i cucchiai e i coltelli a destra dei piatti, e le forchette a sinistra. Accanto alle posate di destra metto i tovaglioli.

Cosa manca? Oggi c'è l'insalata: ci vuole l'olio, l'aceto, il sale e il pepe. Perciò metto sulla tavola l'ampolla dell'olio e dell'aceto, la saliera e la pepaiola.

C'è tutto adesso? Sì: il pane è nella cestina del pane, la frutta nella fruttiera, i piattini da frutta sono sulla credenza, e lì accanto ci sono le tazzine e i cucchiaini da caffè.

Vedo che non c'è abbastanza zucchero nella zuccheriera, e poi il babbo vuole lo zucchero a quadretti nel caffè.

"Mamma?" "Che vuoi?" "Dove tieni lo zucchero a quadretti?" "Dev'essere nel cassetto a destra," risponde la mamma. Ecco fatto: anche la zuccheriera è pronta. Adesso non manca più nulla. Oh, sì, mancano i fiori! Prendo un vasetto basso pieno di rose, e lo metto al centro della tavola. Ora tutto è come si deve.

"Mamma, che altro devo fare?" "Vuoi chiamare il babbo?" "Dov'è?" "Dev'essere nello studio." Vado alla porta dello studio: "Babbo, il desinare è pronto!"

Mentre il babbo si lava le mani, la mamma porta in tavola una bella zuppiera di minestra fumante.

GRAMMATICA: Presente irregolare (2ª).

potere	volere	dovere	tenere	rimanere
posso	voglio	devo	tengo	rimango
puoi	vuoi	devi	tieni	rimani
può	vuole	deve	tiene	rimane
possiamo	vogliamo	dobbiamo	teniamo	rimaniamo
potete	volete	dovete	tenete	rimanete
possono	vogliono	devono	tengono	rimangono
G.: potendo	volendo	dovendo	tenendo	rimanendo
P.p.: potuto	voluto	dovuto	tenuto	rimasto

Potere: Non posso bere, fumare, ecc. Cosa posso fare per voi? Posso aiutare? Posso entrare? Posso fumare una sigaretta? Non posso fare a meno di fumare una sigaretta dopo pranzo. Se vuoi, possiamo andare al cinema. Non ne posso più! (non resisto più). Faccio quello che posso. Può essere (è possibile). Non può essere (è impossibile).

Volere: Volere bene a (amare), volere male a (odiare). Cosa vuoi? Non voglio nulla, grazie. Vuoi ancora del vino? Sì, grazie. No, grazie. Vuole andare al cinema stasera? Volentieri! Che cosa vuol dire questa

parola? Vuol dire « con piacere ». Signora, la vogliono al telefono!
Ci vuole (è necessario avere). Quando piove ci vuole l'ombrello. Questa
sedia è rotta: ci vuole un falegname. Quanto ci vuole da qui al teatro?
Ci vuole un'ora. Come stai? Bene, se Dio vuole!

Dovere: Ognuno deve fare il proprio dovere. Devo leggere? Devo
scrivere? Che cosa devo fare? Dov'è il babbo? Dev'essere nello studio.
Che tempo fa? Deve piovere, perché vedo la gente con l'ombrello. Carolina è una brava ragazza: fa tutto come si deve. Il treno deve arrivare
alle tre, perciò io devo essere alla stazione prima delle tre. Quanto le
devo? Lei mi deve mille lire. Ecco mille lire: ora non le devo più nulla.

Tenere: Dove tieni lo zucchero? Lo tengo in quel cassetto. Noi non
teniamo persone di servizio, ma la nostra casa è ben tenuta. Anche il
giardino è ben tenuto. Io tengo la corrispondenza, il babbo tiene l'amministrazione. Molte persone tengono la penna nella mano sinistra. In
Italia i veicoli tengono la destra, in Inghilterra la sinistra. È difficile
tenersi al corrente delle notizie senza leggere i giornali. È difficile tenere
a mente tutte queste cose!

Composti: *appartenere, ottenere, contenere, sostenere.*

Rimanere: Se rimani ancora cinque minuti, mi fai molto piacere.
Rimango qui fino alle sei. La domenica non vado fuori, rimango a casa.
Non mi piace rimanere senza denaro. Perché non rimanete a cena da
noi? Quando la gente è sgarbata con noi, noi rimaniamo male. Ho quasi
finito il mio esercizio: mi rimane soltanto un rigo; mi rimangono soltanto due righi.

ESERCIZI.

1. Coniugare il presente:

Appartenere a una famiglia modesta. *Volere* molto bene ai propri
(miei, tuoi, ecc.) amici. Non *volere* male a nessuno. *Volere* una sigaretta? Non *volere* altro. Non *potere* bere vino perché mi (ti ecc.) fa
male. Non *potere* fare quello che *volere*. *Essere* stanca, non ne *potere*
più. *Potere* entrare? *Potere* fare a meno del vino, ma non *potere* fare
a meno del tè. *Dovere* leggere? Cosa *dovere* fare? *Dovere* fare il proprio (mio, tuo, ecc.) dovere. Non *dovere* nulla a nessuno. *Tenere* a
mente ciò che *imparare.* La domenica non *rimanere* volentieri in casa.
Quando *rimanere* al verde, *sentirsi* infelice. Stasera *rimanere* qui a cena.

2. Domande:

Perché Carolina aiuta in casa soltanto nei giorni di vacanza?
Che cosa fa Carolina nei giorni di vacanza?
Dove stanno le posate su una tavola apparecchiata?
Dove stanno il vino, l'acqua, il sale, il pepe?
Dove stanno l'olio e l'aceto, il pane, lo zucchero, la frutta?
Dove versiamo il caffè? il vino? la minestra?
Che cosa usiamo per mangiare la minestra?
Che cosa usiamo per tagliare la carne?
Quanti cucchiaini di zucchero metti nel caffè?
Preferisci bere il vino o l'acqua?
Puoi fare a meno del vino? del tè? del caffè?
Che cosa mettiamo nel caffè, nell'insalata?
? – Sì, grazie, ancora mezza tazza.
? – Non voglio altro, grazie.
? – Dev'essere in camera sua.
? – Sì, le voglio molto bene.
? – Mi dispiace, oggi non posso.
? – Ci vuole un'ora e mezzo.

3. Completare queste frasi col presente dei verbi indicati.

1. *potere* – Se voi non ascoltate con attenzione, non .... capire.
2. *potere* – Piove e non ho ombrello: .... prendere il tuo?
3. *potere* – Certo. Tu non .... andare fuori sotto la pioggia.
4. *potere* – I bambini non .... stare fermi per molto tempo.
5. *potere* – Quando (noi) .... telefonare? Voi .... alle 3.
6. *volere* – Sono le 5. Chi .... una tazza di tè?
7. *volere* – Sono le 12. Gina, ... apparecchiare la tavola?
8. *volere* – Ragazzi, che cosa .... fare nel pomeriggio?
9. *volere* – Io .... andare allo zoo, loro .... guardare la TV.
10. *dovere* – I medici .... spesso alzarsi la notte.
11. *dovere* – Mio padre .... alzarsi presto ogni mattina.
12. *dovere* – A che ora (noi) .... essere a casa per la cena?
13. *dovere* – Voi .... ritornare alle 8, e non .... fare tardi.
14. *dovere* – Il treno .... arrivare alle 2: io .... andar via!

4. Fare le domande per queste risposte.

1. ....? No, grazie, io non fumo.
2. ....? No, oggi non possiamo.
3. ....? Devo essere là alle 3.
4. ....? Li tengo nel cassetto.
5. ....? Ci rimaniamo un mese.
6. ....? Noi dobbiamo studiare.

5. Continuare il discorso con: *ci vuole* ...., *ci vogliono* ....

Es.: Per bere .... *ci vuole un bicchiere.* (nome singolare)
Per bere .... *ci vogliono i bicchieri.* (nome plurale)

1. Per scrivere a mano ....
2. Per scrivere a macchina ....
3. Per fare il caffè ....

4. Per giocare a bridge ....
5. Per giocare a tennis ....
6. Per comprare le cose ....

6. Trovare l'opposto di:

apparecchiare ≠	c'è tutto ≠	in casa ≠ ....
vasetto basso ≠	in ordine ≠	a destra ≠ ....
aiutare molto ≠	molte ore ≠	è tardi ≠ ....

8. Leggere questo dialogo, mettendo il presente al posto dell'infinito.

Leo – (fra sé) La porta dello zio è chiusa. Uhm, lo zio *dovere* essere occupato. Tuc! Tuc!.... Zio! *Potere* entrare?

Zio – Avanti! Oh.... Sei tu, buona lana? Che cosa *volere*?

Leo – Zio, io ti *dovere* dire una cosa.

Zio – Sì, ma non *dovere* essere una cosa lunga, perché io ho da fare e non *potere* perdere tempo.

Leo – Ma zio, quello che io *volere* dire è importante!

Zio – Davvero? E che cosa *potere* essere così importante?

Leo – Domani è domenica. Io e i miei amici *volere* andare a pescare, ma non *potere*, perché non *avere* abbastanza soldi.

Zio – A pescare! Voi *dovere* studiare, altro che pescare! E poi, se voi non *potere* andare a pescare, cosa *volere* da me?

Leo – I soldi.... Zio caro, se tu *volere*, tu *potere*!

Zio – Ah sì? Ma il fatto è che io non *volere*.

Leo – Zio, lo *sapere* che cosa *volere* dire questo? Che noi *dovere* rimanere in casa tutta la domenica!

Zio – E così? Insomma, ragazzi: dove (voi) *mettere* i soldi che i vostri genitori vi *dare* ogni settimana?

Leo – Noi *avere* comprato il necessario per friggere i pesci, ma *dovere* comprare il vino, la frutta, i biscotti .... Noi *volere* fare una bella merenda sulla riva del fiume.

Zio – (fra sé) *Dovere* essere bello mangiare il pesce fresco sulla riva del fiume, seduti sull'erba, nella pace della campagna.... (a Leo) Ragazzo, ecco qua i soldi. Ma *volere* venire anch'io a pescare con voi!

CIBI E BEVANDE

Dice un vecchio motto " L'appetito viene mangiando ". Però, molto dipende da ciò che mangiamo: le pietanze cucinate bene mettono appetito, le pietanze cucinate male tolgono l'appetito. Gli alimenti (cibi e bevande) hanno una grande importanza per la nostra salute: perciò devono essere sani, freschi e nutrienti.

Noi facciamo quattro pasti al giorno.

Il primo pasto, la colazione, è al mattino. Gl'inglesi fanno una colazione abbondante: prendono tè, o caffè e latte, o succo di pomodoro, o una farinata di avena, e poi pane tostato con burro, miele o marmellata, prosciutto, o frittata, o uova cucinate in vari modi: sode, strapazzate, affrittellate, affogate, con pancetta, ecc. Ma in Italia la colazione è un pasto leggero; molti, prima di uscire di casa, bevono soltanto una tazza di caffè nero. Però, verso le undici, muoiono di fame: allora entrano in un bar e fanno uno spuntino: prendono un caffè, o un cappuccino, o un aperitivo con biscotti, panini ripieni, paste, ecc.

Il secondo pasto è all'una, e si chiama seconda colazione o desinare. In Italia cominciamo con una minestra asciutta: spaghetti, risotto, ravioli, tortellini, gnocchi di patate, ecc.; poi viene un piatto di carne con verdura, patate o legumi, e infine frutta e caffè.

Alle cinque del pomeriggio prendiamo il tè con latte o limone, accompagnato da tartine, biscotti, torte e pasticcini di vario genere.

La cena consiste in una minestra in brodo, oppure un minestrone di verdura, un piatto di pesce o di uova, formaggio e frutta. Il pranzo è un pasto più abbondante, con carne, diversi contorni, dolce o gelato, frutta, caffè e liquori.

La carne può essere cucinata in vari modi: ai ferri, bollita, fritta, arrosto, in umido, ecc. Può essere cotta molto o cotta poco (al sangue), dura o tenera, salata o insipida.

La carne di maiale è anche venduta in forma di salsicce, salame, prosciutto, mortadella, pancetta, ecc.

Beviamo il vino bianco o rosso, puro o annacquato con acqua fresca o acqua minerale. Alcuni preferiscono bere la birra invece del vino.

Il vino, la marsala, il vermut, il gin, il cognac, ecc., sono bevande alcoliche. Le limonate, le aranciate e gli sciroppi sono bevande non alcoliche.

La frutta può essere fresca o secca, cruda o cotta, matura o acerba. Quando la frutta è matura, è dolce; quando è acerba, è aspra; ma un limone è aspro anche quando è maturo.

Il caffè è amaro, ma diventa dolce se ci mettiamo lo zucchero.

Prima dei pasti apparecchiamo la tavola. Durante i pasti cambiamo i piatti, porgiamo i vassoi, versiamo il vino e l'acqua nei bicchieri, passiamo il sale, ecc. Dopo i pasti sparecchiamo, cioè portiamo via tutto, dalla sala da pranzo in cucina.

carni	verdure	frutta fresca	frutta secca
manzo	pomodori	arance	noci
vitella	carciofi	mandarini	nocciole
maiale	piselli	pere	noccioline
agnello	spinaci	mele	mandorle
pollo	fagiolini	ciliege	pinoli
coniglio	carote	pesche	fichi secchi
tacchino	bietola	susine	uva secca
oca	cavolo	albicocche	datteri
caccia	cavolfiore	fragole	prugne

Odori : prezzemolo, sedano, aglio, cipolla, salvia, basilico, rosmarino.

Distinguere:

da vivo :	*da morto* :	*salsa* - di pomodoro, acciughe, ecc.
bue	manzo	*sugo* - di carne
vitello	vitella	*succo* - di agrumi o frutta.

GRAMMATICA: Presente irregolare (3ª).

dire	venire	uscire	salire	morire
dico	vengo	esco	salgo	muoio
dici	vieni	esci	sali	muori
dice	viene	esce	sale	muore
diciamo	veniamo	usciamo	saliamo	moriamo
dite	venite	uscite	salite	morite
dicono	vengono	escono	salgono	muoiono
G.: dicendo	venendo	uscendo	salendo	morendo
P. p.: detto	venuto	uscito	salito	morto.

Dire di sì, – di no, – la verità, – una bugìa, – addìo, – la propria opinione, – bene o male di qualcuno. Cosa dici? Cosa ne dici? Dici bene. Cosa vuol dire? Non so che dire. Cioè a dire. Come dice il proverbio.

Venire da vicino, – da lontano, – da casa, ecc. Vengo subito. Può venire un momento qua? Quando vieni a casa mia? Quando vieni da me? Posso venire da te stasera? Cosa vieni a fare? Vengo a studiare. Vieni a cena da noi stasera. Oggi vengono molte persone da noi per il tè.

Uscire di casa, – di chiesa, – di città, – dal bar, – da scuola, – in automobile (in macchina), – in bicicletta, – a piedi, – a fare due passi. Il verbo *riuscire* è composto di *uscire*. Non mi riesce di (non riesco a) studiare la sera. Non ci riesco. Quella ragazza riesce in tutto.

Salire le scale (≠ scendere le scale), – su un albero, – su una torre, su un campanile, – su un muro (≠ scendere da un albero, – da una torre, ecc.), – in treno, – in autobus, ecc. (≠ scendere dal treno, dall'autobus, ecc.), – al piano di sopra (≠ scendere al piano di sotto).

Morire di fame, – di sete, – di sonno, – di stanchezza, – di vergogna, – di malattia, – di dolore, – dalla voglia di fare qualcosa. Qui c'è un caldo da morire. Ho una fame da morire. Sono stanco da morire, sono stanco morto.

NOTA.

Osservare il presente di questi verbi:

Udire – odo, odi, ode, udiamo, udite odono
Bere – bevo, bevi, beve, beviamo, bevete, bevono.

IDIOMI.

Fare colazione, merenda, uno spuntino, un brindisi.
Andare a desinare, a cena, a pranzo, a un tè.
Prendere il caffè, il tè, un caffè, un tè, un gelato ecc.
Invitare qualcuno a pranzo, a cena, per il tè.
Accettare (≠ declinare) un invito a pranzo, a cena, ecc.
Mangiare a casa, fuori, al ristorante, in trattoria, da « Sabatini ».
Bere alla salute di qualcuno (fare un brindisi alla sua salute).

Le piace il formaggio?
{ Mi piace molto, moltissimo.
Non mi piace molto. Non mi va molto.
Non mi piace affatto. Non mi va.

Vuoi una tazza di tè?
{ Sì, grazie (se accettiamo).
No, grazie (se rifiutiamo).

Tè forte o leggero?
{ Forte, ma non troppo.
Come viene. Mi piace in tutti i modi.

Caffè ristretto o alto?
{ Ristretto e senza zucchero.
Alto e macchiato (con un po' di latte).

ESERCIZI.

1. Coniugare il presente:

Dire di sì. *Dire* di no. Non *dire* né di sì né di no. *Dire* sul serio. Non *dire* male di nessuno. Oggi *uscire* a fare due passi. *Uscire* ogni giorno a fare commissioni. *Salire* e *scendere* le scale cinque volte al giorno. *Dire* sempre quello che *pensare*. Non *dire* mai quello che non *sapere*. Che cosa ne *dire*? Se *dire* di sì, *dire* una bugia. Se *andare* a letto presto, non *riuscire* a prendere sonno. Quando *fare* tardi la sera, *morire* di sonno. *Morire* dalla voglia di prendere un gelato. *Avere* un freddo da morire. *Morire* di freddo. Stasera *uscire* presto e *mangiare* fuori.

2. Cambiare il singolare in plurale e viceversa:

Vieni a cena da me, stasera? Come dici? Dico: ti va di cenare insieme stasera? Grazie, stasera non esco, ma posso venire domani sera, è lo stesso per te? Se veniamo da te, cosa ci offri? Vi offro un bel gelato. Voi morite dalla voglia di fumare una sigaretta; ebbene, perché non fumate? Tua sorella non viene mai a casa mia, perché? Perché non esce mai la sera. Se avete tempo, perché non salite un momento da me a prendere un caffè? Se non accettiamo, vuol dire che non possiamo. I miei fratelli dicono che desiderano abitare in alto, ma non salgono volentieri le scale; allora devono cercare una casa con l'ascensore.

3. Trovare l'opposto di:

Entrare in un bar. Accettare un invito. Mangiare bene. Bere molto. Pasto abbondante. Minestra salata. Carne dura. Vino annacquato. Frutta acerba. Frutta secca. Caffè amaro. Poco zucchero. Tè forte. No, grazie. Il tè non mi piace affatto. Il ristorante è al piano di sotto. Dobbiamo scendere le scale. Prima dei pasti io apparecchio la tavola.

4. Domande:

Quanti pasti facciamo in un giorno? A che ora?
Che cosa beviamo a colazione? a pranzo?
Che cosa mettiamo nel tè?
Le piace il tè? Lo preferisce forte o leggero?
Che qualità di carne preferisci? che verdura? che frutta?
Con quali pietanze preferiamo bere il vino bianco? rosso?
Che frutta troviamo adesso al mercato?
Con che cosa facciamo i dolci?
Con che cosa facciamo le marmellate?
Vuoi un'altra tazza di tè?
? – No, grazie, io non bevo liquori.
? – Sì, mi piace moltissimo.
? – Prendiamo il tè verso le cinque del **pomeriggio.**
? – Preferisco la frutta fresca.
? – Il vino è fatto con l'uva.
? – Il vino può essere bianco e rosso.

5. Mettere il presente di questi verbi accanto ai vari soggetti.

dire	*uscire*	*venire*	*salire*	*morire*
io	noi	loro	voi	tu ....
loro	tu	voi	lui	noi ....
lei	voi	Lei	noi	loro ....
voi	io	tu	loro	lei ....
tu	lui	io	tu	io ....
noi	loro	noi	io	voi ....

6. Inserire in queste frasi il presente dei verbi indicati.

1. A una persona che parte noi .... " Buon Viaggio! ".
2. Io non sempre capisco quello che tu ....

dire   3. Non bisogna sempre credere ciò che la gente ....
4. Qualche volta i bambini .... le bugie.
5. Tu contesti sempre: se io .... bianco, tu .... nero!

1. Se io .... quando piove, prendo un raffreddore.
2. A che ora (tu) .... di casa la mattina?

uscire   3. Quel vecchietto .... soltanto per andare al bar.
4. I miei amici non .... quasi mai dopo cena.
5. Il tempo è bello: perché (noi) non .... a fare due passi?

1. " Le disgrazie non .... mai sole " è un proverbio.
2. " L'appetito .... mangiando " è un altro proverbio.

venire   3. Io vado al cinema. Perché non .... anche voi?
4. È un'idea. Sì, (noi) .... volentieri.
5. Tu, da dove ....? Io .... da casa, lui .... da scuola.

1. Quando i prezzi ...., la vita diventa difficile.
2. La strada che va a quella villa .... sulla collina.

salire   3. Io sto al 4° piano e ogni giorno .... 60 scalini.
4. Amici, perché non .... da me a prendere un caffè?
5. Il mondo è fatto a scale: c'è chi scende e chi ....

1. Io .... di sete. C'è qualche cosa da bere?
2. Tu .... di sonno. Perché non vai a letto?

morire   3. In estate noi .... dalla voglia di lasciare la città.
4. Il ciclamino è un fiore che .... presto.
5. Nel Terzo Mondo molti bambini .... di fame.

7. Conversazione – Un amico vi offre un pranzo e desidera sapere che cibi e bevande preferite. Cosa dice? Cosa rispondete?

LE STAGIONI

Vi sono quattro stagioni in un anno: la primavera, l'estate, l'autunno e l'inverno. Ogni stagione dura tre mesi.

La primavera è la stagione più bella di tutte. Comincia il 21 marzo e finisce il 20 giugno. Non è più freddo e non è ancora caldo. Il clima è dolce, gli uccelli cantano, i primi fiori spuntano nei prati e nei giardini e l'aria è piena di profumi. Il solo inconveniente è che il tempo è variabile, specialmente in marzo: ora il sole brilla nel cielo, e dopo pochi minuti piove e tira vento. Ma il mese di maggio è bellissimo, stiamo meglio fuori che in casa, ed è molto piacevole far passeggiate e merende in campagna.

La seconda stagione è l'estate. Fa caldo. Le giornate diventano sempre più lunghe e afose. Tutte le scuole sono chiuse, e coloro che non sono obbligati a rimanere in città vanno al mare o in montagna. Nei campi i contadini mietono il grano sotto il sole, la terra è dura e arida come la pietra, le verdure seccano per mancanza di pioggia. Ma ad un tratto ecco un temporale, con lampi, tuoni e fulmini. I temporali sono violenti ma brevi: lì per lì l'aria sembra più fresca, ma dopo fa caldo come prima.

L'autunno è una stagione dolcissima. Molta gente preferisce l'autunno alle altre stagioni perché è la più tranquilla. A poco a poco le giornate diventano più corte e la luce del sole è meno brillante, ma i campi non sono stati mai così ricchi, e i boschi mai così belli. Le foglie di molti alberi cambiano colore e diventano rosse e gialle. Soltanto i cipressi, i pini, l'alloro e gli abeti non cambiano mai colore, e perciò sono detti sempreverdi. L'autunno è la stagione della vendemmia e della caccia. Mentre i contadini colgono l'uva per fare il vino, sentiamo in lontananza gli spari dei cacciatori, e i ragazzi tornano dai boschi con cestini pieni di funghi e di more. Ma verso la fine dell'autunno, la vita diventa meno piacevole: comincia a piovere e l'aria è improvvisamente fresca. Gli ultimi fiori si piegano sotto la pioggia insistente, le foglie si staccano dagli alberi, cadono a terra e sono spazzate dal vento. Allora non è più attraente stare in campagna, e noi desideriamo di tornare in città, nelle nostre comode case e al nostro lavoro.

L'inverno è la stagione più fredda e più sconfortante di tutte. La campagna è squallida, gli alberi sono nudi e le piante inaridite dal gelo. In inverno abbiamo pioggia, nebbia, vento e neve. Il cielo è quasi sempre grigio, l'aria è umida, le strade sono bagnate e fangose: la miglior cosa è stare in casa vicino al fuoco. Ma nel periodo più freddo e più triste, la gaia festa del Natale viene a rallegrare tutte le case. I bambini hanno l'albero di Natale, e per i grandi ci sono balli, feste, teatri, spettacoli e concerti. La gente cerca di passare il tempo meglio che può, in attesa di vedere nel cielo la prima rondine, venuta da lontano ad annunziare la fine dell'inverno e il ritorno della primavera.

INTORNO AL TEMPO.

Il tempo può essere: bello, buono, brutto, cattivo, incerto, variabile, piovoso, pessimo, orribile, caldo, caldissimo, afoso, meraviglioso.
Che tempo fa? C'è il sole. C'è la nebbia. Tira vento. Sta per piovere. Piove. Piove a dirotto. Fa un freddo da cani. Si rasserena.
Che bella giornata! Magnifica! Sembra estate!
Che tempo orribile! Che tempaccio! Davvero! Non fa che piovere!
Al sole, all'ombra, all'aria aperta, sotto la pioggia, sotto la neve.

GRAMMATICA: COMPARATIVO E SUPERLATIVO.

Positivo	Comparativo	Superlativo relativo	Superlativo assoluto
bello	= bello come (quanto)	—	bellissimo
bello	+ più bello di (che)	il più bello di	molto bello
bello	— meno bello di (che)	il meno bello di	assai bello

Comparativo: In estate la terra è arida come la pietra. La pioggia è utile quanto il sole. Il mese di maggio è generalmente caldo come il settembre, ma a volte è più caldo e a volte meno caldo, secondo la stagione. La vita di città è più interessante, ma meno sana, della vita di campagna.

Superlativo relativo: La primavera è la stagione più bella di tutte. L'inverno è la stagione più fredda dell'anno. Roberto è il più ricco della famiglia, ma anche il meno intelligente. I monti più alti dell'Europa sono il Monte Bianco e il Monte Rosa.

Superlativo assoluto: Oggi il tempo è bellissimo. In estate l'aria è caldissima. Al Polo Nord la temperatura è bassissima. Le Alpi sono montagne altissime. La neve è bianchissima. I prati inglesi sono verdissimi. Io lavoro moltissimo. Questo compito è fatto benissimo.

L'inglese *than* si traduce con *di* o *che*.

Con *di*:

1. *due nomi – un aggettivo:*
   Gennaio è più lungo di febbraio.
   Febbraio è meno lungo di gennaio.

2. *pronomi o numerali:*
   Luigi lavora più di me. Io spendo meno di voi.
   Ho studiato più di venti pagine. Ho meno di mille lire.

Con *che*:

1. *un nome – due aggettivi:*
   L'Italia è più lunga che larga.
   L'alloro è più bello che utile.

2. *comparativo di quantità:*
   Beviamo più acqua che vino.
   Nell'insalata c'è più olio che aceto.

3. *comparativo seguìto da preposizione:*
   La primavera è più bella *in* campagna che in città.
   Il clima è più freddo *a* Milano che a Napoli.

4. *comparativo fra verbi:*
   È meglio morire che vivere nel disonore.
   Comandare è più difficile che ubbidire.

COMPARATIVI E SUPERLATIVI IRREGOLARI.

Positivo	Comparativo	Superlativo
buono	migliore (più buono)	ottimo (buonissimo)
cattivo	peggiore (più cattivo)	pessimo (cattivissimo)
grande	maggiore (più grande)	massimo (grandissimo)
piccolo	minore (più piccolo)	minimo (piccolissimo)
alto	superiore (più alto)	supremo (altissimo)
basso	inferiore (più basso)	infimo (bassissimo).

Es.: Un ottimo giovane, Un pessimo affare. Un albergo di infimo ordine. Abitano al piano superiore o inferiore? Non ne ho la minima idea. Le sigarette svizzere sono migliori di quelle italiane. Luigi è il figlio maggiore (più vecchio), Carlo è il figlio minore (più giovane).

NOTE.

1. Distinguere:

Buono, migliore ≠ cattivo, peggiore (*aggettivo*)
Bene, meglio ≠ male, peggio (*avverbio*)

Questo vino è buono, è migliore di quello.
Tu parli bene, parli meglio di tutti noi.

2. Osservare queste forme:

In autunno i giorni diventano sempre più corti.
Capisco l'italiano sempre meglio ogni giorno.
Più lavoro e più guadagno. Meno mangio e meglio sto.

3. Notare gli aggettivi derivati da questi nomi:

primavera	– primaverile	giorno	– giornaliero
estate	– estivo	settimana	– settimanale
autunno	– autunnale	mese	– mensile
inverno	– invernale	anno	– annuale

ESERCIZI.

1. Coniugare il presente:

Essere più amante della montagna che del mare. D'inverno *preferire* passeggiare al sole che all'ombra. *Essere* più alto di (*mia, tua,* ecc.)

sorella. Più *studiare* e più *imparare*. Meno *lavorare* e meno *guadagnare*. Quando è caldo, più *bere* e più *avere* sete. Più *stare* in Italia e più (*mi, ti,* ecc.) *piacere*. *Piacere* più il disegno che la matematica. Il rosso (*mi, ti,* ecc.) *stare* meglio che il nero. *Dormire* più di otto ore per notte.

2. Formare delle frasi comparative, usando queste parole:

Autunno – freddo – inverno. Estate – calda – primavera. Cavallo – grande – cane. Estate – piove – autunno. Chiesa – bassa – campanile. Città – popolata – campagna. Gennaio – lungo – dicembre. Marzo – lungo – settembre. Febbraio – lungo – maggio. Sole – utile – pioggia. Vino – necessario – acqua. Olio – leggero – acqua. Onore – prezioso – denaro. Andare a teatro – piacevole – stare in casa. Molti libri – divertenti – istruttivi. Beviamo – in estate – in inverno. Voi – giovani – noi. In febbraio – meno giorni – gennaio. In un giardino – fiori – campo. Amo – città – montagna. Sono stanco – sera – mattina. Dormiamo – inverno – estate. Quando piove – stare in casa – uscire.

3. Domande:

Quale stagione preferisci? Perché?
Quando comincia la primavera? Quanto dura?
Com'è il tempo in primavera?
In quale stagione piove spesso?
Qual è la stagione migliore per sciare, andare a caccia, pescare?
Durante l'inverno come sono le strade, il cielo, l'aria, la campagna?
In estate come sono le giornate, il cielo, la terra?
Perché in autunno i campi sono ricchi e i boschi sono belli?
Cosa ti piace di più: andare a ballare, a caccia, o ad un concerto?
Il clima è più caldo in Italia o in Inghilterra?
In quale stagione cadono le foglie?
Dove va la gente in estate? in inverno?
Dov'è più piacevole passare l'estate: al mare o in montagna?
Cos'è più utile: il sole o la luna? il sole o la pioggia?
Cos'è più facile: spendere o guadagnare?
? – L'estate è la più calda stagione.
? – D'inverno mi piace di più stare in casa che uscire.
? – L'albero di Natale è un abete.
? – Quando il tempo è cattivo, preferisco andare al cinema.
? – D'inverno la notte è più lunga del giorno.

4. Mettere i correlativi *di* (*del*, ecc.) o *che* dopo il comparativo.

    1. In Italia c'è più sole .... in Inghilterra.
    2. Perciò gli italiani stanno più fuori .... in casa.
    3. Il Mediterraneo è più salato .... Oceano Atlantico.
    4. La macchina di tuo fratello è più grande .... tua.
    5. Quella macchina non può costare meno .... 8 milioni.

5. Inserire *migliore* (aggettivo) o *meglio* (avverbio) in queste frasi.

    1. Il tempo è spesso .... in autunno che in primavera.
    2. Piove a dirotto. È .... chiamare un tassì.
    3. Il Chianti è il .... vino della Toscana.
    4. Io lavoro .... la sera che la mattina.
    5. Mio padre è anche il mio .... amico.

6. Sostituire i puntini con le forme comparative adatte.

    1. Quando è freddo, è .... stare in casa .... uscire.
    2. La Torre Eiffel è .... alta .... Campanile di Giotto.
    3. Io lavoro .... un negro: .... 8 ore al giorno!
    4. Quell'uomo è .... furbo .... intelligente.
    5. Lui ha .... denaro .... me, ma è .... felice .... me.

7. Terminare con dei superlativi assoluti (-issimo, -i, -a, -e).

    1. In Russia l'inverno è ....   4. Quel film è ....
    2. Le Alpi sono montagne ....   5. Questa storia è ....
    3. New York è una città ....   6. Noi lavoriamo ....

8. Completare con forme comparative, verbi e preposizioni.

In Inghilterra la gente *parlare* spesso .... tempo, perché là il tempo è .... variabile .... in altri paesi. Naturalmente, ... sud c'è .... sole .... nord. Anche in Italia, il clima .... sud è .... dolce .... clima .... nord, perché l'Italia è .... lunga .... larga, e le regioni .... sud *avvicinarsi* .... Africa. Ma l'inverno inglese è .... umido .... inverno italiano. In Italia non *piovere* .... spesso .... in Inghilterra. Naturalmente *piovere* anche in Italia, ma il cattivo tempo non *durare* .... due o tre giorni, e dopo il cielo è azzurro .... prima. Per i fiori e le piante il clima umido è .... favorevole .... clima secco. Infatti nessun paese *avere* dei giardini .... belli .... i giardini inglesi. Perciò noi *potere* dire che i giardini inglesi sono i .... belli .... mondo.

LEZIONE 22ª

IL FUOCO E LA LUCE

L'Europa ha un clima mite, cioè né troppo freddo, né troppo caldo, ma il clima varia secondo il tempo e la stagione.

Quando è freddo, noi riscaldiamo le nostre case. Nei tempi passati la gente sopportava il freddo con grande coraggio. Le vecchie case erano vaste, piene di corridoi e di spifferi, le stanze avevano finestre immense e soffitti altissimi; le persone che abitavano in quelle case si coprivano di scialli, tremavano, tossivano, starnutivano, si rifugiavano intorno al caminetto, dove arrostivano davanti e gelavano di dietro.

Le case moderne sono generalmente piccole, raccolte e facilmente riscaldabili con stufe, caminetti, o termosifoni. Nei caminetti bruciamo la legna; nelle stufe, legna o carbone, ma ci sono anche stufe a gas, a kerosene e stufe elettriche. Per il riscaldamento centrale abbiamo caldaie a kerosene, a gasolio, oppure a gas.

Naturalmente, un bel fuoco a legna è sempre una grande attrattiva. Quando fuori piove o tira vento, è una gioia stare in una comoda poltrona accanto al fuoco, prendendo il tè e parlando coi nostri amici. E se siamo soli, il fuoco fa compagnia, ed è piacevole ascoltare il suo crepitìo e guardare le fiamme che cambiano continuamente forma e colore.

Purtroppo la stagione fredda è dura per i poveri, che non hanno il denaro per comprare il combustibile e riscaldare le loro case. Essi di solito stanno in cucina, dove il fuoco che serve per cucinare li tiene anche caldi.

Noi cuciniamo il nostro cibo su fornelli a gas o fornelli elettrici. Ma in qualche vecchia casa c'è ancora l'ampio focolare coi fornelli a carbone, perché un tempo le massaie cucinavano solo a carbone o alla fiamma, affumicando le pareti e i soffitti. Una cucina moderna è invece bianca e lucente, c'è il forno elettrico o a gas, l'acqua corrente calda e fredda, il frigorifero, la lavatrice, ecc. Tutto è semplice, pratico e pulito.

* * *

Oltre al calore, un'altra necessità essenziale alla vita umana è la luce. Di giorno abbiamo la luce del sole. Il sole sorge all'alba e tramonta nel tardo pomeriggio, dopo aver dato alla terra luce e calore.

Ma dopo il tramonto il cielo diventa scuro, e noi abbiamo bisogno della luce artificiale.

La luce elettrica oggi illumina tutte le case e tutte le strade, ma non sempre è stato così. Nel secolo scorso la luce elettrica non esisteva; c'erano soltanto lumi a gas, lumi a petrolio e candele. I lumi a petrolio erano pericolosi, perché spesso si rovesciavano e potevano facilmente causare danni ed incendi.

Noi accendiamo il fuoco, il gas, le candele, le sigarette, le pipe, ecc. con fiammiferi di cera o di legno. Accendiamo o spengiamo la luce elettrica per mezzo di interruttori.

La notte, quando il cielo è sereno, noi vediamo la luna e le stelle. Quante stelle! Esse formano strane figure chiamate costellazioni: l'Orsa Maggiore, l'Orsa Minore, la Via Lattea, il Granchio, i Gemelli, lo Scorpione, il Leone, le Bilance, i Pesci e molte altre, ma la loro luce è debole e fredda.

Ebbene, durante la notte le persone sane non hanno bisogno della luce. Quando la nostra attività giornaliera è finita, la notte e il sonno ci danno riposo e nuove energie per ricominciare, il giorno dopo, il nostro lavoro alla luce del sole.

La luce può essere: accesa o spenta; brillante o opaca; forte o debole.

GRAMMATICA: L'IMPERFETTO INDICATIVO.

guard-are	accend-ere	dorm-ire
guard-avo	accend-evo	dorm-ivo
guard-avi	accend-evi	dorm-ivi
guard-ava	accend-eva	dorm-iva
guard-avamo	accend-evamo	dorm-ivamo
guard-avate	accend-evate	dorm-ivate
guard-àvano	accend-évano	dorm-ivano

essere : ero, eri, era, eravamo, eravate, erano.
avere : avevo, avevi, aveva, avevamo, avevate, avevano.
fare : facevo, facevi, faceva, facevamo, facevate, facevano.
dire : dicevo, dicevi, diceva, dicevamo, dicevate, dicevano.
tradurre : traducevo, traducevi, traduceva, traducevamo, ecc.
condurre : conducevo, conducevi, conduceva, conducevamo, ecc.
porre : ponevo, ponevi, poneva, ponevamo, ponevate, ponevano.
dare : davo, davi, dava, davamo, davate, davano.

Coniugare l'imperfetto: tremare, tossire, starnutire, rifugiarsi, gelare, riscaldare, mangiare, servire, tenere, cucinare, esistere, spengere.

L'imperfetto è usato per esprimere:

1. una *descrizione nel passato*

Era una bella notte di luna e le stelle brillavano nel cielo. Mio nonno era un uomo piuttosto piccolo, aveva gli occhi chiari, vestiva modestamente e camminava un po' curvo. In quella vecchia casa la cucina era vasta, e un grande focolare occupava tutta una parete.

2. un'*abitudine nel passato* — — — — — — —

Un tempo le massaie cucinavano solo a carbone o alla fiamma. Le persone che abitavano in quelle vecchie case si coprivano di mantelli e di scialli, tremavano, tossivano e si rifugiavano intorno al caminetto.

3. due *azioni contemporanee* _____

Mentre il babbo accendeva la stufa, io preparavo il tè: poi lui fumava la pipa, e io leggevo il giornale. Lavoravo bene la notte, quando tutti dormivano e la casa era silenziosa.

Distinguere:

il legno – sostanza   Es.: Fiammiferi di legno.
la legna – da bruciare   »   Questa legna è verde e non brucia.

Esercizi.

1. Coniugare l'imperfetto:

   Avere freddo, ma non *dire* nulla. Mentre *fare* un lavoro a maglia *ascoltare* la radio. Alle dieci *dare* la buona notte e *andare* a letto. Quando *tornare* a casa, *trovare* sempre un bel fuoco acceso. Non *accendere* la luce finché non *vedere* più quello che *leggere*. Ogni sera *sedere* vicino al caminetto e *tradurre* qualche pagina dall'inglese in italiano.

2. Mettere l'imperfetto al posto dell'infinito:

   " Quando io *essere* giovane, " *dire* mia nonna, " le strade non *essere* bene illuminate come oggi. Dei lumi a gas *essere* piantati in cima a rari lampioni, e un uomo chiamato lampionaio li *accendere* verso sera, uno ad uno; all'alba lo stesso uomo li *spengere*. " Tutte le volte che io *passare* di là, *vedere* quel piccolo mendicante; ma non *mendicare*, *vendere* fiammiferi, pipe e altri piccoli oggetti. Molti *passare*, *guardare*, ma non *comprare* nulla; altri *fermarsi*, *parlare* col ragazzo, gli *domandare* dove *stare*, di chi *essere* figlio, se *andare* a scuola, perché non *fare* qualche altra cosa. Il bambino li *fissare* coi suoi occhi grandi e tristi, ma non *rispondere*, non *potere* rispondere: *essere* sordomuto.

3. Domande:

   Com'è il clima in Europa?
   Con quali mezzi riscaldiamo le nostre case durante l'inverno?
   Qual è la differenza fra le case antiche e moderne?
   Che cosa bruciamo in una stufa? in un caminetto?
   Perché un caminetto acceso è piacevole anche se siamo soli?
   Perché la stagione fredda è dura per i poveri?
   Perché i poveri stanno quasi sempre in cucina d'inverno?
   Che fornelli usiamo noi? Che fornelli usavano nei tempi passati?
   Quando sorge il sole? Quando tramonta?
   Perché la sera abbiamo bisogno della luce artificiale?
   Che specie di illuminazione c'era nel secolo passato?
   Perché i lumi a petrolio erano pericolosi?
   Che cosa usiamo noi per accendere il fuoco? la luce elettrica?
   Quali sono i principali segni dello zodiaco?
   ? – No, di notte non abbiamo bisogno della luce.
   ? – Perché d'inverno il sole sorge tardi e tramonta presto.
   ? – Non possiamo contare le stelle perché sono troppe.
   ? – Perché allora la luce elettrica non esisteva.

4. Mettere l'imperfetto di questi verbi accanto ai vari soggetti:

essere	*avere*	*fare*	*dire*	*dare*
io	noi	loro	voi	tu ....
loro	tu	voi	lui	noi ....
lei	voi	lei	noi	loro ....
voi	io	tu	loro	lei ....
tu	lui	io	tu	io ....
noi	loro	noi	io	voi ....

5. Completare queste frasi con l'imperfetto dei verbi indicati.

1. *essere* — Quando noi .... in campagna, ... felici.
2. *avere* — Io .... un cane, i miei .... un cavallo.
3. *andare* — La domenica noi .... alla Messa in città.
4. *prendere* — Alle 5 noi .... il tè, il babbo .... un caffè.
5. *dare* — Se la mamma .... una festa, io le .... una mano.
6. *leggere* — La sera noi .... Io .... i fumetti o un giallo.
7. *scrivere* — Le mie sorelle .... ai loro amici lontani.
8. *fare* — Noi .... una vita semplice, ma molto serena.

6. Cambiare il presente con l'imperfetto.

1. Dal mio balcone io vedo spesso una vecchietta con un cane.
2. Ogni giorno quella donna porta fuori un cane diverso.
3. Spesso essa si ferma, prende un biscotto e lo dà al cane.
4. A volte dei ragazzi la seguono e ridono.
5. Chi è quella donna? io mi domando. Nessuno lo sa.
6. La gente dice che è una straniera e raccoglie i cani randagi.

7. Leggere questo brano, usando l'imperfetto dei verbi in corsivo.

Una volta i miei zii *avere* una casa in aperta campagna, dove noi *andare* in autunno alla stagione della caccia. In quella casa non c'*essere* la luce elettrica, ma nessuno *sentire* quella mancanza. Di giorno noi ragazzi *correre* per i campi, i grandi *stare* in giardino, dove *lavorare*, *leggere* o *ricevere* gli amici che *abitare* vicino. La sera lo zio *accendere* i lumi a petrolio. Di solito in cucina l'arrosto *girare* davanti al fuoco a legna, e spesso gli amici che *venire* nel pomeriggio *rimanere* a cena. Dopo cena, loro *giocare* a bridge. Io non *giocare*, *prendere* un libro e *sedersi* accanto al caminetto acceso. Ma presto *avere* sonno, *dare* la buona notte e *andare* a letto.

UNA MERENDA IN CAMPAGNA

Era una bella domenica di marzo, l'aria era mite e il sole brillava nel cielo sereno. Io e mio marito pensammo di portare i nostri bambini a fare una merenda in campagna. Preparai un cesto con molta roba da mangiare, mentre Zazà, il nostro barboncino, sentendo qualcosa di nuovo nell'aria, correva da una stanza all'altra, abbaiando allegramente.

La nostra macchina ci aspettava alla porta. I bambini e il cane vi saltarono dentro, io e il babbo salimmo davanti, e la macchina filò attraverso il traffico delle strade e delle piazze.

Dopo poco fummo fuori della città. Passammo davanti alle alte case della periferia, alle villette coi loro giardini, alle ville nei loro parchi, e presto ci trovammo fra il verde degli orti e dei campi.

Era il principio di marzo, e gli alberi non avevano ancora le foglie, ma i peri e i meli erano in fiore, e i prati erano pieni di margherite.

La macchina filò per molto tempo sulla strada asfaltata, finché arrivammo presso un bosco. Il babbo fermò la macchina, e noi entrammo fra gli alberi, mentre Zazà correva avanti e indietro.

Dopo pochi minuti trovammo una radura soleggiata vicino a un ruscello, e lì posammo il cesto. I ragazzi andarono al ruscello a lavarsi le mani, il babbo aprì il cesto, e io posai la roba sulla tovaglia. Quando i ragazzi tornarono, ci sedemmo per terra e cominciammo a mangiare.

Durante il pasto, i bambini domandarono al babbo i nomi degli alberi. " Questo è un faggio, " spiegò il babbo, " quello è una quercia; quello là col tronco coperto di edera è un pino; e l'altro è un salice. Vedete quell'albero laggiù coi rami bassi e larghi? Che albero è? " "L'albero di Natale!" esclamarono i bambini. "Sì, ma il nome è abete."

Mentre parlavamo, un uccellino saltellò vicino a noi. Forse voleva prendere un ramoscello per il suo nido, ma ebbe paura di Zazà e volò via. Allora io raccontai come gli uccelli fanno i loro nidi in primavera.

Dopo il pasto, i ragazzi andarono nel bosco con Zazà. Il babbo si appoggiò al tronco di un albero e cominciò a fumare. Io mi sdraiai sopra una coperta e mi preparai a godere un'ora di beato riposo.

Che pace c'era nel bosco, col mormorìo del ruscello, il sussurro dei pini e la luce dorata del sole attraverso gli alberi. La rumorosa città sembrava mille miglia lontana.

Alberi		*Parti di un albero*	
la quercia	– *oak*	le radici	– *roots*
il faggio	– *beech*	il tronco	– *trunk*
il salice	– *willow*	la scorza	– *bark*
il platano	– *plane-tree*	i rami	– *branches*
il tiglio	– *lime-tree*	i ramoscelli	– *twigs*
il pino	– *pine-tree*	le gemme	– *buds*
il cipresso	– *cypress*	le foglie	– *leaves*
l'abete	– *fir-tree*	la chioma	– *foliage.*

GRAMMATICA: IL PASSATO REMOTO.

arriv-are	**god-ere**	**sal-ire**
arriv-**ai**	god-**ei**	sal-**ii**
arriv-**asti**	god-**esti**	sal-**isti**
arriv-**ò**	god-**è**	sal-**ì**
arriv-**ammo**	god-**emmo**	sal-**immo**
arriv-**aste**	god-**este**	sal-**iste**
arriv-**arono**	god-**erono**	sal-**irono**

essere: fui, fosti, fu, fummo, foste, furono.
avere : ebbi, avesti, ebbe, avemmo, aveste, ebbero
fare : feci facesti, fece, facemmo, faceste, fecero.

Esercizi.

1. Coniugare il passato remoto:

   a) Pensare, portare, credere, ricevere, aprire, preferire, arrivare, giocare, seguire, trovarsi, sedersi, andare, dovere, potere, dormire, esclamare.

   b) *Partire* la mattina e *tornare* la sera. Dopo poco *essere* fuori della città. *Cominciare* a mangiare all'una e *finire* alle due. Dopo *fumare* una sigaretta. Non *avere* il tempo di leggere, perché *addormentarsi* subito.

2. Trovare l'opposto di:

   Il principio di marzo. Clima mite. Cielo chiaro. I primi fiori. Dopo il tramonto. Andare avanti. Essere davanti. Entrammo nel bosco. Accendemmo il fuoco. Si avvicinarono al ruscello. Cominciarono a mangiare. Il cibo migliore. Sentirsi meglio. Si divertirono. Mi addormentai.

3. Mettere il passato remoto al posto dell'infinito:

   Domenica scorsa noi *alzarsi* presto e *andare* a fare una merenda in campagna. Noi *mangiare* con grande appetito. Anche Zazà *mangiare* molto. Dopo il pasto io *andare* nel bosco, *cercare* i fiori e *trovare* molte violette. I ragazzi *preferire* andare al ruscello a pescare. Ma non *pescare* nulla e *tornare* indietro. A un tratto noi *sentire* uno strano rumore. " Cos'è? " io *esclamare*. " Forse è una serpe, " *esclamare* mia sorella, e *cominciare* a correre. Noi la *seguire*. Poi (noi) *fermarsi* e *guardare* indietro. Allora noi *accorgersi* che non era una serpe, ma Zazà che correva dietro alle lucertole. Noi *divertirsi* molto quel giorno, e Zazà *divertirsi* più di tutti.

4. Domande:

   Dove andarono i nostri amici quella domenica?
   Com'era il tempo?
   Com'erano gli alberi nella campagna?
   Dove si fermarono i nostri amici per mangiare?
   Nel bosco quali alberi erano verdi?
   Che cosa fecero i nostri amici prima del pasto?
   Di che cosa parlarono durante il pasto?
   Che cosa fecero dopo il pasto?
   ? – I primi fiori della primavera sono le margherite.
   ? – Perché ebbe paura di Zazà.
   ? – Perché c'era tanta pace nel bosco.

5. Mettere il passato remoto accanto al soggetto di questi verbi:

essere	*avere*	*fare*	*andare*	*partire*
io	noi	loro	voi	lui ....
lui	tu	voi	noi	io ....
noi	voi	lui	io	tu ....
loro	io	tu	tu	noi ....
tu	lei	io	loro	loro ....
voi	loro	noi	lui	voi ....

6. Inserire negli spazi vuoti il passato remoto dei verbi indicati.

1. *visitare* – Molti turisti .... l'Italia durante le vacanze.
2. *passare* – Anch'io .... le mie vacanze in Italia.
3. *avere* – Io .... la fortuna di conoscere una ragazza italiana.
4. *fare* – Noi .... delle belle gite nei dintorni.
5. *unirsi* – Altri amici .... a noi.
6. *essere* – Tutti .... molto gentili con me.

7. Completare ogni frase, usando il passato remoto adatto di questi verbi: *fare, offrire, invitare, essere, comprare, seguire, andare, partire, tornare.*

1. La scorsa settimana il mio amico Carlo .... una bella macchina.
2. Carlo e sua moglie mi .... a fare una gita in campagna.
3. Io .... con mia moglie e i ragazzi.
4. Noi grandi .... in macchina la mattina verso le 9.
5. I ragazzi ci .... in bicicletta.
6. Noi .... a trovare degli amici che hanno una fattoria.
7. Loro ci .... vino e dolci. Io .... loro sigari e sigarette.
8. Dopo, i ragazzi .... qua e là. Carlo .... con loro.
9. Quando loro ...., io .... molte fotografie a tutti.
10. Quella .... una bella giornata, Tutti .... soddisfatti.

8. Finire il discorso.

1. La giornata era bella, e io ....
2. Nel pomeriggio cominciò a piovere, e noi ....
3. Noi aspettammo l'autobus circa mezz'ora, e finalmente ....
4. Io invitai i miei amici a casa mia, e loro ....

9. Conversazione. Es.: Dove vediamo molte case? *Le vediamo in una città.*

1. Dove vediamo molti alberi?
2. Dove vediamo molti fiori?
3. Dove vediamo molti quadri?
4. Dove vediamo molti libri?
5. Dove vediamo molti studenti?
6. Dove vediamo molta acqua?

A TEATRO

Domenica scorsa mio padre mi portò a teatro. Il programma annunziava una commedia con una buona compagnia di attori e attrici. C'erano due rappresentazioni: una di giorno e una di sera. Noi preferimmo quella di giorno per essere a casa all'ora di cena e non andare a letto troppo tardi.

Quando arrivammo al teatro, una lunga coda stava davanti al botteghino. Ci mettemmo in coda anche noi, comprammo i biglietti ed entrammo nell'atrio. Una maschera guardò i numeri sui biglietti e ci accompagnò ai nostri posti in seconda fila nelle poltroncine di platea.

La gente entrava continuamente, e dopo poco il teatro fu al completo in ogni ordine di posti: poltrone, poltroncine, palchi, gradinate e loggione. C'era intorno un gran movimento: chi si sedeva, chi si alzava, chi leggeva il programma, chi salutava gli amici, chi parlava, chi rideva.

Mentre guardavo in giro col binocolo, un campanello sonò, la luce sparì, e il sipario si alzò lentamente.

La scena era illuminata dalle luci della ribalta ai piedi del palcoscenico, e rappresentava un bosco con una capanna ad un lato. Al posto delle quinte c'erano dei grandi alberi, e un viale si allungava nello scenario e si perdeva fra il verde cupo del fogliame.

La commedia era bella, gli attori e le attrici recitarono molto bene, e alla fine dell'atto il sipario calò fra uno scroscio di applausi. Mentre gli spettatori applaudivano, le tende di velluto si aprirono, e gli artisti si presentarono per ringraziare. Molte volte essi furono chiamati alla ribalta, molte volte tornarono, s'inchinarono e ringraziarono.

Durante l'intervallo facemmo un giro nel ridotto. Mentre passeggiavamo, incontrammo alcuni amici e andammo con loro al bar a prendere un caffè.

Alla fine della rappresentazione, molti fiori furono offerti alla prima donna, la quale ringraziò insieme ai suoi compagni d'arte, poi tornò alla ribalta col regista, e infine le tende si aprirono su lei sola in mezzo ai fiori. Fu un magnifico spettacolo, e noi ci divertimmo immensamente.

Fuori del teatro, il cielo era già scuro. Guardammo l'orologio: era l'ora di cena. Com'era passato presto il tempo!

GRAMMATICA Uso: DEL PASSATO REMOTO.

Il passato remoto indica un'azione finita nel passato ———•———

Domenica scorsa mio padre mi portò a teatro.
Una maschera ci accompagnò ai nostri posti.

Quando un'azione lunga è interrotta da una breve, c'è l'imperfetto nella 1ª e il passato nella 2ª. ————

Guardavo in giro, quando il campanello sonò.
Mentre andavo al bar, incontrai degli amici.

L'imperfetto descrive:

La scena era illuminata dalle luci della ribalta e rappresentava un bosco. Al posto delle quinte c'erano dei grandi alberi, e un viale si allungava nello scenario e si perdeva fra il verde cupo del fogliame.

Il passato remoto racconta:

Gli attori e le attrici recitarono molto bene, e alla fine dell'atto il sipario calò fra uno scroscio di applausi. Molte volte essi furono chiamati alla ribalta, molte volte tornarono, s'inchinarono e ringraziarono.

L'imperfetto è vago:

La domenica andavo a teatro.

Il passato remoto è preciso:

Domenica scorsa andai a teatro.

ESPRESSIONI SPECIALI.

Mettersi in coda.
Il teatro è al completo.

Fare un giro.
Guardare in giro.

ESERCIZI.

1. Coniugare il passato remoto:

Entrare subito nell'atrio. *Comprare* un programma e *divertirsi* a leggere i nomi degli artisti. *Ammirare* l'eleganza delle signore. *Incontrare* degli amici nel ridotto e *fermarsi* a parlare con loro. *Stare* parlando, quando *sentire* il campanello. *Salutare* gli amici e *tornare* in sala.

2. Sostituire all'infinito l'imperfetto o il passato remoto conveniente:

Essere al bar e *stare* prendendo un caffè, quando mi *sentire* toccare un braccio: mi *voltare* e *gridare* di gioia: la mia amica Gina *essere* là davanti a me! Ci *abbracciare* e ci *domandare* tante cose. Mentre *parlare* animatamente, il campanello *sonare*, perciò ci *dovere* separare, ma ci *promettere* di uscire insieme qualche volta. Mio padre le *offrire* un passaggio per tornare a casa, e lei *accettare* volentieri. Così all'uscita del teatro ci *ritrovare*, e noi l'*accompagnare* fino al portone di casa sua. Come io *essere* contenta di rivedere la mia cara amica!

3. Scrivere cinque frasi con l'imperfetto e il passato remoto.

4. Domande:

Quando andarono a teatro i nostri amici?
Che cosa annunziava il programma?
Perché preferirono andare di giorno?
Dove comprarono i biglietti?
Che biglietti comprarono?
Chi li accompagnò ai loro posti?
Che posti possiamo occupare in un teatro?
Quante rappresentazioni ci sono generalmente la domenica?
Dove recitano gli artisti?
Che cosa fanno gli spettatori alla fine di ogni atto?
Che cosa fanno allora gli attori e le attrici?
Che cosa fecero i nostri amici durante l'intervallo?
Chi incontrarono? Dove andarono?
? – Perché la prima donna aveva recitato molto bene.
? – S'inchinarono per salutare e ringraziare il pubblico.
? – Lo spettacolo durò tre ore.
? – Sì, è la specie di spettacolo che mi piace di più.

5. Completare queste frasi con l'aiuto del materiale in *corsivo*.

1. Quella mattina c'era il sole, e noi *fare una passeggiata*.
2. Più tardi, mentre eravamo in giardino, *cominciare a piovere*.
3. Entrammo in casa e accendemmo il fuoco perché *fare freddo*.
4. Ieri Carlino non andò a scuola perché *non sentirsi bene*.
5. La sera Carlino non mangiò nulla perché *non avere fame*.
6. L'anno scorso io *comprare una bella macchina nuova*.
7. La macchina che io avevo prima *essere molto vecchia*.
8. La vecchia macchina costava poco, ma quella nuova *costare molto*.

6. Mettere l'imperfetto o il passato remoto al posto dell'infinito.

1. Domenica scorsa io *andare* al cinema col mio amico Guido.
2. Mentre noi *aspettare* l'autobus, il tempo *cambiare*.
3. Quando noi *arrivare* al cinema, il film *essere* quasi alla fine.
4. Quel film *essere* divertente, e noi *ridere* molto.
5. Noi *volere* rivedere il film, ma *essere* tardi, e io *avere* fame.
6. Fuori *piovere*, gli autobus *essere* pieni, e noi *prendere* un tassì.
7. "Quanti soldi hai?" io *domandare* a Guido. Lui non *avere* soldi!
8. Io *avere* soltanto 7000 lire. Per fortuna *essere* sufficienti!

7. Proseguire il discorso.

 1. L'anno scorso io volevo andare in Italia, ma invece ....
 2. Ieri sera, mentre io parlavo al telefono, ...
 3. Era tardi e io stavo per andare a letto, quando ....

8. Scrivere queste frasi in senso opposto.

 1. Noi andiamo spesso a teatro.
 2. Comprai un biglietto da Pio.
 3. Il teatro era al completo.
 4. La sala era bene illuminata.
 5. La commedia fu interessante.
 6. Uscimmo dal teatro alle 9.

 7. La gente entrava.
 8. La gente rideva.
 9. Il sipario calò.
 10. Alla fine dell'atto.
 11. Dopo l'intervallo.
 12. Arrivai a casa tardi.

9. Berto, sua moglie Maria e due loro amiche, Sofia ed Anna, sono con altri amici e raccontano un fatto curioso, usando i verbi al passato.

Berto – L'altro giorno, mentre io *essere* a casa e *leggere* il giornale, *sentire* il campanello del telefono.

Sofia – *Essere* io. *Volere* invitare Berto e Maria a teatro, con me e Anna. Ma mentre io *parlare*, il telefono *fare* uno strano rumore. Poi silenzio. " Ehi, Berto? " io *chiamare*. Ma lui non *rispondere*.

Berto – Io *fare* la stessa cosa, e non *ricevere* risposta.

Maria – Noi *cercare* di telefonare dopo. Ma il telefono di Sofia non *funzionare*.

Berto – Dopo cena, io *stare* guardando la televisione quando Maria *entrare* nella stanza, dicendo: " C'è Anna! "

Anna – Io *entrare*. *Avere* freddo. Loro mi *offrire* una tazza di caffè.

Maria – Noi le *domandare* la ragione della visita, a quell'ora, con quel freddo.

Anna – Io non *capire*. Non *dovere* noi andare a teatro insieme quella sera?

Berto – Ma noi non *sapere* nulla, a causa del telefono guasto.

Maria – In quel mentre, noi *sentire* di nuovo il campanello della porta.

Sofia – Questa volta *essere* io. *Essere* tutta bagnata perché fuori *piovere*. Al vedere il caminetto acceso e le poltrone, io non *avere* più voglia di andare a teatro. (io) *Sedersi* con loro, e noi *parlare*, *ridere* e *dimenticare* l'inconveniente del telefono guasto.

DANTE ALIGHIERI

Dante Alighieri nacque a Firenze nel maggio 1265 e morì a Ravenna nel 1321. Poco sappiamo della vita giovanile di Dante. Sappiamo soltanto che discese da nobile famiglia ed ebbe l'alta cultura che tutti i nobili ricevevano in quel tempo.

Quando Dante aveva nove anni, conobbe una bambina di otto anni – Beatrice – che abitava vicino alla sua casa. Dante la vide di nuovo dopo nove anni, e sempre più crebbe l'amore per lei nel suo cuore.

Beatrice, forse per ragioni politiche, sposò un altro uomo, e morì giovanissima, quando aveva ventiquattro anni. Dante pianse la sua morte lungamente. Il suo grande amore per Beatrice e la speranza di vivere un giorno con lei per sempre in un mondo celeste dettero alla sua filosofia il concetto cristiano, cioè quello di considerare la vita soltanto come una preparazione alla felicità eterna.

Dante si occupò anche di politica, e quando il suo partito cadde in disgrazia fu scacciato da Firenze e non poté più ritornare. Questo lo rese molto infelice. Fu nel triste periodo del suo esilio che Dante pensò di onorare la memoria di Beatrice, scrivendo un poema per lei. I letterati di quel tempo scrivevano in latino, mentre il popolo, nelle varie regioni d'Italia, parlava differenti dialetti. Ma Dante ruppe la tradizione e volle scrivere il suo poema in una lingua parlata e intesa da tutte le persone del suo tempo. Studiò vari dialetti e finalmente scelse il dialetto toscano.

L'ode per Beatrice divenne una grandiosa opera letteraria in poesia: la *Divina Commedia*. Dante divise quest'opera in tre parti: Inferno, Purgatorio, Paradiso.

È il racconto di un terribile viaggio nel regno dei Morti, descritto in tutti i particolari come un viaggio reale. Dante, condotto da Virgilio, cominciò questo viaggio a Gerusalemme, scese fra infiniti pericoli e terrori al centro dell'Inferno, passò sul monte del Purgatorio, e, salendo su cerchi luminosi, giunse fino al Paradiso dov'era Beatrice. Dante descrisse ciò che fece e vide durante il viaggio, le persone che incontrò, le loro tragedie e le loro pene. In questa opera Dante raccolse tutte le esperienze, rappresentò tutti i caratteri, espresse tutti i sentimenti umani, incluse tutte le scienze e tutte le arti. La sua Commedia divenne la rappresentazione universale dell'Uomo e delle sue energie nella lotta del Bene per vincere il Male, in una spettacolare creazione che fu poesia e dramma, storia e leggenda, visione ideale e realtà di vita.

Dante chiamò la sua opera « Commedia », perché le tre cantiche erano come tre grandiosi atti di un unico dramma. Il Boccaccio (letterato del 1300 e ammiratore di Dante) la chiamò dopo « Divina » per il suo mistico contenuto e la suprema bellezza.

La *Divina Commedia* è il Libro Sacro degl'italiani, perché fu il documento che unì l'Italia spiritualmente prima ancora che politicamente. Infatti il dialetto toscano, portato a così alto livello d'arte, si affermò e fu preso come lingua nazionale.

Così nacque la lingua italiana.

GRAMMATICA: Passato remoto irregolare.

Alcuni verbi hanno il passato remoto irregolare nella 1ª e 3ª persona singolare, e nella 3ª persona plurale.

nascere	vivere	leggere	scrivere
nacqui	*vissi*	*lessi*	*scrissi*
nascesti	vivesti	leggesti	scrivesti
nacque	*visse*	*lesse*	*scrisse*
nascemmo	vivemmo	leggemmo	scrivemmo
nasceste	viveste	leggeste	scriveste
nacquero	*vissero*	*lessero*	*scrissero*

Ger.:	nascendo	vivendo	leggendo	scrivendo
P. p.:	nato	vissuto	letto	scritto

bere	: bevvi	bevesti	bevve	bevemmo	beveste	bevvero
cadere	: caddi	cadesti	cadde	cademmo	cadeste	caddero
conoscere	: conobbi	conoscesti	conobbe	conoscemmo	conosceste	conobbero
crescere	: crebbi	crescesti	crebbe	crescemmo	cresceste	crebbero
dare	: detti	desti	dette	demmo	deste	dettero
dire	: dissi	dicesti	disse	dicemmo	diceste	dissero
fare	: feci	facesti	fece	facemmo	faceste	fecero
sapere	: seppi	sapesti	seppe	sapemmo	sapeste	seppero
stare	: stetti	stesti	stette	stemmo	steste	stettero
tenere	: tenni	tenesti	tenne	tenemmo	teneste	tennero
vedere	: vidi	vedesti	vide	vedemmo	vedeste	videro
venire	: venni	venisti	venne	venimmo	veniste	·vennero
volere	: volli	volesti	volle	volemmo	voleste	vollero

Altri verbi col passato irregolare, usati in questa lezione, sono:

Infinito	Passato	Part. pass.	Infinito	Passato	Part. pass.
chiudere	chiusi	chiuso	perdere	persi	perso
cogliere	colsi	colto	piangere	piansi	pianto
condurre	condussi	condotto	prendere	presi	preso
distinguere	distinsi	distinto	rendere	resi	reso
dividere	divisi	diviso	ridere	risi	riso
esprimere	espressi	espresso	rompere	ruppi	rotto
giungere	giunsi	giunto	scegliere	scelsi	scelto
intendere	intesi	inteso	scendere	scesi	sceso
mettere	misi	messo	vincere	vinsi	vinto

contenere	come	tenere	divenire	come	venire
descrivere	»	scrivere	includere	»	chiudere
discendere	»	scendere	raccogliere	»	cogliere

NOTE.

Il verbo *conoscere* significa anche *incontrare* la prima volta.

Dante conobbe Beatrice quando egli aveva nove anni.

La parola *viaggio* include viaggio di mare, di terra e in aeroplano.

Vado in Italia: è un lungo viaggio in treno, ma breve in aereo.
Dante e Virgilio fecero un viaggio nel regno dei morti.

Esercizi.

1. Coniugare il passato remoto:

Vivere molti anni all'estero. *Sapere* la bella notizia per telefono. *Piangere* e *ridere* nello stesso tempo. Non *volere* credere quella storia. *Prendere* il treno e *partire*, ma *giungere* troppo tardi. *Scrivere* a Giovanni, ma non *avere* risposta. *Vedere* la porta aperta e la *chiudere*. *Bere* un bicchiere d'acqua, ma poi *cadere* e *rompere* il bicchiere. *Leggere* il telegramma e non *perdere* tempo. *Dire* subito di sì. *Conoscere* Carlo a Roma.

2. Trovare l'opposto di:

Nascere. Piangere. Domandare. Umano. Viaggio ideale. Leggenda. La porta si aprì. Mi alzai dalla poltrona. Chiusi la porta. Ci divertimmo molto. Scesi dall'automobile. Partirono troppo tardi. Scrissi la lettera.

3. Domande:

Dove nacque e morì Dante?
Che cosa sappiamo della vita giovanile di Dante?
Come Dante conobbe Beatrice?
Quanti anni aveva Dante quando Beatrice morì?
Perché Dante decise di scrivere un poema?
Quali sentimenti dettero alla filosofia di Dante il concetto cristiano?
Qual è il soggetto della " Divina Commedia "?
In che lingua scrivevano i letterati di quel tempo?
Quale dialetto scelse Dante per scrivere il suo poema?
Com'è divisa la " Divina Commedia "?
Perché la " Divina Commedia " è il Libro Sacro degli italiani?
? – Dante visse 56 anni.
? – La " Divina Commedia " è scritta in poesia.
? – Cominciò a Gerusalemme e finì in Paradiso.
? – Dante prese Virgilio come guida per il suo fantastico viaggio.
? – Virgilio visse dal 70 al 19 avanti Cristo (B. C.).
? – Boccaccio era un letterato, ammiratore di Dante.

4. Conversazione. Ieri Lei:

1. scrisse delle lettere?
2. vide alcuni amici?
3. che cosa bevve a cena?
4. che cosa fece dopo cena?

5. Inserire negli spazi vuoti il passato remoto dei verbi indicati.

   1. *vivere*   – Michelangelo e Raffaello .... nel 16º secolo.
   2. *nascere*   – Giuseppe Verdi .... a Busseto (Parma) nel 1813.
   3. *scrivere*   – Torquato Tasso .... " La Gerusalemme Liberata. "
   4. *dare*   – Amerigo Vespucci .... il suo nome all'America.
   5. *cadere*   – Costantinopoli .... sotto i Turchi nel 1453.
   6. *dividere*   – Nel suo libro Giulio Cesare .... la Gallia in 3 parti.
   7. *descrivere* – Egli .... le sue vittorie con tre passati remoti.
   8. *venire, vedere, vincere* – Ecco i tre passati remoti: ...., ..., ...

6. Volgere queste frasi al passato.

   1. L'insegnante mi fa molte domande, e io rispondo come posso.
   2. Signore, io le do il libro che Lei mi chiede, ma Lei lo legge?
   3. Molti leggono quel libro, ma non tutti lo capiscono.
   4. I miei amici vogliono sapere che cosa io faccio dopo cena.
   5. Dopo cena, io prendo il giornale e lo leggo qua e là.
   6. Poi accendo una sigaretta e mi metto davanti al televisore.
   7. Ma il programma non mi tiene sveglio per molto tempo.
   8. Dopo un poco ho sonno, chiudo gli occhi e mi addormento.

7. Mettere il passato remoto, o l'imperfetto, al posto dell'infinito.

Giotto *nascere* in Toscana nel 1267 e *vivere* 70 anni. Egli *essere* figlio di contadini, e quando *essere* ragazzo suo padre lo *mandare* a badare le pecore nei campi. Un giorno il pittore fiorentino Cimabue, mentre *fare* una passeggiata in campagna, *vedere* questo ragazzo che *disegnare* una delle pecore con un sasso. Il pittore *ammirare* quel disegno e *domandare* al ragazzo come *chiamarsi* e di chi *essere* figlio. " Mi chiamo Giotto, " *rispondere* il ragazzo, " e mio padre è Bondone. " Cimabue *andare* da Bondone e lo *convincere* a mandare il ragazzo a Firenze a lavorare nella sua bottega. Cimabue *essere* un buon maestro per Giotto. Ma Cimabue *essere* ancora influenzato dalla pittura bizantina, che *avere* linee rigide, colori piatti e *deformare* corpi e oggetti. Giotto, che *essere* cresciuto nei campi, non *conoscere* l'arte bizantina e *avere* disegnato le pecore come le *vedere*, non *subire* quell'influenza. Nella bottega di Cimabue Giotto *imparare* la tecnica del dipingere, ma *seguitare* a guardare il mondo come *essere* e lo *riprodurre* come lo *vedere*. In tal modo Giotto *dare* un nuovo indirizzo all'arte della pittura e *aprire* la via verso il Rinascimento.

IL CORPO UMANO

Le parti principali del corpo umano sono: la testa, il tronco e gli arti. Il corpo è sostenuto dallo scheletro (le ossa), il quale è coperto di carne, muscoli, nervi e pelle, e dentro il quale sono i vari organi.

Sulla testa abbiamo i capelli, che possono essere neri, castani, biondi, grigi o bianchi. Riguardo alla qualità, i capelli possono essere ricciuti, ondulati o lisci, folti o radi. Un uomo che non ha capelli è calvo; la donna è raramente calva, e in quel caso porta una parrucca.

Le parti della faccia sono: la fronte, gli occhi, il naso, la bocca, il mento, le guance e gli orecchi. Una persona giovane ha la carnagione fresca e rosea, una persona anziana ha le rughe. Sulle guance e sul mento degli uomini cresce la barba che essi radono ogni giorno, ma chi porta la barba e i baffi non si rade. Nella bocca abbiamo i denti coi quali mastichiamo il cibo, e la lingua con la quale lo gustiamo. Sul dietro della bocca c'è la gola. Il collo unisce la testa al tronco.

Nel tronco vi sono i più importanti organi della vita: i polmoni, coi quali respiriamo; lo stomaco, nel quale il cibo viene digerito; il cuore, la cui funzione è di mandare il sangue attraverso il corpo. Sul davanti del tronco c'è il petto; sul dietro c'è il dorso, lungo il quale corre la spina dorsale.

Gli arti sono le braccia e le gambe. Il braccio parte dalla spalla ed ha il gomito, il polso e la mano, che ha cinque dita. Le parti della gamba sono: la coscia, il ginocchio, il polpaccio, la caviglia e il piede. Le dita delle mani e dei piedi sono protette da unghie. Con le mani lavoriamo, e con la mano destra scriviamo. Chi scrive con la mano sinistra, o usa meglio la sinistra che la destra, è mancino. Con le gambe ci moviamo: camminiamo, corriamo, saltiamo.

Tutto il corpo è nutrito dal sangue che scorre nelle vene e nelle arterie. Il nostro sistema nervoso è controllato dal cervello, il quale sta nel cranio ed è la sede delle sensazioni e del pensiero.

Un corpo, le cui parti e i cui organi funzionano bene, è sano, altrimenti è malato ed ha bisogno di un medico.

Noi dobbiamo avere molta cura del nostro corpo, il che è essenziale alla salute e al benessere generale. Perciò bisogna nutrirsi bene, condurre vita regolare, dare molta importanza all'igiene, fare dello sport e vivere il più possibile all'aria aperta.

VERBI IRREGOLARI.

sostenere : sostengo – sostenni – sostenuto
proteggere: proteggo – protessi – protetto
radersi : mi rado – mi rasi – mi sono raso
muovere : muovo – mossi – mosso
scorrere : scorro – scorsi – scorso.

GRAMMATICA: PRONOMI RELATIVI.

Che (soggetto e oggetto) è usato per persone e cose già nominate.

L'uomo *che* parla — Il cibo *che* è sulla tavola
La donna *che* vedo — La lezione *che* imparo
I ragazzi *che* corrono — I giornali *che* compro
Le bambine *che* saltano — Le notizie *che* ricevo
Ciò *che* è bello piace — Quello *che* penso è giusto

Che (soggetto) = **il quale, la quale, i quali, le quali.**

L'uomo che (il quale) ride sempre è sciocco.
Mia zia Ada, che (la quale) è a Roma, mi scrive spesso.
Ho veduto i ragazzi che (i quali) giocavano in giardino.
Io lodo le ragazze che (le quali) sono diligenti.

Con preposizione: **cui** con prep. semplice (*a cui, di cui*, ecc.) **quale** con prep. articolata (*al quale, del quale*, ecc.).

L'amico al quale (a cui) scrivo si chiama Luigi.
L'amica della quale (di cui) ti ho parlato è malata.
Questi sono i ragazzi coi quali (con cui) vado a scuola.
Ecco le persone dalle quali (da cui) ricevei il denaro.

Cui possessivo (*whose*) prende l'articolo della cosa posseduta.

L'uomo, il cui cervello non funziona, è pazzo.
L'uomo, la cui casa fu venduta, è mio parente..
Un corpo, le cui parti e i cui organi funzionano bene, è sano.

Chi corrisponde a **colui che, colei che** (*the one who*)

Chi scrive con la mano sinistra è mancino.
Chi si contenta del suo stato è felice.
Fra le donne è raro trovare chi non ha capelli.

NOTE.

1. *Chi .... chi* corrispondono all'inglese *some .... others.*

Dopo cena, chi andò al cinema, chi a letto.
Tutti dobbiamo morire: chi presto, chi tardi.

2. *Ciò che, quello che* corrispondono all'inglese *what.*

Ciò che dico è vero. Quello che dico è vero.
Puoi fare ciò che vuoi, quello che vuoi.

3. *Tutto ciò che, tutto quello che* corrispondono all'inglese *all that.*

Tutto ciò che brilla non è oro.
Maria compra tutto quello che vede.

4. *Il che (la qual cosa)* corrisponde all'inglese *which.*

Egli fu subito operato, il che gli salvò la vita.
Io parlo tre lingue, il che è molto utile.

ESERCIZI.

1. Coniugare in tutte le persone:

Io amo le persone che mi amano. Questo è il dente che mi fa male.
Quando parlo con persone che non conosco bene, non so che dire. Il
giorno in cui arrivai in Italia pioveva. Faccio quello che posso. Questa
è una cosa di cui non parlo volentieri. Io parlo e capisco l'italiano,
il che mi fa piacere. L'anno in cui scoppiò la guerra, io non ero nato.
Questa è la ragione per cui sono qua. Dico sempre quello che penso.

2. Mettere al posto dei puntini i pronomi relativi convenienti:

Il libro .... ho comprato non mi piace. Era un uomo .... tutti amavano e di .... tutti parlavano bene. Il medico, ... nome è Roberti, abita vicino a me. La persona di .... parlate è molto conosciuta. Non mi ricordo più .... mi hai detto. Ecco il giornale .... cercate. .... ride sempre è sciocco. Noi sapevamo parlare italiano, ... ci fu molto utile. È una persona con .... non si può parlare di cose serie. Non posso fare .... tu dici. Questa è la ragione per .... ti scrivo. Non so ... fare, ... dire, ... pensare. Quella ragazza, ... padre è ricchissimo, non dà valore al denaro. Tutto .... esiste è opera di Dio. Felice è .... si contenta di .... ha.

3. Sostituire « quale » con « cui » e viceversa:

Io ho due occhi con cui vedo, una bocca con cui mangio, due mani con cui lavoro, un cervello con cui penso. Gli arti coi quali camminiamo sono le gambe. Il letto sul quale dormo è molto duro. La città in cui abito è molto interessante. Mio fratello, a cui scrissi ieri, è arrivato stamattina. I miei amici, a cui scrivo spesso, mi rispondono regolarmente. Gli animali con cui viviamo sono animali domestici.

4. Domande:

Quali sono le parti principali del corpo umano?
Di che cosa è coperto lo scheletro?
Come possono essere i capelli? Come sono i tuoi?
Dove crescono i baffi e la barba?
Cosa facciamo coi denti, con la lingua, con le mani, coi piedi?
Quali sono le parti della testa, del braccio, della gamba?
Quando diciamo che una persona è calva?
Dove sono i polmoni, il cervello, la gola, i capelli, le unghie?
Quando siamo sani? Quando siamo malati?
Cosa dobbiamo fare per essere sani?
? – Il sangue scorre nelle vene e nelle arterie.
? – Quando siamo malati chiamiamo un medico.
? – Lo stomaco serve alla digestione.
? – Si chiamano mancini.
? – La lingua è rossa e sta nella bocca.

5. Completare le frasi con pronomi relativi.

1. La famiglia .... voi cercate non sta più in questa casa.
2. La famiglia .... abitava qui è ora all'estero.
3. Le città .... noi abbiamo visitato erano interessanti.
4. Io ti ringrazio del bel libro .... tu mi hai mandato.
5. Io ammiro l'autore .... ha scritto quel libro.

6. Completare le frasi coi pronomi relativi *quale, quali*.

    1. Ieri io vidi Marco, ... mi salutò.
    2. Ieri io vidi Elena, ... mi salutò.
    3. Ieri io vidi i tuoi fratelli, ... mi salutarono.
    4. Ieri io vidi le tue sorelle, ... mi salutarono.
    5. L'automobile con .... io sono venuto qui non è mia.

7. Completare le frasi col pronome relativo *cui* e le adatte preposizioni.

    1. L'italiano è la lingua .... io ho bisogno.
    2. Questa è la ragione .... io studio l'italiano.
    3. Il 1966 fu l'anno .... il fiume Arno inondò Firenze.
    4. Quella è la casa .... noi siamo nati.
    5. Lei è la sola persona .... io posso dire queste cose.

8. Completare le frasi con *ciò che*, oppure *quello che*.

    1. Un proverbio dice " Noi sappiamo soltanto .... ricordiamo. "
    2. Noi non possiamo ricordare tutto .... leggiamo.
    3. Io faccio .... posso, ma non posso dire .... non so.
    4. Non tutto .... è scritto nei giornali è vero.
    5. .... tu hai detto è molto interessante.

9. Completare le frasi col pronome relativo *chi*.

    1. .... ha un vero amico ha un grande tesoro.
    2. .... troppo vuole niente ha.
    3. Nessuno crede a .... dice le bugie.
    4. .... va piano va sano e va lontano (ma perde il treno!).

10. Inserire i pronomi relativi e cambiare l'infinito in passato.

Molti anni fa, in una strada di Parigi di .... non ricordo il nome,
c'*essere* un vecchietto .... ogni sera *sonare* il violino. Egli *avere* un
cane .... *portare* al collo una borsa, in .... la gente *mettere* qualche soldo.
Una sera il poveretto, ... non *avere* avuto fortuna, *essere* molto triste.
Un signore .... passava di là gli *dire*: " Posso avere un momento il
vostro violino? " Il vecchio gli *dare* lo strumento, e il signore *cominciare* a sonare. Subito la gente *fermarsi*, perché il suono .... *venire* da
quel violino *essere* meraviglioso. Intanto la borsa .... il cane *avere* al collo
diventare pesante. .... *essere* quel sonatore? *Essere* Paganini, il famoso
violinista di .... tutti *avere* sentito parlare. E la gente *applaudire* il grande
artista e il suo buon cuore.

I CINQUE SENSI

Maestro	–	Che lezione abbiamo oggi?
Piero	–	Abbiamo la lezione numero 27.
Maestro	–	Di che tratta?
Piero	–	Tratta dei cinque sensi.
Maestro	–	Bene. Quali sono questi cinque sensi?
Piero	–	Sono: la vista, l'udito, l'odorato, il gusto e il tatto.
Maestro	–	Quali sono gli organi di questi sensi?
Piero	–	Noi vediamo con gli occhi, udiamo con gli orecchi, odoriamo col naso, gustiamo con la lingua e percepiamo la forma, la dimensione e la temperatura delle cose con le mani.
Maestro	–	Che cosa vediamo con gli occhi?
Piero	–	Vediamo le persone, gli animali, gli oggetti, i colori e tutto ciò che ci circonda.

Maestro – La vista è sempre perfetta?

Piero – No, non sempre. Ci sono, per esempio, i miopi e i presbiti.

Maestro – Chi è miope? Chi è presbite?

Piero – Chi non vede bene da lontano è miope. Chi non vede bene da vicino è presbite.

Maestro – Che cosa devono fare i miopi e i presbiti per vedere bene?

Piero – Devono portare gli occhiali.

Maestro – Purtroppo ci sono alcuni che, anche portando gli occhiali, non possono vedere, perché hanno la sventura di essere ciechi. Dopo la vista, il senso più importante è l'udito. Che cosa udiamo?

Piero – Udiamo rumori e suoni. Sentiamo la gente parlare, ridere, piangere, gridare, fischiare, cantare e sonare. Ascoltiamo la musica, le commedie, le conferenze e i discorsi.

Maestro – Quali sono i difetti dell'udito?

Piero – Chi non sente bene è duro di orecchio. Chi non sente affatto è sordo. Chi non può udire né parlare è sordomuto.

Maestro – Che differenza c'è fra *udire* e *ascoltare*?

Piero – Non lo so.

Maestro – Nel verbo udire l'azione è casuale: noi udiamo senza la nostra volontà. Nel verbo ascoltare c'è la volontà di udire. La stessa differenza passa fra i verbi *vedere* e *guardare*. Adesso, riguardo all'odorato: a che serve questo senso?

Piero – Serve a sentire i buoni e cattivi odori. Sentiamo, per esempio, che i fiori hanno buon odore, che il gas ha cattivo odore.

Maestro – Inoltre, l'odorato ci avverte quando l'aria di una stanza è viziata, se qualcosa brucia, se alcuni alimenti sono nocivi. In quanto al cibo, quale altro senso ci aiuta?

Piero – Il senso del gusto, che è nella bocca. Col gusto sentiamo se il cibo è buono o cattivo, dolce o amaro, freddo o caldo.

Maestro – Che cosa sai riguardo al tatto?

Piero – So che il tatto è specialmente sviluppato nelle mani. Col tatto ci accorgiamo se un oggetto è grande o piccolo, liscio o ruvido, duro o morbido, caldo o freddo.

Maestro – Infatti i ciechi, non avendo la vista, sono particolarmente sensibili al tatto: possono leggere dei libri speciali, passando le dita sulle pagine, e toccando dei particolari orologi sanno che ore sono. Anche gli altri sensi sono in loro più acuti del normale. Così essi possono lavorare, prendere parte alla vita, ed essere felici anche se non hanno mai veduto il sole.

VERBI IRREGOLARI.

dovere : devo – dovei – ho dovuto
spengere : spengo – spensi – ho spento
accorgersi: mi accorgo – mi accorsi – mi sono accorto

GRAMMATICA: PRONOMI INTERROGATIVI.

Chi, invariabile, è usato per le persone (*who, whom, whose*).

Chi sei? Chi è là? Chi è quell'uomo? Chi sono quegli uomini? Di chi parli? Di chi è questo libro? Di chi sono questi occhiali? A chi stai scrivendo? A chi mandi quella lettera? Per chi è? Da chi ricevo questo dono? Chi devo ringraziare? Da chi vai? Con chi vai al cinema? Chi è al telefono? Pronto: con chi parlo?

Che, che cosa, invariabili, sono usati per le cose (*what*).

Che cerchi? Che cosa vuoi? Che c'è di nuovo? Che cosa facciamo stasera? Che cosa c'è al cinema? Che cosa c'è in quelle borse? Che cosa avete comprato al mercato? Che cosa dice quel bambino? Di che parla? Che cosa vuol dire questa parola? A che pensi? A che cosa serve l'odorato? A che cosa servono gli occhiali?

Quale, quali sono usati per le persone e le cose (*which, what*).

Qual è il tuo bastone? Qual è la tua borsa? Quali sono i tuoi occhiali? Quali sono le tue riviste preferite? Quale fu la tua decisione? Di quei due uomini, qual è tuo padre? Di quelle due donne, qual è tua madre? Qual è il senso più importante di tutti? Quali sono i difetti dell'udito? Qual è il numero del tuo telefono?

Che, quale sono usati anche davanti ai nomi.

Che lezione abbiamo oggi? Che giorno è oggi? Che ore sono? Che tempo fa? Che notizie mi porti? Che musica ti piace? Che genere di libri preferisci? Che giornali leggi? Che lingua parlano quei ragazzi? Di quali ragazzi parli? A che scuola vanno? A che ora parti? Con quale treno parti? Quale senso è più sviluppato nei ciechi? Per quale ragione mi fate tante domande?

NOTE.

Distinguere:

che – che tipo? che genere? (*what*)
quale – questo, o quello? (*which*)

Che libro vuoi: un romanzo d'amore, o un libro giallo?
Quale libro vuoi: il libro rosso o il libro verde?

Distinguere:

" Chi è tuo padre? "   " Mio padre è Alberto Piani. "
" Qual è tuo padre? "   " È l'uomo vicino alla porta. "
" Che cos'è tuo padre? "   " Mio padre è ingegnere. "

Notare i vari significati del verbo *portare*:

I miopi e i presbiti devono portare gli occhiali.
I ciechi generalmente portano un bastone.
Quando piove io porto le scarpe da pioggia.
Per favore, mi porti un bicchiere d'acqua?
Grazie, ora bisogna portare questo bicchiere vuoto in cucina.
Perché portate questa grande tavola in giardino?
Ragazzi, se siete buoni vi porto al cinema.
Ognuno deve portare una croce. Tutte le strade portano a Roma.

ESPRESSIONI IDIOMATICHE.

Avere una vista acuta ≠ debole. Conoscere uno di vista.
Avere tatto ≠ mancare di tatto. Agire con tatto.
Avere buon gusto ≠ cattivo gusto. Vestire con gusto.
Questa mobilia è di buon gusto. Ma non è di mio gusto.
Avere fiuto per gli affari. Avere orecchio per la musica.
Essere duro di orecchio. Portare gli occhiali.

ESERCIZI.

1. Mettere in 2ª persona singolare e plurale:

Con chi parlo? Di che cosa parlo? Chi aspetto? Con chi posso parlare italiano? Per quale ragione imparo l'italiano? Quale insegnante mi piace di più? Che cosa devo fare? Che cosa faccio dalla mattina alla

sera? Che cosa posso fare più di quello che faccio? In che posso essere
utile? Che autobus devo prendere? A chi devo dare questa lettera? A chi dissi di impostare la lettera? Che altro posso dire?

2. Mettere al posto dei puntini il pronome conveniente:

In .... mese siamo? A .... scuola vai? .... imparate a scuola? Con ....
scrivete sulla lavagna? .... vi ha dato questi libri? Di .... libri stai
parlando? Per .... sono quei libri? È bello il libro .... hai letto? Di ....
tratta? Da .... è stato scritto? .... altro libro ha scritto questo autore?
.... è il tuo autore preferito? .... cerchi? .... guardi? .... dici? .... vedi?
.... ti vede? Di .... ridi? .... fai qui? .... ha trovato i miei occhiali?
.... è, e .... vuole quella donna? .... donna? .... di voi parla francese?
Di .... è quella casa? .... è la tua finestra? .... vedi dalla tua finestra?
In .... città sei nato? .... sapete di quell'uomo? Con .... vive? .... fa?
In .... ufficio lavora? .... sport preferisce? .... altro volete sapere?
.... è la capitale dell'Italia? Con .... paesi confina? Da .... mari è circondata? .... scoprì l'America? In .... anno fu scoperta? E .... non lo sa?

3. Trovare gli opposti di:

Presbite. Sano. Perfetto. Sensibile. Piangere. Spengere. Domandare.
Uscire. Guadagnare. Andare a letto. Buon odore. Aria pura. Udito acuto.
Spalle curve. Capelli folti e ricciuti. Mani lisce e morbide. Libro interes-
sante e utile. Perdere gli occhiali. Perdere al giuoco. Agire con tatto.

4. Domande:

Chi è sordo? cieco? muto? sordomuto?
A chi e a che cosa servono gli occhiali?
Chi è miope? Chi è presbite?
I ciechi possono leggere qualunque libro?
Che cosa fanno i ciechi per sapere l'ora?
Che differenza c'è fra i verbi *vedere* e *guardare*?
Che cosa facciamo quando l'aria di una stanza è viziata?
Qual è il tuo gusto riguardo alla mobilia?
? – I miopi e i presbiti devono portare gli occhiali.
? – Noi sentiamo con gli orecchi e vediamo con gli occhi.
? – Sentiamo il calore col gusto e col tatto.
? – I miei occhi sono azzurri.
? – A casa mia io parlo inglese.
? – Ci vado con una mia amica.

5. Inserire i pronomi relativi adatti e terminare il discorso.

1. L'italiano è una lingua .... mi piace, ma ....
2. Quella è una ragazza .... mi piace. Lei mi può dire ....
3. Lei vuole sapere .... sono e .... faccio? Io ....
4. .... sono le persone con .... io vado spesso? Ebbene, ...
5. .... libri preferisco? Io preferisco quelli .... parlano ....
6. .... devo comprare al mercato? Io non so mai ....
7. Da .... ho ricevuto questa lettera? Questa è una domanda ....
8. .... è quell'uomo? È una persona di .... tutti parlano, ma io ....

6. In questa telefonata fra Delia (una segretaria) e Beppe (un contadino duro d'orecchio) colmare i vuoti con pronomi o aggettivi relativi.

        Drin.... Drin.... Drin.... Drin....

Delia   – Il telefono! .... può essere a quest'ora? Pronto! .... parla?

Beppe – Scusi, con .... parlo?

Delia   – Studio Lori. Ma Lei .... è?

Beppe – .... ha detto? .... sono io? Io sono Beppe Tartufi!

Delia   – Bene. .... vuole, signor Tartufi?

Beppe – Se Lei non parla più forte, io non capisco .... dice.

Delia   – Mi sente ora? .... Lei desidera da me?

Beppe – Da Lei? Da Lei io non desidero nulla.

Delia   – Signor Tartufi: con .... vuole parlare?

Beppe – .... dice?

Delia   – Dico: .... è la persona con .... Lei vuole parlare?

Beppe – Io voglio parlare col Signor Lori.

Delia   – Finalmente! Ma .... dei signori Lori: il padre o il figlio?

Beppe – Come? Il signor Lori ha avuto un altro figlio? Non lo sapevo!

Delia   – No, voglio dire che ci sono due signori Lori: .... desidera?

Beppe – Ora ho capito. Quello .... è nello studio.

Delia   – Nello studio, a quest'ora, non c'è né l'uno né l'altro.

Beppe – Allora, perché almeno uno non lo manda al telefono?

Delia   – Perché non c'è nessuno. Ma Lei mi può dare un messaggio.

Beppe – .... vuole? Un passaggio? Volentieri, ma io ho soltanto la bicicletta.

Delia   – Ma no, ... ha capito! Signor Tartufi, io la consiglio di non telefonare, ma venire qua di persona.

Beppe – Di .... persona sta parlando? Io sono Beppe Tartufi! Basta. Lei non capisce. La saluto Signorina .... Scusi: .... nome ha?

Delia   – Non importa, signor Tartufi, non importa....

Beppe – Sì, lo so, lo so dov'è la porta! Arrivederla!

LEZIONE 28ª

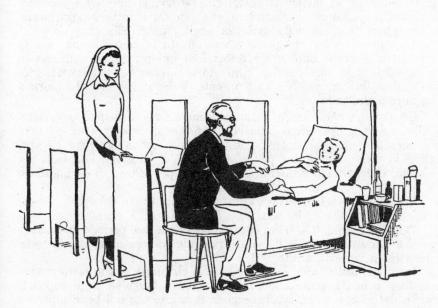

I MALI DEL CORPO

Non possiamo sperare di essere sempre sani. Fino dall'infanzia noi siamo soggetti a prendere delle malattie e a subire incidenti. I bambini hanno spesso il morbillo, la scarlattina, la parotite e la pertosse. Queste malattie dell'infanzia sono infettive e contagiose, e quando un bambino è affetto da una di esse, dovremo tenere gli altri bambini lontani, altrimenti anche loro si ammaleranno, e il contagio si diffonderà rapidamente.

Una malattia contagiosa molto comune è l'influenza, la quale non è pericolosa se è curata in tempo e non è seguita da complicazioni, come la bronchite, la polmonite, ecc.

Se abbiamo un raffreddore, o la tosse, o il mal di testa, non sarà necessario andare a letto: basterà prendere un'aspirina, una bevanda molto calda e riposare. Ma se ci duole la gola, il petto o la schiena, oppure sentiamo dei brividi ed abbiamo la febbre, andremo subito a letto e chiameremo un dottore. Il dottore ci misurerà la temperatura col termometro, ci tasterà il polso, ci guarderà la lingua ed ascolterà la nostra respirazione. Poi scriverà una ricetta, e tornerà ogni giorno a sorvegliare il corso della malattia e gli effetti della cura.

Una malattia leggera potrà essere curata in casa propria, ma se la malattia è grave oppure c'è bisogno di un'operazione, andremo in un ospedale o in una casa di cura, dove saremo ben curati dai medici e dalle infermiere. Nei casi urgenti, i malati saranno trasportati con auto-ambulanze.

Un dottore che cura le malattie generali è un medico internista. Quello che fa le operazioni è un chirurgo. Quello che cura un particolare organo o una particolare malattia è uno specialista. Fra gli specialisti vi sono: il pediatra per le malattie dei bambini, l'oculista per gli occhi, il dentista per i denti, l'ortopedico per le ossa, il dermatologo per la pelle, e così via.

Fra i mezzi più comuni per curare e guarire i mali del corpo vi sono le iniezioni, le pillole, le pomate, gli antibiotici, i disinfettanti, ecc.

Dopo una malattia o un'operazione, viene un periodo di convalescenza, durante il quale il malato riacquisterà gradatamente le forze e tornerà in perfetta salute.

In questi ultimi anni la medicina e la chirurgia hanno fatto grandi progressi, e molta gente che prima moriva o languiva negli ospedali e nei sanatori oggi vive, lavora e gode la salute che è il bene supremo della vita.

VERBI IRREGOLARI.

diffondere: diffondo – diffusi – diffuso

MALATTIE

mal di testa	morbillo	polmonite	tifo
mal di denti	scarlattina	bronchite	tisi (T.B.C.)
mal d'orecchi	parotite	tonsillite	ulcera
mal di gola	pertosse	meningite	cancro
mal di stomaco	indigestione	poliomielite	nevrastenia
mal di cuore	raffreddore	otite	insonnia
mal di fegato	influenza	nevrite	esaurimento nervoso
mal di reni	reumatismo	artrite	infarto.

GRAMMATICA: Il Futuro.

cur-are	prend-ere	sent-ire
cur-erò	prend-erò	sent-irò
cur-erai	prend-erai	sent-irai
cur-erà	prend-erà	sent-irà
cur-eremo	prend-eremo	sent-iremo
cur-erete	prend-erete	sent-irete
cur-eranno	prend-eranno	sent-iranno

essere : sarò, sarai, ecc.
avere : avrò, avrai, ecc.
andare: andrò, andrai, ecc.
cadere : cadrò, cadrai, ecc.
dovere : dovrò, dovrai, ecc.
godere : godrò, godrai, ecc.
potere : potrò, potrai, ecc.
sapere : saprò, saprai, ecc.
vedere : vedrò, vedrai, ecc.
vivere : vivrò, vivrai, ecc.

bere : berrò, berrai, ecc.
morire : morrò, morrai, ecc.
rimanere : rimarrò, rimarrai, ecc.
tenere : terrò, terrai, ecc.
venire : verrò, verrai, ecc.
volere : vorrò, vorrai, ecc.
lasciare : lascerò, lascerai, ecc.
mancare : mancherò, mancherai, ecc.
mangiare: mangerò, mangerai, ecc.
pagare : pagherò, pagherai, ecc.

Coniugare il futuro: guarire, stare, misurare, visitare, seguire, riacquistare, perdere, lavorare, ammalarsi.

1. Spesso usiamo il presente per esprimere un'azione futura.

Domani vado al cinema. Fra un mese parto per la campagna.

2. Il futuro può anche esprimere una probabilità presente o passata.

Dov'è Maria? Non so, sarà dal dentista!
L'avrò anche detto, ma non ricordo bene.
Giovanni ti avrà probabilmente scritto.

3. In italiano, dopo: *se, quando, appena, finché*, usiamo di solito il futuro.

Se andrò in Francia parlerò francese.
Quando sarò in Francia parlerò francese.
Appena arriverò in Francia parlerò francese.
Finché starò in Francia parlerò francese.

Nota:

Il verbo *dolere* è usato in terza persona col dativo (*mi, ti, gli, le*, ecc.).

Presente	: Mi duole una gamba.	Mi dolgono le gambe.
Imperf.	: Mi doleva un dente.	Mi dolevano i denti.
Pass. rem.	: Mi dolse una spalla.	Mi dolsero le spalle.
Futuro	: Mi dorrà un braccio.	Mi dorranno le braccia.

Opposti.

Sentirsi bene – Sentirsi male

Perdere le forze – Riacquistare le forze

Malattia leggera – Malattia grave

Salute perfetta – Salute malferma

Ammalarsi – Guarire

Curarsi – Trascurarsi

Riposarsi – Strapazzarsi

Migliorare – Peggiorare.

Espressioni idiomatiche.

Essere (andare) soggetti al mal di gola, mal di denti, ecc.

Prendere una malattia, un raffreddore, l'influenza, ecc.

Stare bene, – male, – a dieta, – in poltrona, – a letto.

Fare una cura, – progressi, – una visita, – un'iniezione.

Farsi una radiografia, un'operazione. Farsi levare un dente.

Soffrire di mal di cuore, – di mal di fegato, – di artrite, ecc.

Morire di polmonite, – di paralisi cardiaca, – di tifo, ecc.

Esercizi.

1. Completare in tutte le persone:

Se esco quando piove, so che prenderò un raffreddore. Non mi sento bene: avrò forse l'influenza? Mi duole la gola, mi doleva anche ieri. Se mi dorrà anche domani, passerò in farmacia e comprerò delle medicine. Mi misurerò la temperatura. Se avrò la febbre, prenderò un'aspirina. Se domani non starò meglio, chiamerò un medico. Mi dolgono i denti: stasera non potrò mangiare. Berrò una tazza di latte caldo. Domani andrò dal dentista. Quest'anno dovrò studiare molto. L'anno prossimo farò il possibile per andare in Italia. Quando sarò in Italia vedrò molte cose belle e godrò il sole. Rimarrò in Italia finché avrò denaro. Quando lascerò l'Italia saprò l'italiano abbastanza bene. Appena avrò finito i miei studi cercherò un lavoro. Se troverò un lavoro che mi piace, non chiederò di più. Vivrò felice e contento.

2. Trovare i sostantivi di:

Contagioso, malato, triste, nervoso, noioso, stanco, infantile, allegro, fortunato, visitare, sperare, amare, lavorare, fumare, leggere, spiegare, sbagliare, vedere, udire, respirare, curarsi, divertirsi, riposare, morire.

3. Domande:

Quali sono le malattie dell'infanzia?
Quando e perché dovremo tenere un bambino isolato?
L'influenza è una malattia pericolosa?
Che cosa dobbiamo fare quando abbiamo un raffreddore?
Quando dovremo chiamare un medico?
Che cosa farà il medico?
Quando dovremo andare in una casa di cura o in un ospedale?
Che cos'è la convalescenza?
Che cosa fa un malato durante la convalescenza?
Quali sono i mezzi più comuni per curare le malattie?
Dove compriamo le medicine?
Come si chiama la persona che vende le medicine?
Che cosa facciamo quando ci dolgono i denti?
Quante specie di medici ci sono?
Quali malattie avete avuto durante la vostra vita?
? – Il radiologo fa le radiografie.
? – Si chiama pediatra.
? – È una casa per i malati.
? – Sono le persone che curano i malati.
? – Sono le sostanze che curano le malattie.

4. Mettere queste forme verbali al futuro.

io ho	loro fanno	tu vivi	lui scrive
lui sa	io posso	voi dite	loro devono
tu vai	Lei vede	io vado	voi bevete
voi siete	tu vuoi	noi diamo	tu capisci
noi siamo	voi state	loro hanno	noi finiamo

5. Completare ogni frase con un futuro.

1. Io sarò felice quando ....
2. Forse andrò a Roma se ....
3. Ma prima di partire....
4. Se non troverò un tassì ....
5. Fra qualche anno ....
6. Se avrò abbastanza soldi ....

6. In queste frasi usare il futuro dei verbi in corsivo.

   1. Quando tu *ricevere* questa lettera io *essere* già in Italia.
   2. Io ti *mandare* il mio indirizzo appena lo *sapere*.
   3. Tu mi *scrivere*, non è vero? perché io *sentirsi* molto solo.
   4. Le tue lettere mi *fare* molto piacere.
   5. Ho saputo che Piero è malato: noi *andare* da lui domani.
   6. Forse Piero *essere* già alzato e ci *ricevere* con gioia.
   7. Quando lui *stare* meglio, (lui) *fare* la convalescenza al mare.
   8. Io so che voi *andare* presto in vacanza. Quando *partire*?
   9. Io *partire* lunedì. Mia moglie e i ragazzi *venire* sabato.
  10. Quando noi *ritornare*, (noi) ti *portare* un bel regalo.

7. Volgere le seguenti frasi al futuro.

   1. Carletto, se sei buono, ti porto al cinema.
   2. Dopo il cinema noi andiamo a trovare la vecchia zia Elvira.
   3. Ma prima ci fermiamo in un bar e beviamo qualcosa.
   4. E se hai fame, puoi mangiare una pasta.
   5. Io porto alla zia Elvira un libro che le piace.
   6. Tu Carletto, le dai questa scatola di cioccolatini.
   7. La zia Elvira è molto contenta quando ci vede.
   8. Carletto pensa: " Che barba questa zia Elvira! ".
   9. Tutti i miei figli devono lavorare per vivere.
  10. I miei due figli maggiori vanno all'università.
  11. Uno di loro studia medicina, l'altro prende farmacia.
  12. Così, se uno di noi si ammala, loro ci curano gratis!

8. In questa lettera usare il futuro dei verbi indicati e colmare i vuoti.

Cara Lucia,

    Grazie .... tua lettera, in .... mi dici che mi *fare* un regalo .... il mio compleanno, e vuoi sapere .... io preferisco. Io so che mio padre mi *regalare* un giradischi; così, un disco .... musica pop *essere* l'ideale. Sono contenta che tu *venire* .... festa che i miei *dare* .... quel giorno. Ci *essere* anche .... miei cugini e *portare* alcuni amici. Noi *fare* la festa .... giardino, e dopo il tè noi *ballare*. Io *dovere* chiedere .... miei amici .... portare altri dischi, e se anche tu *portare* qualche tuo disco, io ti *essere* molto grata. (tu) *Vedere* che (noi) *divertirsi*!
    Ti abbraccia .... tua amica Rosetta.

LO SPORT

Se si desidera essere sani e forti, dobbiamo praticare lo sport, perché lo sport dà salute e forza.

I giovani moderni amano gli esercizi fisici all'aria aperta. Il calcio, il tennis, lo sci e il nuoto sono i più comuni. Anche il ciclismo, l'equitazione e il pattinaggio sono molto diffusi, mentre il pugilato e la scherma sono sports particolari, e gli sportivi si limitano ad assistere agli incontri e alle gare dei vari campioni.

Il giuoco del calcio ha luogo in un terreno chiamato "campo". I calciatori sono divisi in due squadre. Dietro a ciascuna squadra c'è una "porta" formata da tre sbarre, e i giocatori cercano di mandare il pallone nella porta avversaria coi piedi o con la testa. Il giocatore che difende la porta si chiama portiere. Un arbitro decide del sì e del no in ogni controversia, e ogni volta che una squadra segna una rete, i giocatori di quella squadra si abbracciano, mentre i tifosi si agitano, urlano e qualche volta si azzuffano coi tifosi della squadra opposta.

Il tennis si può giocare in due o in quattro persone. Il campo è attraversato da una rete, e i giocatori si lanciano la palla con le racchette da una parte all'altra del campo.

Un altro giuoco sportivo è la palla-canestro. In questo giuoco la palla si passa di mano in mano, finché si getta dentro un canestro.

D'estate lo sport più piacevole è il nuoto. Si nuota bene al mare, ma si può nuotare anche in un lago, in un fiume e in una piscina. Le piscine sono ideali per l'allenamento e per fare i tuffi dal trampolino.

Anche lo sci nautico è molto divertente. Consiste nel farsi trainare sull'acqua da un motoscafo, stando sugli sci. Perciò ci vuole un largo specchio d'acqua: il mare o un lago.

Il canottaggio, invece, è praticabile anche in città, se c'è un fiume abbastanza grande. Il canottaggio, lo sci nautico e il nuoto sono utilissimi, perché rinforzano tutti i muscoli del corpo.

D'inverno i giovani sportivi vanno in montagna a sciare sulla neve. Questo è uno sport molto sano e allegro. Di giorno si gode il sole e l'aria pura dei monti, e la sera c'è sempre festa negli alberghi, dove si balla, si ride e si canta.

Un altro sport invernale è il pattinaggio sul ghiaccio, coi pattini ai piedi, invece che gli sci. Ma si può pattinare anche coi pattini a rotelle, su una pista liscia e uniforme.

Il ciclismo è uno sport molto utile, perché dà forza alle gambe. Ci vuole una bicicletta, naturalmente. Si monta sul sellino, le mani sul manubrio e i piedi sui pedali, e si comincia a pedalare.

Oggigiorno, col traffico crescente, la bicicletta diventa sempre più rara ed è sostituita dai vari ciclomotori. Rimane tuttavia nelle gare sportive, è sempre apprezzabile dove parcheggiare una macchina è a volte un problema e nei luoghi di vacanze per fare delle belle gite in comitiva.

Ma lo sport più semplice di tutti è camminare. Questo sport richiede soltanto un paio di gambe e un comodo paio di scarpe. Una passeggiata dà appetito, svago e buon umore, e quindi fa bene alla salute e allo spirito.

VERBI IRREGOLARI.

difendere : difendo – difesi – difeso
richiedere: richiedo – richiesi – richiesto.

ESPRESSIONI IDIOMATICHE.

Praticare lo sport	Passare di mano in mano
Avere luogo	Fare i tuffi
Segnare una rete	Parcheggiare una macchina.

GRAMMATICA: La particella si.

La particella si può essere:

1. *affermazione* (*yes*), con l'accento

Sì, signore. Credo di sì. Mi pare di sì. Spero di sì. Un giorno sì e uno no. Sono fra il sì e il no (indeciso). Io sono per il sì. L'arbitro decide del sì e del no in ogni controversia. Il sì del matrimonio lega due persone a vivere insieme. Ho detto di sì e non torno indietro.

2. *pronome riflessivo*, terza persona

La gioventù si dedica volentieri agli esercizi fisici all'aria aperta. Un bambino si diverte con qualunque cosa. I bambini si divertono con qualunque cosa. Biagio non va volentieri in bicicletta: quando si trova nel traffico, si sente in pericolo, s'impaurisce e si ferma.

3. *pronome reciproco* (*each other, one another*)

I calciatori di una squadra vincente si abbracciano (uno abbraccia l'altro). I tifosi spesso si azzuffano fra loro. I giocatori di tennis si lanciano la palla con le racchette. Carlo e Maria si telefonano tutti i giorni e si raccontano tante cose. I veri amici si aiutano nel bisogno.

4. *pronome impersonale* (*one, we, they, people*)

Se si desidera essere sani e forti, non si deve trascurare lo sport. In montagna si respira l'aria pura. Il tennis si giuoca in due o in quattro persone. Si pattina bene sul ghiaccio. Come si dice? Si dice così. Non si fa così. Qui si mangia bene e si spende poco.

Nota: *si* (pronome impersonale) è seguito da:

verbo al singolare se l'oggetto è singolare.
verbo al plurale　se l'oggetto è plurale.

Qui si parla italiano. Qui si parlano tutte le lingue.
Da qui si vede la torre. Da qui si vedono le torri.

ESERCIZI.

1. Completare in tutte le persone:

Andrò a lezione di guida un giorno sì e uno no. I miei amici si amano e si aiutano. Faccio volentieri il bagno dove si può nuotare. Mi piacciono gli alberghi di montagna, dove si balla e si sta allegri. Elena mi scrisse che si divertiva. Sapevo che in quella trattoria si mangiava bene. In casa mia non si parla che di sport.

2. Classificare il pronome *si*:

La domenica, se il tempo è bello, *si* va a fare una partita a tennis; se piove, *si* giuoca a ping-pong o *si* guarda la televisione. Certi amici, quando sono lontani, *si* scrivono tutti i giorni. A tavola non *si* mangia con le mani, *si* usa la forchetta e il coltello. Perché quei ragazzi non *si* parlano? Perché domenica scorsa *si* azzuffarono ad una partita di calcio. Dove l'acqua è bassa non *si* può nuotare. Da qui non *si* vede nulla e non *si* capisce nulla.

3. Domande:

Perché non si deve trascurare lo sport?
Com'è il campo del calcio?
Che cosa fanno i giocatori? Che cosa fa l'arbitro?
Che cosa succede quando una squadra segna una rete?
Dove si può nuotare?
Dove si pratica lo sci nautico?
Da dove si possono fare i tuffi?
Perché il nuoto e il canottaggio sono ottimi esercizi fisici?
Perché è ottimo anche il ciclismo?
Quali sono i più comuni sports invernali?
Si può pattinare soltanto sul ghiaccio?
? – Sì, mi piace, ma non sono un tifoso.
? – No, non ci vado mai, perché è uno sport troppo violento.
? – Si chiama portiere.
? – Nel primo giuoco si lancia la palla coi piedi, nel secondo con le mani, nel terzo con le racchette.

4. Mettere al singolare.

1. Gli sports invernali si praticano in montagna.
2. Quei ragazzi si dedicano più allo sport che allo studio.
3. Dove si possono trovare questi libri?
4. Questi libri non si trovano più perché sono esauriti.

5. Mettere al plurale.

   1. Questa è una cosa che non si fa!
   2. Non si dice questa parolaccia!
   3. In questa casa si sente il minimo rumore.
   4. Qui si beve vino toscano.
   5. È inutile insistere: questo cassetto non si apre.
   6. Si ricorda una persona come la vedemmo l'ultima volta.

6. Fare le domande per queste risposte, includendo il pronome *si*.

   1. ....? L'italiano si impara bene in Toscana.
   2. ....? Questa famosa Galleria si trova a Londra.
   3. ....? Io mi chiamo Pietro, lui si chiama Paolo.
   4. ....? Si comprano in una farmacia.
   5. ....? No, a teatro non si può fumare.

7. Dare le risposte, includendo il pronome *si*.

   1. In Italia si parla italiano, E in Svizzera?
   2. Che cosa si vede dalla finestra della sua camera?
   3. Che cosa si fa quando si ha fame e sete?
   4. Che cosa si dice quando si riceve un regalo?
   5. Che cosa si può fare in un giorno di pioggia?

8. In questo dialogo dare ai verbi la forma impersonale, o reciproca, o riflessiva (col pronome *si*).

Lisa – Pino, come *passare* di solito la domenica nel tuo paese?
Pino – La mattina *andare* a Messa. Dopo pranzo *uscire* in macchina.
Lisa – E se non *possedere* una macchina?
Pino – Allora *prendere* l'autobus, oppure *fare* una passeggiata.
Dina – Ma se piove, *potere* fare altre cose: *guardare* la televisione, *invitare* degli amici, *parlare*, *ridere*, oppure *giocare*.
Aldo – In casa mia *dedicare* la domenica ai miei suoceri. Mia moglie e sua madre *chiudersi* in cucina, e mentre *aiutarsi* a preparare il pranzo *raccontarsi* un monte di cose.
Lisa – *Capire*. La madre e la figlia non *vedersi* spesso....
Aldo – Ma *telefonarsi* spesso, quasi tutti i giorni!
Pino – Non è la stessa cosa. Non *potere* parlare molto al telefono.
Aldo – Ma in cucina parlano anche troppo. Tanto che, a un certo punto, io entro in cucina e dico: " Ehi! Qui *fare* conversazione invece di cucinare! "
Dina – E loro, di sicuro, *arrabbiarsi* e ti buttano fuori.
Aldo – Sì, ma dopo un poco tutto è pronto. E finalmente *mangiare*!

LEZIONE 30ª

L'ALBERGO

Al Direttore,
Grand Hotel,
Firenze.   Parigi, 2 Dicembre 19..
_____

Egregio Direttore,

      Arriverò a Firenze il 6 p. v. con mia
moglie e mia figlia. Gradirei sapere se Lei può
riservare due camere da letto per una settimana: una camera a due letti per me e mia moglie, e
una ad un letto per mia figlia, almeno una delle

due stanze con bagno. Sarebbe nostro desiderio prendere i pasti nell'albergo, se è possibile. In attesa di un suo cortese e sollecito riscontro, distintamente la saluto.

Achille Prudon

Sig. P.	–	Buon giorno. Sono il signor Prudon. Le ho scritto qualche giorno fa che saremmo arrivati oggi.
Direttore	–	Buon giorno, Signor Prudon. Le ho riservato una camera grande con bagno e una piccola con acqua corrente, tutte e due al primo piano dalla parte della strada. Va bene?
Sig. P.	–	Non proprio, mi dispiace: il rumore del traffico mi terrebbe sveglio tutta la notte, e domani sarei un uomo morto. Non sopporto i rumori. Non avrebbe due stanze tranquille sul dietro?
Sig.na P.	–	Scusa, babbo. Io preferirei una camera sul davanti. Mi piacerebbe godere la vista della strada.
Sig. P.	–	Va bene. (*al direttore*) Allora vorremmo una sola stanza sul dietro. È possibile?
Direttore	–	Vediamo. (*guarda nel registro*) Dunque, ci sarebbe la stanza n. 27: il cliente che l'occupava dovrebbe partire oggi. (*al fattorino*) Berto, per favore domanda alla cameriera se la camera 27 è già libera.
Sig.na P.	–	Mentre voi parlate, potrei dare un'occhiata intorno?
Direttore	–	Certo, signorina. (*a Caio*) Caio, mostra alla signorina le stanze di scrittura e di lettura, la sala della televisione, la sala da pranzo, il bar e la saletta da giuoco. (*i due si allontanano*).
Sig.ra P.	–	La stanza 27 dà su un giardino o su un cortile?
Direttore	–	È una stanza d'angolo con due finestre: una dà sul giardino e l'altra su una strada laterale.
Sig.ra P.	–	Una stanza d'angolo? Due finestre? Mamma mia! Chi sa che freddo e che spifferi!
Direttore	–	Non direi, signora. Le finestre chiudono bene e non ci sono spifferi. Ma, ovviamente, una stanza d'angolo non è calda come le altre.
Sig.ra P.	–	No, no, non è possibile. Io non sopporto il freddo. Sono sicura che mi ammalerei. Non ci sarebbe un'altra stanza?
Direttore	–	Temo di no, signora. L'albergo è al completo in questo momento.

Sig.ra P.	–	(*al marito*) Achille, tu sapevi che io ho bisogno di caldo, e tu di silenzio! Avresti dovuto scrivere per tempo! Ora come facciamo?
Berto	–	(*ritornando*) La camera 27 è pronta, signor direttore.
Direttore	–	Grazie, Berto. (*alla signora Prudøn*) Un'idea, signora. Nella camera 27 c'è un caminetto: un fuoco a legna, oltre al termosifone, renderebbe quella stanza più confortevole.
Sig. P.	–	E anche più cara, suppongo.
Direttore	–	Ebbene, in questo caso potrei includere il costo della legna nel prezzo normale del riscaldamento.
Sig.ra P.	–	Bene, direttore. Allora credo che la camera 27 potrebbe andare. Che dici, Achille?
Sig. P.	–	Uhm.... Un momento. Quanto costerebbe tutto questo?
Direttore	–	Dipende. Lei vorrebbe le camere con pensione completa, oppure con trattamento di mezza pensione?
Sig. P.	–	Che differenza c'è?
Direttore	–	La pensione completa comprende la camera e tre pasti. L'altra esclude la seconda colazione, o il pranzo serale. Il riscaldamento, le bevande, il servizio e le tasse sono a parte. Ecco il nostro opuscolo con le tariffe.
Sig.ra P.	–	Potrei avere la prima colazione in camera?
Direttore	–	Certamente. Dovrà soltanto sonare il campanello, o usare il telefono interno.
Sig.na P.	–	(*di ritorno*) Tutto è molto bello e comodo qui, babbo. Non avresti potuto scegliere meglio.
Sig.ra P.	–	Benissimo. Allora possiamo salire nelle nostre camere?
Direttore	–	Subito, signora. I passaporti per favore?
Sig. P.	–	Ecco qui: questo è il mio, e questi sono di mia moglie e di mia figlia.
Direttore	–	Grazie. Mando subito il ragazzo col bagaglio. Da questa parte per l'ascensore, signori. Il pranzo è servito alle 8.

VERBI IRREGOLARI.

dispiacere	: mi dispiace	– mi dispiacque	– mi è dispiaciuto
permettere	: permetto	– permisi	– permesso
supporre	: suppongo	– supposi	– supposto
proporre	: propongo	– proposi	– proposto
rendere	: rendo	– resi	– reso
comprendere	: comprendo	– compresi	– compreso

GRAMMATICA: Il Condizionale.

port-are	prend-ere	part-ire
port-**erei**	prend-**erei**	part-**irei**
port-**eresti**	prend-**eresti**	part-**iresti**
port-**erebbe**	prend-**erebbe**	part-**irebbe**
port-**eremmo**	prend-**eremmo**	part-**iremmo**
port-**ereste**	prend-**ereste**	part-**ireste**
port-**erebbero**	prend-**erebbero**	part-**irebbero**

essere : sarei, saresti, ecc.   *vedere* : vedrei, vedresti, ecc.
avere : avrei, avresti, ecc.   *vivere* : vivrei, vivresti, ecc.
andare: andrei, andresti, ecc.   *bere*   : berrei, berresti, ecc.
dovere : dovrei, dovresti, ecc.   *rimanere*: rimarrei, rimarresti, ecc.
cadere : cadrei, cadresti, ecc.   *tenere* : terrei, terresti, ecc.
godere : godrei, godresti, ecc.   *venire* : verrei, verresti, ecc.
potere : potrei, potresti, ecc.   *volere* : vorrei, vorresti, ecc.
sapere: saprei, sapresti, ecc.   *lasciare* : lascerei, lasceresti, ecc.

Coniugare il condizionale: gradire, riservare, salutare, scrivere, sopportare, preferire, dare, occupare, dire, fare, allontanarsi, sentirsi, credere, mettere, temere, rendere, sonare, scegliere, mangiare, dormire.

NOTE:

1. Notare l'ortografia:

infin. : mancare   cominciare   pagare   mangiare   lasciare
condiz.: mancherei comincerei pagherei mangerei lascerei.

2. Notare la differenza fra il futuro e il condizionale:

futuro : avremo   saremo   staremo   sentiremo   godremo
condiz.: avremmo saremmo staremmo sentiremmo godremmo

3. Notare la corrispondenza fra le forme inglesi e italiane:

I should have written = Avrei dovuto scrivere
I would have written = Avrei voluto scrivere
I could have written ⎱
I might have written ⎰ = Avrei potuto scrivere.

ESPRESSIONI IDIOMATICHE.

Tenere sveglio   Dare un'occhiata
Essere un uomo morto   Dare sul giardino.
Essere di ritorno   Mamma mia!

ESERCIZI.

1. Coniugare:

Vorrei partire oggi, ma non posso. Rimarrei volentieri, ma non ho abbastanza denaro. Avrei potuto sapere la verità. Non mi piacerebbe vivere sempre in albergo. Potrei uscire tutte le sere. Stasera andrei volentieri a ballare. Verrei anch'io a ballare, ma sono troppo stanco. Avrei dovuto scrivere subito quella lettera. Avrei voglia di andare a teatro. Dovrei mandare questo telegramma stasera. Forse riceverei la risposta prima di partire. Avrei voluto vedere tante belle cose a Roma.

2. Domande:

Che cos'è un albergo?
Ti piacerebbe abitare in un albergo? Perché?
In albergo preferiresti una stanza sulla strada o sul dietro? Perché?
Dove ti piacerebbe passare le vacanze la prossima estate?
Che stanze il direttore ha riservato per il signor Prudon?
Perché il signor Prudon rifiuta la stanza riservata per lui?
Che stanza gli propone allora il direttore?
La signora Prudon è sodisfatta di quella stanza? Perché?
Che rimedio trova il direttore?
Che cos'è compreso nel prezzo? Che cos'è a parte?
Che cosa fa la signorina Prudon mentre gli altri parlano?
Che cosa vede?
Che cosa dice quando ritorna?
? – Perché il signor Prudon non sopporta i rumori.
? – Perché la signora Prudon è molto sensibile al freddo.
? – Deve sonare il campanello o usare il telefono interno.
? – È una corrente d'aria.
? – Preferirei rimanere a casa stasera, grazie.

3. Scrivete una lettera per pregare un amico di cercare per voi un alloggio, per un mese, nella sua città. Dite le vostre preferenze.

4. Riassumere il dialogo di questa lezione in forma narrativa.

5. Mettere il condizionale di questi verbi accanto ai vari soggetti.

volere	*potere*	*sapere*	*andare*	*dire*
noi	io	lui	loro	tu ....
lei	lui	io	tu	voi ....
tu	loro	voi	noi	loro ....

6. Mettere in queste frasi il condizionale dei verbi indicati.

1. Lei *volere* vivere sempre in albergo?
2. Sempre forse no, ma mi *piacere* per un breve periodo.
3. In questo caso, che stanza Lei *preferire*?
4. Io *preferire* una camera tranquilla con bagno e telefono.
5. Che cosa Lei *dire* al direttore dell'albergo quando arriva?
6. Io gli *dire*: " Direttore: (io) *potere* avere una camera così e così? "
7. Lei *dare* le mance all'arrivo o alla partenza?
8. Io *dare* le mance all'arrivo, così *essere* subito ben servito.

7. Volgere queste frasi al condizionale.

1. Ho sete: *c'è* qualcosa da bere?
2. Io ho soltanto della birra, che *deve* essere nel frigo.
3. La birra *va* bene, ma non *voglio* bere l'unica bottiglia....
4. Ci *devono* essere altre due bottiglie nel frigo.
5. Signora, *posso* andare a vedere?
6. Vado io. Lei non *sa* aprire il frigo.
7. Come! Io non *so* aprire un frigo?
8. No, perché è chiuso a chiave, se no i ragazzi *bevono* tutto.

8. In questo dialogo usare il condizionale dei verbi e colmare i vuoti.

Bice – Stasera io *andare* volentieri .... ballare. *Venire* anche tu, Tito?
Tito – Mah! *Venire* anch'io, ma sono troppo stanco. (tu) Non *potere* telefonare ... Frank, il tuo amico inglese?
Bice – Certo. E lui *dire* .... sì, perché *andare* .... ballare tutte le sere. Ma sono arrivati i .... genitori. Non *essere* il caso.
Elsa – *Potere* venire anche loro insieme .... voi.
Bice – Oh no! I genitori di Frank non *divertirsi* .... ballare.
Elsa – Forse loro *preferire* andare .... teatro.
Bice – (loro) Non *capire* molto .... teatro, perché non sanno l'italiano.
Tito – Allora, cara Bice, al tuo posto io *fare* una bella cosa.
Bice – Che cosa *fare* tu?
Tito – Dopo cena, (io) *dare* la buona notte .... tutti e andare .... letto
Elsa – E questa *essere* la cosa migliore!

LA COSTRUZIONE DI UNA CASA

La casa in cui viviamo è l'opera di molti professionisti e operai specializzati che hanno lavorato per noi: architetti, ingegneri, artigiani, muratori e molti altri.

Per prima cosa l'*architetto* ha disegnato il progetto della casa e le varie piante.

Il *costruttore* ha procurato i materiali da costruzione ed ha scelto gli operai adatti.

L'*ingegnere* ha organizzato i lavori e li ha sorvegliati.

I *muratori* e i loro *manovali* hanno gettato le fondamenta e tirato su i muri con mattoni, pietre, calcina e cemento armato. Quando i muri sono divenuti molto alti, essi hanno costruito i ponteggi, sui quali hanno lavorato fino in cima. Quindi hanno coperto la casa col tetto, sul quale hanno posto le tegole. Alcune case, invece del tetto a tegole, hanno una terrazza con un parapetto.

L'*idraulico* ha lavorato molto: ha fatto l'impianto dell'acqua, del gas e del riscaldamento con tubi di piombo e di ferro; ha collocato i serbatoi dell'acqua, le caldaie, gli scaldabagni, i rubinetti, ecc.

L'*elettricista* ha portato la luce elettrica in casa per mezzo del filo elettrico. Ha sistemato il contatore, i lampadari, gl'interruttori, le prese di corrente e i campanelli.

Il *falegname* ha fatto i lavori in legno: le porte, le cornici delle finestre, le persiane, ecc.

Il *vetraio* è venuto subito dopo ad inserire i vetri alle finestre, alle verande e ai lucernari.

Il *fabbro* si è occupato del funzionamento delle porte e delle finestre: vi ha fissato i cardini, le maniglie, le serrature e i palettini.

Il *pavimentatore* ha fatto i pavimenti e li ha lucidati con una grossa macchina. Ha inoltre rivestito le pareti della cucina e delle stanze da bagno con piastrelle bianche o colorate.

Quando tutti questi operai hanno finito il loro lavoro e sono partiti, è venuto l'*imbianchino* con scale, barattoli e pennelli. Egli ha imbiancato la facciata, ha dipinto le pareti e i soffitti, ha verniciato le porte, le finestre, le ringhiere delle scale e dei balconi. Come tutto è scintillante! E che buon odore di vernice c'è nell'aria!

La casa è adesso pronta per l'occupazione, ed è messa in vendita, o in affitto, per mezzo di agenzie, pubblicità nei giornali, oppure un cartello appeso al portone con la dicitura: « Vendesi » o « Affittasi ».

Un bel giorno, un furgone pieno di mobilia si è fermato davanti al portone. Il nuovo proprietario, o l'inquilino, ha sistemato i mobili nelle varie stanze, poi ha chiamato il *tappezziere*, che ha fatto le tende e le ha appese alle finestre, ha ricoperto le poltrone e i sofà e riparato i tappeti.

Finalmente il capo di casa ha posto una targhetta col proprio nome alla porta e al portone, mentre la signora ha disposto con gusto i soprammobili ed ha adornato di fiori le stanze e i balconi. Adesso i parenti e gli amici possono venire ad ammirare la nuova casa!

VERBI IRREGOLARI.

porre	: pongo	– posi	– posto
disporre	: dispongo	– disposi	– disposto
dipingere	: dipingo	– dipinsi	– dipinto
appendere	: appendo	– appesi	– appeso
rimanere	: rimango	– rimasi	– rimasto
accadere	: accade	– accadde	– accaduto
succedere	: succede	– successe	– successo.

Di che cosa sono fatte le cose?

ferro   — I tubi dell'acqua sono (fatti) di ferro.
piombo — I tubi del gas sono di piombo.
latta   — I barattoli dell'imbianchino sono di latta.
argilla — I mattoni sono di argilla.
rame   — I fili del telegrafo sono di rame.
ottone — Le targhette sulle porte sono spesso di ottone.
acciaio — La lama di un coltello è di acciaio.
smalto — I nostri denti sono ricoperti di smalto.
avorio — I denti dell'elefante sono di avorio.
cartone — Le scatole da scarpe sono di cartone.
cuoio   — La suola delle scarpe è di cuoio.
sughero — Un salvagente è di sughero.
paglia — I cappelli di Firenze sono di paglia (con fiori).
marmo   — Le statue di Michelangelo sono di marmo.

GRAMMATICA: Tempi composti.

Passato prossimo.

Con l'ausiliare **avere:**

ho	veduto
hai	veduto
ha	veduto
abbiamo	veduto
avete	veduto
hanno	veduto

Con l'ausiliare **essere:**

sono	andato	(-a)
sei	andato	(-a)
è	andato	(-a)
siamo	andati	(-e)
siete	andati	(-e)
sono	andati	(-e)

Questo tempo si usa per azioni, il cui effetto dura nel presente:

a) azioni accadute poco tempo fa (stamani, stanotte, ieri ecc.);
b) azioni accadute in un periodo non ancora terminato (oggi, questa settimana, quest'anno, ecc.);
c) azioni anche lontane, ma che durano ancora.

Es.: Ieri ho lavorato molto, e oggi sono stanco.
Hai dormito bene stanotte? Sì, ed ho fatto un bel sogno.
Quest'anno ho viaggiato molto ed ho visto cose interessanti.
Io sono nato a Roma (perché io sono ancora vivo).

Altre forme composte sono:

Trapassato	–	ero andato, ecc.	avevo veduto, ecc.
Futuro anteriore	–	sarò andato, ecc.	avrò veduto, ecc.
Condiz. composto	–	sarei andato, ecc.	avrei veduto, ecc.
Gerundio composto	–	essendo andato	avendo veduto
Infinito composto	–	essere andato	avere veduto

NOTE:

1. Sono coniugati col verbo *essere*:
   a) verbi di moto: *andare, venire, partire, ritornare*, ecc.
   b) verbi di stato in luogo: *stare, arrivare, rimanere, essere,* ecc.
   c) verbi riflessivi: *fermarsi, riposarsi, alzarsi, informarsi*, ecc.

   L'ingegnere è arrivato alle 7 ed è rimasto fino alle 10.
   Gli operai sono venuti alle 8 e hanno lavorato fino alle 12.
   Poi sono andati a mangiare e si sono riposati due ore.
   Sono ritornati alle 14, hanno finito il lavoro e sono partiti.

2. Altri verbi coniugati con l'ausiliare *essere* sono:

entrare	montare	cadere	nascere
uscire	passare	accadere	crescere
salire	fuggire	succedere	diventare
scendere	giungere	piacere	morire.

3. Il participio che segue il verbo *avere* è invariabile.
   Ma se l'oggetto è un pronome, il participio concorda con quello.

   L'ingegnere ha organizzato i lavori e li ha sorvegliati.
   Il tappezziere ha fatto le tende e le ha appese alle finestre.

ESPRESSIONI IDIOMATICHE.

   Gettare le fondamenta. Tirare su i muri.
   Mettere una casa in vendita, in affitto.
   Dare in affitto (affittare) una casa a qualcuno.
   Prendere una casa in affitto da qualcuno.
   Cambiare casa, sgomberare.

Esercizi.

1. Coniugare il passato prossimo:

Partire ieri mattina e *tornare* ieri sera. *Andare* in campagna e *divertirsi* molto. *Entrare* dal tabaccaio e *comprare* le sigarette. *Incontrare* un amico e *fermarsi* a parlare con lui. Quando *arrivare* a casa non *potere* aprire la porta. Non *chiamare* un fabbro, perché *ricordarsi* che era festa. *Riposarsi* un poco, *fumare* una sigaretta, poi *passare* da una finestra.

2. Rispondere, usando un pronome per l'oggetto:

Hai veduto il giardino? i fiori? la piscina? le piante rare?
Avete chiuso la porta? il portone? le finestre? i cassetti?
Avete comprato le matite? i colori? la vernice? il pennello?
Chi ha costruito quelle case? Chi ha sorvegliato i lavori?
Chi ha perduto questi occhiali? questo anello? queste chiavi?

3. Cambiare il singolare in plurale e viceversa:

Il padrone di quella casa è partito per l'America. Dove sei stato tutto questo tempo? Sono andato dal tappezziere e gli ho detto di passare da casa mia, poi sono entrato in un bar, dove ho incontrato un mio carissimo amico, ho fatto una chiacchierata con lui e l'ho accompagnato a casa. Quando siete arrivate? Siamo arrivate ieri sera col treno delle 20. L'operaio ha dimenticato di riprendere la cassetta dei suoi arnesi. I tubi di piombo che hanno usato non sono di buona qualità. Mia cugina ha passato diversi anni in campagna, ora si è stabilita in città, ma la casa che ha preso in affitto non mi piace.

4. Domande:

Qual è il compito dell'architetto? dell'ingegnere?
Che cosa hanno usato i muratori per costruire una casa?
Quali metalli sono stati usati nella costruzione?
Che cosa ha fatto il fabbro? l'imbianchino? l'idraulico?
Chi ha sistemato i mobili nelle stanze?
Di che cosa sono fatte le maniglie? le bottiglie? le borse?
Chi ha fatto le persiane, gli impianti dell'acqua e della luce?
? – Li ha inseriti il vetraio.
? – Gli artigiani e i meccanici lavorano nelle officine.
? – È stata costruita molti anni fa.
? – L'ho scritta all'ingegnere per sollecitare i lavori.

5. Inserire in ogni frase il passato prossimo del verbo indicato.

   1. *desiderare* – Io e mia moglie .... spesso una casa nostra.
   2. *comprare* – Perciò io .... un terreno per costruire una casa.
   3. *dare* – Poi io .... l'incarico della costruzione a una ditta.
   4. *portare* – Il direttore della ditta .... là i suoi operai.
   5. *cominciare* – Gli operai .... a fare qualcosa, ma poco.
   6. *fare* – Inoltre, un giorno sì e uno no .... sciopero.
   7. *andare* – Anche oggi io .... là, e non c'era nessuno!
   8. *avere* – Allora, io e mia moglie .... una bella idea.
   9. *scrivere* – Noi .... alla ditta, cancellando l'incarico.
  10. *pensare* – E (noi) .... di comprare una casa già costruita!

6. Cambiare il presente in passato prossimo.

   1. Una ragazza entra in un bar e posa la borsa sopra un tavolino.
   2. Poi (lei) va al banco del bar e ordina un cappuccino.
   3. Un giovanotto vede quella bella borsa di coccodrillo.
   4. E (lui) pensa di prendere la borsa e il suo contenuto.
   5. (lui) Si avvicina piano piano al tavolino e afferra la borsa.
   6. Ma un signore dietro a lui lo ferma e gli dice: " Fermo là! "
   7. Il ragazzo capisce di essere scoperto e cerca di fuggire.
   8. Ma il signore lo tiene forte. Un altro telefona alla polizia.
   9. Dopo poco arriva un poliziotto e porta via il ragazzo.
  10. Forse quel ragazzo ruba spesso, ma questa volta gli va male!

7. In questo dialogo cambiare l'infinito in passato prossimo.

Lisa – Ugo, dove *andare* Lei stamani, prima di venire qui?
Ugo – Io *andare* con Mara alla famosa Galleria degli Uffizi.
Lisa – E che cosa (voi) *vedere*?
Mara – Noi *vedere* i quadri di Botticelli, di Raffaello ed altri.
Lisa – Poi che cosa (voi) *fare*?
Ugo – (noi) *Mangiare* in una piccola trattoria non molto lontana.
Mara – E lì (noi) *incontrare* alcuni amici.
Ugo – (noi) *Sedersi* alla loro tavola e....
Mara – (noi) *Parlare* e *bere* del buon vino Chianti.
Ugo – Quando (noi) *uscire* pioveva. E Mara aveva lasciato l'ombrello nel guardaroba della Galleria.
Mara – Già. E così io *andare* là con Ugo a riprendere il mio ombrello.
Ugo – Poi (noi) *fermarsi* all'ingresso e *comprare* alcune cartoline.
Mara – Quindi *aspettare* l'autobus e *venire* qui.

LEZIONE 32ª

L'INTERNO DI UNA CASA

Il signor Lamberti ha già messo una targhetta col suo nome alla porta e al portone; sua moglie, la signora Beppina, ha adornato di fiori le stanze e i balconi, e ora hanno invitato i parenti e gli amici perché vengano ad ammirare la nuova abitazione.

L'appartamento, infatti, è molto grazioso. L'ingresso è arredato con cura particolare: la signora Beppina vuole che il visitatore riceva subito una buona impressione. Una cassapanca antica è di fronte alla porta, con un artistico vaso sopra e un bel tappeto davanti. Accanto alla porta c'è uno stoino, perché chi entra si pulisca le scarpe e non porti in casa la polvere e il fango della strada. Lì vicino c'è un'ombrelliera per gli ombrelli e un attaccapanni per i cappelli e soprabiti. La stanza di soggiorno è a sinistra. È grande, comoda e luminosa. Presso la finestra c'è una scrivania, in modo che chi scrive abbia buona luce. Dall'altro lato c'è un tavolino da lavoro con una poltroncina. La signora Beppina, benché sia una brava donna di casa, ama fare ogni tanto una partita a bridge con le amiche, perciò ha messo in un angolo un tavolino da giuoco con quattro sedie. Il tavolino può essere allungato, affinché possa servire anche da tavola da pranzo. L'altro angolo è occupato da un sofà e da comode poltrone. Non manca naturalmente un televisore, il cui mobile contiene anche un apparecchio radio e un giradischi. La famiglia passa una grande parte della giornata in questa stanza, dove è possibile che ognuno svolga le proprie occupazioni e trascorra il tempo libero lietamente.

A meno che non ci siano ospiti, la famiglia prende i pasti nel tinello, attiguo alla cucina. Questa è una stanza semplice: una tavola, delle sedie impagliate e una credenza. La cucina è grande e moderna. Un unico blocco contiene l'acquaio di metallo inossidabile, il fornello col forno, la lavatrice, la lava-stoviglie e il frigorifero. Non sembra che i buoni pranzetti della signora Beppina siano cucinati là dentro, perché tutti gli utensili sono nascosti in un armadio a muro e nella lunga fila di mobili pensili alla parete.

Le due camere da letto si trovano all'altro lato dell'ingresso. Quella della signora Beppina e di suo marito è composta di due letti, un cassettone con specchio, una toletta e un lungo armadio. Nella camera dei figli ci sono anche due tavolini e una libreria, in modo che i ragazzi abbiano il posto per i loro libri e la possibilità di studiare.

La stanza da bagno è fra le due camere. Che bellezza! Le pareti sono di mosaico verde; il lavabo, la vasca e gli altri accessori sono di porcellana rosa. C'è pure la doccia con leggere tendine di plastica, e in alto lo scaldabagno elettrico.

Naturalmente, perché una casa sia pulita e ordinata, bisogna che abbia un ripostiglio, dove tenere le cose che è bene ci siano, ma è bene non si vedano. Infatti nel ripostiglio ci sono valigie vuote, la cassetta degli arnesi, la scala a piuoli, oltre al necessario per la pulizia della casa: granate, spazzole, l'aspirapolvere, la lucidatrice, ecc.

La cantina è nel sottosuolo. Là c'è la grande caldaia per il riscaldamento centrale di tutto l'edificio, e ogni inquilino ha anche un piccolo vano a sua disposizione. Il signor Lamberti ha trasformato il suo in camera oscura per il suo «hobby»: la fotografia. E spesso, quando la moglie o i figli riempiono la casa di gente e di chiasso, il brav'uomo, con la scusa di sviluppare le negative, scende in cantina per avere un po' di pace.

Peccato che i Lamberti non abbiano il giardino! Veramente il giardino c'è, ma appartiene agli inquilini del piano terreno, mentre l'appartamento dei Lamberti è un attico, all'ultimo piano. Quante scale! Però c'è anche l'ascensore, che si ferma ad ogni pianerottolo e porta fino in cima.

La signora Beppina spera che il padrone di casa costruisca un giardinetto pensile sul tetto, come ha promesso, naturalmente aumentando la pigione. Comunque, ci sono due bei balconi, le finestre dell'appartamento sono grandi, e il sole entra da tutte le parti, portando allegria e salute. Dice il proverbio: " Dove entra il sole, non entra il dottore! "

VERBI IRREGOLARI:

trascorrere	: trascorro	– trascorsi	– trascorso
nascondere	: nascondo	– nascosi	– nascosto
appartenere	: appartengo	– appartenni	– appartenuto
promettere	: prometto	– promisi	– promesso
svolgere	: svolgo	– svolsi	– svolto

GRAMMATICA: IL PRESENTE CONGIUNTIVO.

invit-are	ricev-ere	dorm-ire	pul-ire
invit-i	ricev-a	dorm-a	pul-isca
invit-i	ricev-a	dorm-a	pul-isca
invit-i	ricev-a	dorm-a	pul-isca
invit-iamo	ricev-iamo	dorm-iamo	pul-iamo
invit-iate	ricev-iate	dorm-iate	pul-iate
invit-ino	ricev-ano	dorm-ano	pul-iscano

Coniugare il presente congiuntivo: mettere, distendere, scrivere, vedere, portare, entrare, promettere, giocare, servire, aspettare, lavorare, studiare, allungare, capire, prendere.

essere : sia, ecc.	*fare* : faccia, ecc.	*rimanere* : rimanga, ecc.
avere : abbia, ecc.	*dire* : dica, ecc.	*mancare* : manchi, ecc.
andare: vada, ecc.	*dare* : dia, ecc.	*pagare* : paghi, ecc.
potere : possa, ecc.	*stare* : stia, ecc.	*bruciare* : bruci, ecc.
dovere : debba, ecc.	*bere* : beva, ecc.	*mangiare*: mangi, ecc.
volere : voglia, ecc.	*tenere* : tenga, ecc.	*lasciare* : lasci, ecc.
venire : venga, ecc.	*sapere*: sappia, ecc.	*scegliere* : scelga, ecc.

Uso del congiuntivo.

Il congiuntivo si usa:

1. dopo alcune **congiunzioni:**

benché, sebbene	purché, a patto che	affinché, perché
per quanto	a condizione che	prima che
quantunque	a meno che non	in modo, in caso, che

Vado, benché sia tardi. Sebbene piova, vado lo stesso. Puoi stare qui, purché tu non faccia rumore. Ti presto questo libro a patto (a condizione) che tu lo legga in tre giorni. Vi do questo denaro perché (affinché) paghiate i vostri debiti prima che sia troppo tardi.

2. dopo **espressioni impersonali:**

è bene che	è meglio che	è ora che
è facile che	è utile che	può darsi che
è difficile che	è inutile che	pare (sembra) che
è possibile che	è necessario che	bisogna che
è impossibile che	è giusto che	occorre che
è probabile che	è peccato che	basta che

Pare (sembra) che il tempo cambi, è bene che tu prenda un ombrello. È facile che noi cambiamo casa. È difficile che troviate una casa grande. È possibile (probabile) che io la compri. Sì, è meglio che tu la compri: non occorre (non è necessario) che tu versi tutto il denaro, basta che tu paghi un terzo subito, il resto in dieci anni. È giusto che tutti abbiano una casa confortevole. È ora che io parta. Peccato che tu parta! È inutile che io ti dica quanto mi dispiace. Bisogna che io sia a Roma stasera, ma può darsi che ritorni presto.

3. dopo i **verbi** che esprimono:

Opinione	*Speranza*	*Desiderio*
pensare	sperare	desiderare
credere	aspettare	preferire
supporre	aspettarsi	*Piacere*
negare	non veder l'ora	esser contento
Volontà	*Timore*	avere piacere
volere	temere	piacere
ordinare	dubitare	*Dispiacere*
comandare	avere paura	essere spiacente
pretendere	avere il dubbio	rincrescere
esigere	sospettare	dispiacere

Credo (penso, suppongo) che tu abbia sbagliato. Non nego che tu abbia ragione. Mio padre vuole che io impari il tedesco. Non pretendo che tu spenda del denaro per me. Preferisci che io gli mandi una lettera o un telegramma? Non vedo l'ora che tu ritorni. Aspetterò che tu ritorni, ma non mi aspetto che tu ritorni presto. Dubito che Carlo si ricordi di noi. Spero che egli sia felice, stia bene e venga presto in Italia. Temo (ho paura) che facciate uno sbaglio. Sei contento o ti rincresce (ti dispiace) che i tuoi abbiano cambiato casa?

Esercizi.

1. Coniugare il presente congiuntivo:

È probabile che io *andare* a Roma per qualche giorno. Bisogna che io *fare* le valigie stasera. È necessario che io *sapere* la verità. È difficile che io *potere* finire questo lavoro stasera. Mio padre preferisce che io *partire* subito e *tornare* al più presto. Non occorre che io *rimanere* qui e *stare* senza far nulla. È meglio che io *restare* a casa e *andare* a letto presto. È bene che io mi *alzare*, se non voglio che i miei amici mi *trovare* a letto.

2. Sostituire all'infinito il presente congiuntivo:

Non occorre che tu mi *scrivere* tutti i giorni, basta che tu mi *mandare* tue notizie ogni tanto, in modo che io *sapere* che stai bene e non *stare* in pensiero. È bene che i bambini si *alzare* presto, *mangiare* e *bere* soltanto alle ore dei pasti, *andare* fuori tutti i giorni, *fare* il bagno prima di andare a letto, e *dormire* con la finestra aperta. Spero che tu *essere* buono e *avere* voglia di studiare. Tuo padre non vuole che tu *sciupare* il denaro in cose inutili. Non occorre che voi mi *ripetere* tante volte la stessa cosa, credete che io *essere* sordo, non *sentire* e non *avere* capito? Sua madre desidera che egli *imparare* il tedesco, *andare* in Germania e vi *rimanere* almeno sei mesi. Sembra che *volere* piovere, è meglio che noi *prendere* l'ombrello e ci *mettere* l'impermeabile. Può darsi che i nostri amici non *venire* altrimenti. È inutile che voi ci *chiedere* ciò che non possiamo dare. Ho paura che voi *perdere* il vostro tempo. Sei contento che i tuoi *avere* comprato una casa, e che la casa *essere* piena di sole? In caso che io non *essere* qui all'ora di cena, è meglio che tu *mangiare*, io non voglio che tu mi *aspettare*, può darsi che io *ritardare* molto, *rimanere* a cena fuori e poi *andare* a teatro. La lezione è finita, è ora che voi *chiudere* i libri e *andare* a casa.

3. Domande:

Chi è la signora Beppina? Dove abita?
Perché ha arredato l'ingresso con cura particolare?
Perché ha messo uno stoino presso la porta d'ingresso?
Dove si mettono gli ombrelli, i cappelli, i soprabiti?
Cos'è una stanza di soggiorno?
Qual è il posto migliore per una scrivania? Perché?
Perché la signora Beppina ha voluto un tavolino da giuoco?
Dove mangia la famiglia della signora Beppina?
Com'è la sua cucina?
Com'è l'arredamento delle due camere da letto?
Dov'è il bagno? Com'è?
Perché un ripostiglio è necessario in una casa?
Cosa mettiamo in un ripostiglio?
Dov'è la cantina? A che serve?
Cos'è un giardino pensile?
? – La mia casa appartiene a mio padre.
? – Sì, vi sono altri inquilini.
? – Al piano di sopra abita un dentista.
? – No, al piano terreno vi sono soltanto negozi.
? – Pagano la pigione al padrone di casa.

4. Scrivete una lettera per informare un amico che voi avete cambiato casa: fate una breve descrizione del nuovo appartamento e invitate l'amico a venire una sera a pranzo da voi.

5. Completare le frasi col presente congiuntivo dei verbi indicati.

1. *arrivare* – Maria, è probabile che i miei cugini inglesi .... domani.
2. *andare* – E meglio che noi .... a preparare la camera degli ospiti.
3. *trovare* – Io desidero che i miei cugini .... tutto in ordine.
4. *fare* – Signora, Lei permette che io le .... una domanda?
5. *essere* – Certo, purché non .... una domanda inutile.
6. *parlare* – Fra i suoi cugini non c'è nessuno che .... italiano?
7. *vivere* – Tutti parlano italiano, benché .... a Londra.
8. *stare* – E.... Lei crede che loro .... qui molto tempo?
9. *avere* – Credo di sì, a meno che (loro) non .... altri impegni.
10. *volere* – Può darsi che i miei cugini ,... andare a Roma per qualche giorno. Naturalmente poi ritornano qui.
11. *capitare* – Maria pensa: " Pare che in questa casa .... sempre qualche parente: quando i nipoti, quando i cugini.
12. *potere* – Sembra un destino che io non .... mai avere un po' di pace!
13. *andare* – Speriamo almeno che questi cugini .... a Roma davvero.
14. *dare* – E prima di ritornare a Londra mi .... una bella mancia. "

6. Inserire il presente congiuntivo, scegliendo i verbi adatti fra questi: *comprare, essere, venire, capire, fumare, aprire, sciupare, prendere, andare.*

Io desidero che mio padre .... una casa in campagna. Ma la mamma ha paura che i negozi .... lontani, e .... difficile fare la spesa. Mia sorella teme che i suoi amici non .... lassù. Sembra che nessuno .... i vantaggi di vivere in campagna.

Mia madre non vuole che io e il babbo .... in casa, perché ha paura che il fumo .... le suè belle tende. Il babbo dice: " Io preferisco che tu .... le finestre ". E lei dice: " Non è giusto che io .... un raffreddore per te. " Allora bisogna che io e il babbo .... a fumare in giardino.

7. In questo dialogo fra una ragazza inglese, Judy, e due amici italiani, Linda e Berto, usare il presente congiuntivo dei verbi in corsivo.

Judy – La mia vacanza a Firenze è finita. Mio padre vuole che io *ritornare* a Londra e *essere* a casa domenica prossima.

Berto – Oh Judy, è proprio necessario che tu *partire* così presto?

Judy – Credo di sì. È inutile che io *dire* quanto mi dispiace!

Linda – Ma noi speriamo che tu *venire* di nuovo in Italia.

Judy – I miei genitori non vogliono che io *viaggiare* troppo spesso. Dicono: " Ora è meglio che tu *finire* l'università. E dopo.... "

Berto – Dopo è probabile che tu *sposare* un bel ragazzo inglese e.....

Judy – Non credo che un ' bel ragazzo ' mi *fare* perdere la testa! Può darsi che un giorno anch'io *desiderare* una casa mia, un marito e dei figli. Ma per me non è importante che un uomo *essere* bello, preferisco che *avere* un buon carattere, *essere* intelligente e mi *amare*. Non è impossibile che io *trovare* l'uomo giusto.

Linda – Oh no, ma non basta. È necessario che tu *incontrare* l'uomo giusto al momento giusto.

Berto – E noi speriamo che tu *avere* questa fortuna e *essere* felice!

8. Finire il discorso, includendo un congiuntivo presente.

1. È tardi. È meglio che ....

2. Amici, non è il caso che ....

3. Mio zio non vuole che ....

4. Non è necessario che ....

LEZIONE 33ª

L'AMICO INDUSTRIALE

Erano le nove del mattino. Ero appena uscito di casa per andare al mio studio di pittore, e seguivo con gli occhi il movimento della strada, quando scorsi Andrea, un amico d'infanzia, che io chiamavo per scherzo Creso, perché sapevo che era molto ricco. Però quella mattina mi sembrò che avesse un'aria preoccupata: infatti non mi aveva veduto, e bisognò che lo chiamassi perché si voltasse e mi riconoscesse.

"Oh, sei tu!" esclamò. "Vieni con me, vado alla banca."

"A depositare denaro, immagino."

"Oh no, al contrario. Se tu sapessi! Quel malanno di mio figlio è di nuovo nei guai. Tempo fa lo mandai a Parigi perché almeno imparasse il francese e facesse pratica commerciale in una ditta, e in principio sembrava che avesse messo giudizio e fosse sulla buona strada. Ma pare che invece si sia dato alla pazza gioia, abbia fatto debiti, cambiali: un disastro. Perciò bisogna che io corra subito a Parigi, e ora vado appunto alla banca a ritirare il denaro necessario. Oh, se quel ragazzo capisse cosa vuol dire per me partire in questo momento e lasciare tutti i miei affari!"

Andai con lui. Gli dissi che non mi pareva necessario che partisse e lasciasse i suoi affari; io avevo un parente a Parigi, direttore di banca: bastava che gli scrivessimo e gli esponessimo il caso, perchè lui si mettesse a nostra disposizione.

"Sei molto gentile e ti ringrazio," mi rispose, "ma purtroppo non c'è nessuno che mi possa aiutare. È meglio che vada là io stesso, veda come stanno le cose e prenda le decisioni del caso. Però, sarebbe ora che smettesse di fare sciocchezze, quella canaglia!" esclamò. "Come se non bastasse avere sulle spalle il peso che ho: la fabbrica, gli operai, gli scioperi, la concorrenza, la Borsa, insomma tutte le beghe che affliggono chi è a capo di un'industria. E il ragazzo colma la misura, mentre speravo che si facesse onore e mi desse delle soddisfazioni! Per chi ho lavorato tanto? Per lui, perché non gli mancasse mai niente e non dovesse lottare come ho fatto io. Non c'è nulla che egli abbia desiderato e non abbia avuto. E guarda come mi ricompensa. È il figlio più ingrato che esista!"

Si fermò, e io lo guardai. Era una pietosa figura di uomo angustiato, con le spalle curve e gli occhi stanchi. Sembrava volesse dire: "Vedi? Tu credevi che io fossi la persona più felice del mondo, e invece, benché abbia tanto denaro, non sono che un pover'uomo!"

VERBI IRREGOLARI.

uscire	: esco	– uscii	– uscito
scorgere	: scorgo	– scorsi	– scorto
riconoscere	: riconosco	– riconobbi	– riconosciuto
esporre	: espongo	– esposi	– esposto
smettere	: smetto	– smisi	– smesso
affliggere	: affliggo	– afflissi	– afflitto
rivolgere	: rivolgo	– rivolsi	– rivolto.

GRAMMATICA: L'IMPERFETTO CONGIUNTIVO.

cont-are	sap-ere	part-ire
cont-assi	sap-essi	part-issi
cont-assi	sap-essi	part-issi
cont-asse	sap-esse	part-isse
cont-assimo	sap-essimo	part-issimo
cont-aste	sap-este	part-iste
cont-assero	sap-essero	part-issero

essere   : fossi, fossi, fosse, fossimo, foste, fossero.
avere   : avessi, avessi, avesse, avessimo, aveste, avessero.
dare   : dessi, dessi, desse, dessimo, deste, dessero.
stare   : stessi, stessi, stesse, stessimo, steste, stessero.
fare   : facessi, facessi, facesse, facessimo, faceste, facessero.
dire   : dicessi, dicessi, dicesse, dicessimo, diceste, dicessero.
condurre: conducessi, conducessi, conducesse, conducessimo, ecc.
porre   : ponessi, ponessi, ponesse, ponessimo, poneste, ponessero.

Coniugare l'imperfetto congiuntivo: seguire, scorgere, voltarsi, riconoscere, depositare, combinare, ritirare, insistere, ricondurre, affliggere, colmare, lottare, ricompensare.

Il congiuntivo si usa anche in questi casi:

1. quando il *che* è dopo un **superlativo.**

   È il figlio più ingrato che esista! (*adesso*)
   Era il figlio più ingrato che esistesse! (*nel passato*).

2. quando il *che* è dopo una **negazione.**

   Non c'è nessuno che mi possa aiutare.
   Non c'era nessuno che mi potesse aiutare.

3. quando il *che* annunzia una **qualità richiesta.**

   Cerco un impiegato che parli inglese.
   Cercavo un impiegato che parlasse inglese.

4. dopo il *se* nelle **esclamazioni.**

   Se tu sapessi! Oh, se io fossi milionario!
   Se tu avessi saputo! Oh, se io fossi stato milionario!

Nota.

I verbi *sapere, dire, capire, ammettere, essere sicuro (certo) che* sono seguiti dall'indicativo, quando sono usati in forma affermativa.

So (dico, capisco, ammetto) che Carlo si è comportato male. Non dico che sia cattivo, e sono certo (sicuro) che cambierà.

Riassunto: Il congiuntivo si usa con:

1. certe congiunzioni   Es.: Benché Andrea sia ricco, non è felice.
2. espress. impersonali   »   È necessario che io vada a Parigi.
3. alcuni verbi   »   Speravo che mio figlio si facesse onore.
4. superlativo   »   Carlo è il figlio più ingrato che esista.
5. negazione   »   Non c'è nessuno che mi possa aiutare.
6. qualità richiesta   »   Cerco un impiegato che parli inglese.
7. *se* esclamativo   »   Se tu sapessi! Oh, se fossi ricco!

Espressioni idiomatiche.

Mettere giudizio
Essere sulla buona strada
Essere nei guai
Darsi alla pazza gioia

Colmare la misura
Fare dei debiti
Fare sciocchezze
Farsi onore.

———

Esercizi.

1. Coniugare in tutte le persone:

Mio padre preferiva che io facessi gli studi commerciali e mi impiegassi in una banca. Speravo che qualcuno mi aiutasse. Giovanni voleva che io gli scrivessi tutti i giorni. I miei amici desiderano che io vada alla festa e rimanga fino alla fine. Il cassiere temeva che io avessi capito male. Mia madre non vedeva l'ora che io avessi finito di studiare e tornassi a casa. È necessario che io veda mia sorella e le parli. Era necessario che io vedessi mia sorella e le parlassi. Non c'è nulla che mi dia fastidio come i rumori. Il mio insegnante vorrebbe che io studiassi di più. Non c'era nessuno che mi conoscesse. Non c'è nessuno che lavori come me. Avrei potuto comprare un titolo che fosse solido e mi desse un alto dividendo. Benché avessi comprato quella casa da poco tempo, fu necessario che la vendessi. Non potevo credere che il mio conto corrente fosse allo scoperto. Penso che ci debba essere un errore. Pensai che ci dovesse essere un errore.

2. Sostituire all'infinito la forma verbale conveniente:

Sono venuto benché *essere* tardi, ma desidero che nessuno *sapere* che io *essere* qui. Sapevo che Andrea *essere* ricco, e credevo che *essere* felice, sebbene non sempre il denaro *portare* la felicità. Se qualcuno *cercare* di me, dite che (io) non *essere* in casa. Mi dispiace che tu non *avere* ricevuto la mia lettera, la detti alla cameriera perché l'*impostare*, sarebbe stato meglio che (io) l'*avere* impostata da me! So che oggi (voi) *ricevere* molto denaro; è meglio che (voi) lo *depositare* in banca, non è prudente che lo *tenere* in casa. Non mi aspettavo che lei mi *scrivere*, mi *chiedere* scusa e *volere* fare la pace con me. Può darsi che (noi) *uscire*, *prendere* il tè fuori e poi *andare* al cinema. Spero che questa notizia vi *fare* piacere. Speravo che questa notizia vi *fare* piacere. Non vedo l'ora che l'inverno *finire* e *venire* la primavera. Non vedevo l'ora che l'inverno *finire* e *venire* la primavera. Mi sembrava impossibile che tu non *capire* che sbaglio *fare* a lasciare gli studi. Questo è il libro più interessante che (io) *avere* letto; benché io non *conoscere* l'autore personalmente, penso che (lui) *essere* una persona molto simpatica. Sento che mi *venire* un raffreddore. Temo che mi *venire* un raffreddore. Suppongo che loro non *sapere* nulla. Sono certo che (loro) non *sapere* nulla. Supponevo che loro *essere* già partiti. Sapevo che (loro) *essere* già partiti. Sono certo che (loro) *ritornare*.

3. Mettere al passato:

Desidero che torniate presto e non ripartiate più fino all'estate. Non voglio che tu mangi la frutta acerba. Quello è il più bel fiore che io abbia nel mio giardino. Dubito che noi finiamo questo lavoro prima di sera. Mi rincresce che lui soffra per causa mia. Non c'è nessuno che ti accompagni a casa? Non vedo l'ora che arrivi l'estate per andare al mare. Quantunque non ci vediamo spesso, ci vogliamo molto bene. È una ragazza molto timida: quando entra in un locale, le sembra che tutti la guardino, e basta che uno le rivolga la parola, perché diventi rossa e non sappia cosa rispondere. Peccato sia così timida! È inutile che tu mi chiami tante volte, basta che tu mi chiami una volta sola, credi che io sia sordo? Che cosa diresti se io lasciassi la campagna e mi stabilissi in città? Egli non può pretendere che io lavori anche la sera, è già molto se lavoro tutto il santo giorno!

4. Domande:

> Dove andava l'artista? Che cosa faceva per la strada?
> Perché chiamava il suo amico col soprannome di « Creso »?
> Dove andava Andrea? A che fare?
> A che cosa doveva servire il denaro ritirato alla banca?
> Perché Andrea aveva mandato suo figlio in Francia?
> Che cosa aveva fatto il figlio a Parigi?
> Qual è il consiglio che l'artista dà al suo amico?
> Perché Andrea preferisce partire invece che scrivere?
> Quali sono le preoccupazioni di cui Andrea si lamenta?
> Quali speranze aveva avuto Andrea nei riguardi del figlio?
> Che cosa avreste fatto voi, se foste stato Andrea?
> Quali sono i sette casi in cui si usa il congiuntivo?
> La congiunzione *che* è sempre seguìta dal congiuntivo?
> Dopo quali verbi la congiunzione *che* è seguìta dall'indicativo?

5. *a*) Scrivete la lettera che il figlio di Andrea ha scritto a suo padre per chiedere denaro, spiegando le ragioni.

   b) Scrivete una lettera ad un amico a cui avete prestato del denaro, per dire che avete bisogno di quel denaro. Spiegate le ragioni.

6. Completare le frasi con l'imperfetto congiuntivo dei verbi indicati.

   1. *parlare*   – In quella casa non c'era nessuno che .... italiano.
   2. *capire*   – Sembrava che nessuno .... la mia situazione.
   3. *essere*   – Tutti credevano che io .... là in vacanza.
   4. *lavorare*   – Invece era necessario che io .... tutto il giorno.
   5. *finire*   – Bisognava che io .... quel lavoro prima di partire.
   6. *aiutare*   – Io speravo che alcuni amici mi ....
   7. *dire*   – Bastava che tu lo .... a me o a mia moglie.
   8. *essere*   – Io credevo che voi .... ancora all'estero.
   9. *incontrare* – Fortuna volle che noi ci .... l'altra sera.
   10. *vedere*   – E il caso volle che tu mi ...., perché io sono miope!

7. Mettere queste frasi al passato.

   1. Non credo che Lei abbia ragione.   4. È necessario che io veda Carlo.
   2. Nessuno pensa che io sia inglese.   5. Ma nessuno sa dove egli sia.
   3. Sembra che tutti mi conoscano.   6. Si dice che Carlo sia a Roma.

8. Scrivere dieci frasi, usando il congiuntivo.

9. In questo dialogo fra due amici di Judy: Ugo e Pio, usare il presente o il passato congiuntivo dei verbi in corsivo.

Ugo – Mi dispiace che Judy *essere* partita.
Pio – Eh sì! Io non credevo che Judy *partire* così presto.
Ugo – Anch'io pensavo che (lei) *rimanere* più a lungo.
Pio – Benchè Judy non *essere* bella, era molto attraente.
Ugo – Ed era sempre elegante, sebbene *vestire* con semplicità.
Pio – Judy era semplice. Parlava con noi come se *essere* vecchi amici.
Ugo – E sebbene *avere* soltanto venti anni, diceva cose molto giuste e profonde.
Pio – Aveva imparato bene l'italiano, benché l'*avere* studiato poco.
Ugo – Può darsi che *sapere* già un po' d'italiano prima di venire in Italia.
Pio – Mah! Io credo che Berto *essere* stato il suo migliore maestro....
Ugo – Io ho sempre pensato che Berto *essere* innamorato di lei.
Pio – Che scoperta! Ma non credi che anche a lei *piacere* Berto?
Ugo – Altro che! Non passava giorno che loro non *vedersi* o *telefonarsi*.
Pio – È probabile che ora loro *scriversi*, poi lui *andare* a Londra....
Ugo – Sssss...! Ecco Berto. È meglio che noi *cambiare* discorso!

10. Finire il discorso.

1. Io speravo che tu ....
2. Non pensavo che voi ....
3. Lui credeva che io ....
4. Oh se quella ragazza ....
5. Io non credevo che lei ....
6. Forse era meglio che noi ....

ALLA BANCA

Mentre camminavamo, Andrea continuò a raccontare le mara-chelle del figliuolo. E io intanto pensavo: " Se tu non fossi stato così debole con lui e gli avessi dato meno denaro, tuo figlio sarebbe diverso. E se ora tu non corressi in suo aiuto, ma lo lasciassi solo a risolvere i suoi problemi, lui imparerebbe a vivere. La colpa è tua! " Ma non dissi nulla per paura che il mio amico si offendesse.

Intanto eravamo arrivati alla banca. Spingemmo la porta gire-vole ed entrammo. Piccoli gruppi di persone stavano in coda ai vari sportelli, dietro ai quali gl'impiegati maneggiavano carte, contavano biglietti di banca, azionavano macchine calcolatrici, registravano, scri-vevano a macchina e parlavano al telefono.

Andrea si sedè al tavolo centrale accanto ad alcune persone che riem-pivano moduli e facevano calcoli. Tirò fuori il suo libretto di assegni, spiccò un assegno in suo nome, vi scrisse la data, l'importo (in cifre e in lettere) e lo firmò. Riportò gli estremi dell'assegno sulla matrice del suo libretto e su un modulo della banca. Poi si alzò e si mise in coda ad uno sportello.

Quando venne il suo turno, l'impiegato salutò Andrea (lo conosceva bene), osservò l'assegno e il modulo, appose su questo la propria sigla come segno di approvazione e invitò Andrea ad andare alla cassa.

Mi ricordai allora che anch'io avevo un piccolo assegno da riscuo-tere, e siccome era sbarrato bisognava che lo riscotessi personalmente.

Avevo un modesto conto corrente in quella banca e dei piccoli risparmì in deposito vincolato perché mi dessero un maggiore interesse. Domandai con trepidazione se il mio conto corrente fosse allo scoperto. Mi dissero di no. Ma ero piuttosto a corto di denaro. Perciò non depositai l'assegno, ma lo incassai e misi i pochi biglietti di banca nel mio portafoglio.

Mentre io ed Andrea lasciavamo la banca, io pensavo alla differenza fra un industriale ed un artista: il primo con molto denaro, azioni industriali, obbligazioni statali, immobili e terre, ma anche afflitto dalle preoccupazioni che accompagnano la ricchezza; il secondo con pochi soldi, ma padrone del più grande tesoro che esista: la propria vita.

Salutai il mio amico pensando: " Se mi proponessero di cambiare con te, non accetterei. " E quando dopo poco mi trovai di nuovo solo in cammino verso lo studio, fui felice di tornare nel mio mondo, e di poter sostare un momento a guardare lo splendore del sole sulle case e sui balconi fioriti.

IL DENARO.

Ogni nazione ha la sua moneta. La Zecca è un'officina di Stato dove si coniano le monete di metallo e si stampano i biglietti di banca. L'unità monetaria non è uguale in tutti i paesi, perciò quando si va all'estero bisogna cambiare la nostra moneta nella moneta corrente dei paesi che intendiamo visitare. In Francia dobbiamo avere franchi francesi, in Svizzera franchi svizzeri, in Inghilterra sterline, in America dollari, in Germania marchi, in Olanda fiorini, in Spagna pesetas, ecc.

In Italia l'unità di moneta è la lira, rappresentata in monete di metallo e in biglietti di banca di vario valore. Si possono effettuare pagamenti anche usando assegni circolari, assegni di conto corrente e vaglia postali.

I biglietti di banca vengono emessi dalla banca più importante della nazione: in Italia dalla Banca d'Italia, in Inghilterra dalla Banca d'Inghilterra, e così via.

Il denaro si chiama anche valuta. Si può cambiare il denaro in valuta estera, alla quotazione del giorno, presso l'ufficio cambio annesso ad ogni istituto bancario, in agenzie turistiche, negli alberghi, e perfino al mercato nero, cioè privatamente.

Il denaro è un buon servo, ma un cattivo padrone. Tuttavia, sebbene non si debba considerare il denaro come un dio, lo dobbiamo trattare con rispetto, perché è fonte di attività e benessere.

Gli antichi dicevano: *Homo sine pecunia imago mortis*, il che vuol dire: « L'uomo senza denaro è l'immagine della morte ».

VERBI IRREGOLARI.

risolvere	: risolvo	– risolsi	– risolto
offendere	: offendo	– offesi	– offeso
spingere	: spingo	– spinsi	– spinto
proporre	: propongo	– proposi	– proposto
emettere	: emetto	– emisi	– emesso
riprendere	: riprendo	– ripresi	– ripreso
riscuotere	: riscuoto	– riscossi	– riscosso.

GRAMMATICA: Frasi ipotetiche.

Proposizione secondaria (*imperfetto congiuntivo*)		Proposizione principale (*condizionale*)
Se fossi ricco	....	comprerei un palazzo.
Se avessi tempo	....	studierei il tedesco.
Se partissi alle tre	....	arriverei alle sei.

Proposizione principale (*condizionale*)		Proposizione secondaria (*imperfetto congiuntivo*)
Comprerei un palazzo	....	se fossi ricco.
Studierei il tedesco	....	se avessi tempo.
Arriverei alle sei	....	se partissi alle tre.

Osservare la concordanza:

Se fossi ricco, comprerei un palazzo. (*adesso*)
Se fossi stato ricco, avrei comprato un palazzo. (*nel passato*)

Se avessi tempo, studierei il tedesco. (*adesso*)
Se avessi avuto tempo, avrei studiato il tedesco. (*nel passato*)

Se partissi alle tre, arriverei alle sei (*adesso*)
Se fossi partito alle tre, sarei arrivato alle sei. (*nel passato*).

NOTA: Per i verbi che, nelle forme composte, si costruiscono col verbo *essere* o col verbo *avere*, riferirsi alla lezione 31 (pagina 159).

IDIOMI.

Parlare al telefono
Essere a corto di denaro

Riempire un modulo
Spiccare un assegno.

Esercizi.

1. Coniugare:

Se io partissi oggi, arriverei domani. Se io stessi più attento, imparerei di più. Se io avessi molto denaro, viaggerei tutto l'anno. Se io avessi tempo, accompagnerei mia madre alla stazione. Se io conoscessi la stenografia, troverei un buon posto. Se io avessi conosciuto la stenografia, avrei trovato un buon posto. Se io lasciassi questo posto, sarei uno sciocco. Che cosa farei se io fossi senza denaro? Se io sapessi il suo indirizzo, gli scriverei, e potrebbe darsi che lui mi rispondesse. Se io spendessi più di quello che guadagno, mi troverei nei guai. Se io facessi dei debiti, non saprei come fare a restituire il denaro. Se io mi trovassi a corto di denaro, farei a meno di fumare.

2. Scrivere cinque frasi ipotetiche.

3. Sostituire all'infinito la forma verbale conveniente:

Ho comprato molte azioni industriali sperando che *salire* e mi *dare* un buon guadagno; invece, se (io) le *vendere* adesso, ci *perdere* più della metà: perciò la cosa migliore è che (io) le *tenere*, finché (esse) non *salire* di nuovo e (io) *potere* almeno riprendere il denaro che ci ho *mettere*. Se (voi) *essere* partiti stamani, a quest'ora *essere* già arrivati a Roma. Se *smettere* di piovere, noi *potere* uscire a far due passi. Se io *dire* la verità, nessuno mi *credere*. Se noi *dire* quello che *pensare*, la gente si *offendere* e noi *avere* più nemici che amici. Se tu gli *dare* molto denaro, lui lo *spendere* tutto e male. Non credevo che tu lo *giudicare* così! Se io gli *avere* scritto prima, a quest'ora mi *avere* già risposto. Che cosa (tu) *fare* se tu *essere* al verde e (tu) *trovare* un portafoglio per la strada? Se io *sapere* di chi è, lo *riportare* al proprietario e gli *dire* le mie condizioni, certamente lui mi *aiutare*, e così non *essere* più al verde. Se (io) *potere* tornare indietro di dieci anni, come diversa *essere* la mia vita! Se (io) *stare* in campagna, (io) *volere* un giardino e *coltivare* i fiori. Non (tu) *volere* anche un cane? Certo, un cane e un cavallo *essere* i miei fedeli amici. Allora *essere* bene che tu *vendere* o *affittare* la tua casa in città e *comprare* una villa in campagna.

4. Mettere al passato:

Se io sapessi il suo indirizzo, gli scriverei. Se tu vendessi quelle azioni, faresti una sciocchezza, probabilmente investiresti il tuo denaro in qualche rischiosa speculazione, e dopo poco non avresti più nulla. Se sapessero le lingue estere, troverebbero un buon posto. Se avessi il telefono, ti telefonerei tutti i giorni. Se mi sentissi male, andrei a letto e chiamerei un dottore. Se il maestro mi facesse questa domanda, non saprei che cosa rispondere. Se tu andassi in America, faresti fortuna. Se avessi un'automobile, risparmierei molto tempo. Se conoscessi la stenografia, non solo mi farebbe comodo, ma guadagnerei quello che voglio. Se io fossi molto ricco, farei il giro del mondo. Se io gli credessi, sarei uno sciocco. Se tu leggessi adagio, leggeresti molto meglio. Se essi comprassero quella villa, farebbero un pessimo affare. Se voi andaste in Germania, parlereste sempre tedesco e l'imparereste in breve tempo. Se qualcuno stesse vicino a casa mia, potremmo studiare insieme. Se io non capissi qualche cosa, lo chiederei a voi, e voi fareste lo stesso con me. Questo sarebbe un aiuto reciproco.

5. Domande:

Che cosa pensava l'artista mentre Andrea si lamentava del figlio?
Com'è composto l'interno di una banca?
Che cosa fanno gl'impiegati di banca? E i clienti?
Che cosa si scrive sopra un assegno?
Perché l'artista doveva riscuotere il suo assegno personalmente?
Perché l'artista non depositò il denaro dell'assegno, ma lo incassò?
Dove mise il denaro?
Qual è la differenza fra un industriale e un artista?
Perché l'artista, se gli proponessero di cambiare con l'amico, non accetterebbe?
Chi preferireste di essere: l'uno o l'altro? Perché?
? - Lavorerei e cercherei di guadagnare abbastanza per vivere.
? - Andrei in Francia e ci starei almeno sei mesi.
? - Sì, mi piacerebbe molto.
? - No, non mi piacerebbe affatto.
? - Mi metterei in coda e aspetterei il mio turno.

6. Finire le frasi ipotetiche.
Es.: Se io avessi fame, mangerei.

1. Se io avessi sete, ...
2. Se io avessi sonno, ...
3. Se io avessi freddo, ...
4. Se io volessi dei giornali, ...
5. Se io volessi fare una gita, ...
6. Se io mi volessi riposare, ...

7. Formare delle frasi ipotetiche, usando i verbi in corsivo.

   1. Se tutti gli uomini *essere* uguali, chi *comandare*? Chi *ubbidire*?
   2. Se lui *avere* chiuso la porta, i ladri non *essere* entrati in casa.
   3. Se io *essere* te, non *bere* e non *fumare* tanto.
   4. Se tu *lavorare* con calma, (tu) non *fare* tanti sbagli.
   5. Se io *sapere* l'indirizzo di quella ragazza, le *scrivere*.
   6. Lei *sapere* queste cose, se Lei *leggere* i giornali.
   7. Che cosa *fare* Lei, se l'ascensore *fermarsi* a mezza strada?
   8. Tu mi *aiutare*, se io *trovarsi* in difficoltà?
   9. Se voi mi *ascoltare* con attenzione, (voi) *capire* benissimo.
  10. Io non *parlare* così se non *essere* sicuro di ciò che dico.

8. Continuare e completare il discorso:

   1. Se tu mi avessi detto ....   4. Se io non avessi denaro, ...
   2. Se lui fosse più giovane ....   5. Se tu mi invitassi a cena, ...
   3. Voi mi credereste se io ....   6. Tutti sarebbero felici se ....

9. In questa conversazione fra tre amici usare i verbi indicati.

  Luisa – Mario, che cosa *fare* Lei, se (Lei) *essere* ricco?
  Mario – Io *comprare* una bella ' Mercedes ' e *visitare* i paesi del mondo.
  Luisa – E (Lei) non *lavorare* più?
  Mario – Sì, io *lavorare* anche se *essere* ricco, ma *scegliere* un lavoro
         indipendente. Forse *fare* il giornalista e *descrivere* quei paesi.
  Adele – Io invece, se *avere* molti soldi, *comprare* subito dei bei vestiti.
         Poi anch'io *volere* viaggiare, ma *preferire* in treno o in aereo.
  Luisa – Sapete cosa *fare* io? Io d'inverno *stare* a Firenze, ma mi
         piacere avere anche un'abitazione in campagna, una piccola
         casa che *essere* vicina alla città e *avere* un bel giardino.
  Mario – Ma Lei *continuare* a lavorare anche se (Lei) *avere* molto denaro?
  Luisa – Sì, io *continuare* a scrivere. Forse io *scrivere* un romanzo.
         E *potere* darsi che un giorno il nostro Mario, in una splendida
         ' Mercedes ', con Adele elegantissima a fianco, *andare* in
         campagna a trovare un'amica che sta scrivendo un romanzo ....
  Adele – Che peccato che tutto questo *essere* un sogno!
  Luisa – Lo so. Ma che cosa *essere* la vita, se non ci *essere* anche i sogni?

LEZIONE 35ª

IN PARTENZA

Marito	– Allora, vuoi partire oggi o domani?
Moglie	– Partiamo oggi, ti prego. Questo albergo non è comodo. Che treni ci sono per Roma?
Marito	– (*guardando l'orario ferroviario*) C'è un direttissimo alle 15.12, un diretto alle 17.40 e la Freccia del Sud alle 21.
Moglie	– Prendiamo il direttissimo delle 15.12, così arriveremo a Roma di giorno.
Marito	– Bene. Però, non c'è molto tempo per fare le nostre valigie: appena un'ora.
Moglie	– Quindi, cominciamo subito.
Marito	– È sia. Che cosa devo fare?
Moglie	– Prima di tutto, tira giù le valigie: sono sull'armadio. Fai presto!

Marito	– " Fai presto! " È facile dire " fai presto! " Le valigie sono lassù, io non ci arrivo.
Moglie	– Non cominciare a fare il difficile. Se non ci arrivi, prendi una sedia.
Marito	– Ecco la sedia. Ma tu vieni qua: reggi la sedia. Non voglio cadere.
Moglie	– E va bene. Sono qui. Su, ora sali su questa benedetta sedia!
Marito	– (sale sulla sedia. La moglie si allontana) Eh, dove vai? Non andare via! Stai qui! È pericoloso.
Moglie	– Ma che pericolo c'è? Andiamo!
Marito	– Che pericolo c'è? Questa sedia tentenna, e quelle valigie sono enormi. Non lasciare la sedia.
Moglie	– Ma no. Non avere paura. Alza un poco. Ora tira.
Marito	– Sì.... " Alza.... tira.... " Dici così perché non ci sei tu qui a alzare e tirare. Ecco: tieni questa: fai attenzione. Ora prendi quest'altra. Ecco fatto. (scende dalla sedia).
Moglie	– Finalmente! E ora non perdiamo altro tempo: tu fai la tua valigia e io faccio la mia.
Marito	– Come " Non perdiamo altro tempo "! Tu chiami " perdere il tempo " salire su una sedia mezza rotta e tirare giù quei diavoli di valigie? E poi, io non so fare le valigie.
Moglie	– Impara, caro. Metti in fondo la roba pesante: libri, scarpe, pantofole. Distendi sopra la biancheria: maglie, canottiere, mutande, calzini e fazzoletti. In cima posa i pantaloni, le camicie e le giacche.
Marito	– " Metti qui.... distendi lì.... posa là.... " Io non so fare queste cose. Non sono cose da uomini. Via, sii buona, fai tu la mia valigia. Io farò un'altra cosa. Ordina, e io ubbidisco.
Moglie	– Va bene. Allora suona il campanello e chiama la cameriera, mi aiuterà lei. Tu scendi in segreteria, paga il conto dell'albergo e dai le mance al personale.
Marito	– Ho capito. E poi?
Moglie	– E poi.... Senti: poi vai a fare una piccola passeggiata, compra le sigarette, o quello che vuoi, e ritorna fra mezz'ora.
Marito	– Molto bene. Allora vado.
Moglie	– Un momento: prima prepara la tua roba sul letto. Non dimenticare le cinture, i guanti e le cravatte.
Cameriera	– Mi ha chiamato, signora?
Signora	– Sì. Venga qua, Lucia. Per favore, mi dia una mano: mi aiuti a preparare il bagaglio. Partiamo fra circa un'ora.
Lucia	– Sì, signora.

Signora	– Ecco: prenda la mia roba nell'armadio: due vestiti, tre gonne, un abito a giacca e un mantello da viaggio.
Lucia	– Ci sono anche tre camicette e un golf.
Signora	– Bene. Dia qua. Ora, per piacere, pulisca queste scarpe.
Marito	– La mia roba è tutta sul letto. Io scendo.
Moglie	– Sì, caro. Ma guarda l'orologio ogni tanto e non fare tardi. Oh, senti: prendi anche dei giornali e delle riviste.
Marito	– D'accordo. Ciao! (esce)
Signora	– Per piacere, Lucia, apra quei cassetti e cominci a mettere la roba nelle valigie. Oh, devo dire una cosa al portiere: gli telefonerò da qui. (va al citofono) Pronto? Portiere? Sono la signora Morandi, camera 30.
Portiere	– Dica, signora!
Signora	– Senta: noi partiamo oggi. Mi faccia un piacere: fra una mezz'ora mandi su il ragazzo a prendere il bagaglio, e dopo telefoni per un tassì.
Portiere	– Sarà fatto, signora.
Signora	– Grazie!
Lucia	– Signora, non posso aprire queste valigie: sono chiuse a chiave. Dove sono le chiavi?
Signora	– Le chiavi? Oh, santo cielo! Le ha mio marito. Sì, le ha lui in tasca con le altre chiavi. Ma forse è ancora giù. (corre al citofono) Pronto? Portiere? Pronto! Pronto! Oh, questi portieri non rispondono mai! Portiere? Ah, finalmente. Senta, sono ancora io: Morandi. C'è mio marito costì?
Portiere	– Il signor Morandi? Era qui un momento fa. Ha detto di preparare il suo conto, e poi è uscito.
Signora	– Uscito? Vada subito alla porta e guardi se lo vede. Lo chiami! Lo chiami!
Portiere	– Che cosa è accaduto, signora? Posso essere di aiuto? Dica a me!
Signora	– No, no. La prego, non perda tempo, cerchi mio marito, gli dica di tornare indietro. Vada subito.
Portiere	– Vado. Attenda al telefono! (dopo pochi istanti) Signora, io ho guardato, ma suo marito non c'è. È sparito fra la gente.
Signora	– (posando il ricevitore) Che guaio! E ora, cosa facciamo?
Lucia	– Stia calma, signora, suo marito non può tardare. Sa che deve partire e tornerà subito.
Signora	– Purtroppo no.... L'ho mandato a fare una passeggiata!
Lucia	– Una passeggiata! Scusi, signora, perché?

Signora   – Perché, mia cara, durante i preparativi di una partenza, la miglior cosa che un uomo possa fare – specie un uomo come mio marito – è di non stare fra i piedi, di sparire. Ma, santo paradiso, senza le chiavi delle valigie in tasca!

VERBI IRREGOLARI.

attendere	:	attendo	–	attesi	–	atteso
correre	:	corro	–	corsi	–	corso
distendere	:	distendo	–	distesi	–	disteso
reggere	:	reggo	–	ressi	–	retto
rispondere	:	rispondo	–	risposi	–	risposto.

Abiti, biancheria e indumenti

Biancheria da signora
- pigiama
- camicia da notte
- sottabito
- mutandine
- calzamaglia
- calze
- fazzoletti

Biancheria da uomo
- pigiama
- maglia
- camicia
- mutande
- bretelle
- cravatta
- calzini

Biancheria di casa
- lenzuoli
- federe
- asciugamani
- tovaglie
- tovaglioli
- canovacci
- grembiuli

Indumenti femminili
- vestito, abito
- gonna
- camicetta
- pantaloni
- golf
- mantello
- pelliccia

Indumenti maschili
- pantaloni
- cintura
- maglione
- giacca
- soprabito
- impermeabile
- guanti

Parti di un indumento
- collo, colletto
- maniche
- tasche
- cerniera lampo
- automatici
- bottoni
- occhielli

Una stoffa può essere: chiara, scura, pesante, leggera, e inoltre:

a righe	– *striped*	a quadretti	– *checked*
a pallini	– *spotted*	scozzese	– *tartan*
a fiori	– *flowered*	in tinta unita	– *plain*

GRAMMATICA: L'IMPERATIVO.

prepar-are	prend-ere	part-ire	pul-ire
prepar-a	prend-i	part-i	pul-isc-i
prepar-i	prend-a	part-a	pul-isc-a
prepar-iamo	prend-iamo	part-iamo	pul-iamo
prepar-ate	prend-ete	part-ite	pul-ite
prepar-ino	prend-ano	part-ano	pul-isc-ano

essere : sii, sia, siamo, siate, siano.
avere : abbi, abbia, abbiamo, abbiate, abbiano.
andare: vai (va'), vada, andiamo, andate, vadano.
dare : dai (da'), dia, diamo, date, diano.
stare : stai (sta'), stia, stiamo, state, stiano.
fare : fai (fa'), faccia, facciamo, fate, facciano.
dire : di', dica, diciamo, dite, dicano.
tenere : tieni, tenga, teniamo, tenete, tengano.
venire : vieni, venga, veniamo, venite, vengano.

La seconda persona singolare negativa è: *non + infinito*.
Es.: Non dimenticare! Non perdere tempo! Non dire così!

Sii buona! Siate buoni, bambini! E sia. Così sia.
Non aver paura. Non abbia paura, signora. Abbiate fiducia in me!
Non andare via. Vai giù in portineria. Vada alla porta! Andiamo!
Dai le mance al personale. Mi dia quella roba.
Stai qui. Stia calma, signora. State attenti!
Fai presto! Fate attenzione, ragazzi! Mi faccia un piacere.
Prendi una sedia. Sali sulla sedia. Non lasciare la sedia.
Dica, signora. Non dica così. Ditemi la verità.
Vieni qui! Venga avanti, signora. Venite a casa mia.

OPPOSTI.

Ordinare	– ubbidire	Cominciare a	– finire di
Alzare	– abbassare	Dimenticare	– ricordare
Salire	– scendere	Fare le valigie	– disfare le valigie

ESPRESSIONI IDIOMATICHE.

Essere in partenza	Fare il difficile	Dare una mano
Fare le valigie	Fare attenzione	Stare fra i piedi

ESERCIZI.

1. Sostituire l'infinito con l'imperativo:

(Noi) *guardare* che ore sono. (Tu) *venire* qua, *andare* al telefono e *dire* al portiere di far preparare il conto. Portiere, (Lei) *fare* preparare il nostro conto e *dire* al ragazzo di venire su. (Lei) mi *dare* il conto. (Lui) *scrivere* a Carlo e *informare* (Carlo) che arriveremo giovedì, che (Carlo) *venire* alla stazione e non *fare* tardi. (Voi) non *dimenticare* di impostare questa lettera. (Tu) non *andare* lontano e *ritornare* presto. Che nessuno *entrare* in questa stanza. (Noi) *chiamare* un tassì. (Tu) *chiamare* un tassì. (Voi) *chiamare* un tassì. (Il portiere) *chiamare* un tassì. (Loro) *attendere* un minuto e *avere* pazienza. *Essere* fatta la volontà di Dio!

2. Domande:

Chi è in partenza? Per dove?
Perché la signora Morandi preferisce il direttissimo delle 15.12?
Perché i Morandi devono cominciare subito a fare le valigie?
Che cosa deve fare il marito prima di tutto?
Che cosa fa il signor Morandi per prendere le valigie?
Perché il signor Morandi chiama le valigie " quei diavoli "?
Come si preparano le valigie?
Perché il signor Morandi non fa la sua valigia?
Che cosa deve fare il marito prima di scendere?
Che cosa deve fare il marito quando è giù?
Che cosa deve prendere Lucia nell'armadio?
Perché la signora telefona al portiere? Che cosa gli dice?
Perché la signora e Lucia non possono fare le valigie?
Che cosa dice la signora al portiere la seconda volta?
Perché la signora ha mandato il marito a fare una passeggiata?
? – Deve comprare le sigarette, dei giornali e delle riviste.
? – Gli dice di guardare l'orologio per non fare tardi.
? – Il portiere non chiama il signor Morandi perché non lo vede.
? – Non lo vede perché è sparito fra la gente.

3. Raccontare in prosa il dialogo di questa lezione.

4. *a*) Dire ad un amico, in senso affermativo e poi negativo, di:

(entrare)	.... in cucina	(portare)	.... fuori il cane
(leggere)	.... quel libro	(andare)	.... in giardino
(partire)	.... domani	(chiudere)	.... le finestre
(aprire)	.... la porta	(accendere)	.... la luce
(fumare)	.... la pipa	(spengere)	.... il gas

b) Dire le stesse cose ad alcuni amici. (Ragazzi ....)
c) Dire le stesse cose a X. (Per favore ....)
d) Dire le stesse cose in 1ª persona plurale dell'imperativo (noi).

5. Sostituire l'infinito dei seguenti verbi con l'imperativo.

1. (tu) *Andare* alla stazione a *fare* i biglietti.
2. (tu) Non *andare* a piedi, *prendere* l'autobus.
3. (voi) *Andare* anche voi e *comprare* dei giornali.
4. (voi) *Mangiare* e *bere* qualcosa prima di partire.
5. (voi) *Chiudere* le valigie e non *perdere* le chiavi.
6. (noi) Non *perdere* altro tempo: *chiamare* un tassì.
7. (Lei) *Avere* pazienza e *fare* le cose con calma.
8. (Lei) *Venire* a vedere se tutto è in ordine.
9. (noi) *Prendere* gli ombrelli e non *dimenticare* nulla.
10. (tu) *Guardare* dalla finestra se è arrivato il tassì.
11. (noi) *Chiamare* l'ascensore e *portare* giù le valigie.
12. (Lei) *Dire* a suo marito che noi l'aspettiamo a Roma.
13. (voi) *Stare* bene, *avere* cura di voi e *tornare* presto.
14. (Lei) Non *perdere* il nostro indirizzo e ci *scrivere*.
15. (noi) *Salire* sul tassì, e finalmente *partire!*

6. In questo dialogo fra Gigi e l'amica Bice, mentre un Tizio telefona, usare l'imperativo dei verbi indicati.

Gigi – (Drin.... Drin....) Il telefono! Bice, *rispondere* tu, per favore!
Bice – Pronto. Chi parla? Mi *scusare*, signore: *parlare* più forte.
.... Non ho capito. *Ripetere*, per piacere.
(sottovoce a Gigi) *Chiudere* la radio, altrimenti non sento.
Signore, *aspettare* un minuto, guardo se c'è. *Restare* in linea.
(piano a Gigi) È un certo Biagio, tuo parente. *Venire* al telefono.
Gigi – No. *Dire* a questo parente di richiamare più tardi.
Bice – Signor Biagio, Gigi è fuori. *Provare* a richiamare fra un'ora.
.... Non può? Allora mi *dare* il numero del suo telefono....
(piano a Gigi) Gigi, *prendere* un lapis e *scrivere* questo numero.
Gigi – Bice, *mettere* giù il ricevitore e *venire* a prendere il tè.
Bice – *Sentire*, signor Biagio.... *Ritelefonare* domani. Arrivederla!
Gigi – Ah, finalmente! Ora (noi) *bere* il nostro tè in pace.
Bice – Gigi! Non *trattare* così i tuoi parenti!
Gigi – Bice! " Chi vuol vivere e star sano dai parenti *stare* lontano. "
Bice – Ma: " Se vuoi vivere e star bene, *prendere* il mondo come viene! "

IN TRENO

Moglie — Oh, eccoci qua finalmente. (*al marito*) Su, monta, caro. Dammi quella borsa: mettiamola qui per il momento. Ah, quando mi metto in viaggio, finché non sono sul treno ho sempre paura di perderlo.

Marito — Questi sono i giornali: mettiamoli sui nostri posti per mostrare che sono occupati.

Moglie — Meno male abbiamo trovato posto. Tu non hai riservato i posti.

Marito — Mia cara, non c'era tempo per riservarli. Siamo partiti all'improvviso. Contentiamoci così: è andata bene!

Moglie — Ah sì sì: "tutto è bene quel che finisce bene"! Ora, per piacere, affacciati al finestrino e guarda se c'è la signora Mina: ha detto che veniva a salutarci alla stazione.

Marito – Hai informato la signora Mina della nostra partenza con questo treno?

Moglie – Non ho avuto il tempo di telefonarle. Ho detto al portiere di farlo. La vedi?

Marito – (*al finestrino*) Dammi il tempo di guardare. Vedo molta gente, ma non vedo la signora Mina. E non vedo neanche il nostro facchino.

Moglie – A proposito: dov'è andato?

Marito – È andato a spedire i miei sci. Doveva prima ritirarli al bagagliaio.

Moglie – Potevi spedirli tu gli sci: era più semplice

Marito – Oh, vedo il nostro uomo. Eccolo finalmente!

Facch. – Eccomi qua!

Marito – Bravo. Porti su le valigie. Bisogna metterle sulla rete. Bene. (*sottovoce alla moglie*) Quanto devo dargli?

Moglie – (*sottovoce al marito*) La tariffa è 1000 lire a collo, ma le nostre valigie sono grosse, dagli anche la mancia.

Marito – (*al facchino*) Eccole il denaro, e questa è la mancia.

Facch. – Grazie, signore. (*scende dal treno*)

Moglie – E lo scontrino degli sci? Dov'è andato quel benedetto uomo? Chiamalo! Fatti dare lo scontrino!

Marito – Calma, calma! Me l'ha dato: eccolo qui, mettilo nella tua borsa insieme ai biglietti.

Moglie – Sì, ma dov'è la mia borsa? Santo cielo, dov'è?

Marito – Cercala: probabilmente è sotto i giornali.

Moglie – Ah sì, eccola qui. E i biglietti? Dove sono andati i biglietti?

Marito – Cercali: sono certamente in qualche parte della borsa.

Moglie – Sì, sì, eccoli qui. Ah, queste borse! Bisogna vuotarle per trovare qualche cosa.

Marito – Finalmente tutto è a posto. Ora possiamo sederci in pace e riposarci.

Moglie – Ora io ho fame.

Marito – La vettura ristorante è chiusa a quest'ora. Temo che dovrai contentarti delle caramelle.

Moglie – Le caramelle? E dove sono?

Marito – Eccole. Ma, attenzione: le caramelle possono far male, mangiandone troppe.

Moglie – Troppe? Posso mangiarne una o due: io ho fame, non ho voglia di caramelle, ho voglia di pane e salame, o qualcosa di simile. Fammi un piacere: se vedi l'uomo che vende le bibite e i panini, chiamalo e comprami un panino.

Marito   – (*va al finestrino*) Eccolo là, sta venendo verso di noi. Oh, c'è la signora Mina. Buon giorno, signora!

Mina   – Buon giorno. Sono venuta a salutarvi. Non potevo lasciarvi partire senza dirvi addio e portarvi i saluti degli amici.

Moglie   – È molto gentile da parte sua. Sono contenta di vederla.

Uomo   – Birra!... Panini!... Patatine fritte!... Cestini da viaggio!...

Marito   – Per favore! Un panino col salame, due cestini e due birre!

Moglie   – Oh, che bei fiori, signora Mina! Grazie! Che pensiero gentile!

Mina   – Sapevo che portandole dei fiori le facevo piacere.

Moglie   – Non poteva farmi un piacere più grande!

Capotr.   – In carrozza! In carrozza!

Mina   – È venuto il momento di salutarci. Scrivetemi qualche volta!

Marito   – Certamente. Grazie di essere venuta a dirci addio.

Moglie   – E se viene a Roma, venga a trovarci!

Mina   – Va bene. Ciao! Buon viaggio!

Moglie   – Grazie! Arrivederci!

IL TRENO.

Un treno è composto di una macchina, varie carrozze per viaggiatori e un bagagliaio. Alcuni treni hanno anche carrozze-letto e carrozze-ristorante. Qualche volta bisogna cambiare treno durante un viaggio, ma se il treno ha una carrozza diretta non c'è bisogno di cambiare.

Possiamo viaggiare in 1ª e 2ª classe. Compriamo i biglietti in un'agenzia di viaggi, o alla biglietteria della stazione. Ci sono vari biglietti: di andata, di andata e ritorno e biglietti festivi (dal sabato al lunedì).

Se vogliamo essere certi di avere un posto a sedere, sarà bene riservarlo. E se il viaggio è lungo, prenoteremo un letto nel treno e consumeremo i pasti nella carrozza-ristorante. Ma se vogliamo fare economia, ci contenteremo di prenotare una cuccetta e comprare dei cestini da viaggio.

Spesso amici o parenti vengono ad accompagnarci alla stazione, e se desideriamo che una persona cara venga a prenderci quando scendiamo dal treno, dobbiamo informarla, scrivendole o telegrafandole l'ora del nostro arrivo.

Salutiamo chi parte con un augurio: " Buon viaggio! "

Salutiamo chi arriva con un'espressione di gioia: " Benvenuto! "

Verbi irregolari:

perdere – persi – perso (perduto)
promettere – promisi - promesso

GRAMMATICA: I pronomi affissi.

I pronomi accusativi (*mi, ti, lo, la,* ecc.), dativi (*mi, ti, gli, le,* ecc.), riflessivi (*mi, ti, si,* ecc.) e il pronome *ne* (*of it, of them*) sono uniti ad alcune forme del verbo. Una di queste forme è l'infinito.

Infinito + accusativo	*Infinito + dativo*	*Infinito + riflessivo*	
Mina è venuta a	Mina promette di		
salutar-**mi**	scriver-**mi**	io amo	divertir-**mi**
salutar-**ti**	scriver-**ti**	tu ami	divertir-**ti**
salutar-**lo**	scriver-**gli**	lui ama	divertir-**si**
salutar-**la**	scriver-**le**	lei ama	divertir-**si**
salutar-**ci**	scriver-**ci**	noi amiamo	divertir-**ci**
salutar-**vi**	scriver-**vi**	voi amate	divertir-**vi**
salutar-**li, -le**	scrivere **loro**	loro amano	divertir-**si**

Questi pronomi sono uniti:

1. all'*infinito*

Ora possiamo sederci e riposarci. Sono venuta a salutarvi e portarvi i saluti degli amici. Non potevo lasciarvi partire senza dirvi addio. Come sono contenta di vederla! Non poteva farmi un piacere più grande! Venga a trovarci! Oh sì, avrò molte cose da dirvi. Gli ho detto di comprarmi dei giornali per leggerli durante il viaggio. Ha comprato un orario per consultarlo se è necessario. Che cosa c'è in questa scatola? Posso aprirla? Che belle caramelle! Posso prenderne una? Che bei fazzoletti! Voglio comprarne uno.

2. al *gerundio*

Sapevo che, portandole dei fiori, le facevo piacere. Andai a trovare Carlo, ma, non trovandolo, lasciai un messaggio al portiere. Dovrai informare Carlo, scrivendogli o telefonandogli. Lo farò, e, vedendomi, sarà contento. Se vai con una bella scatola di dolci, anche i suoi bambini, vedendoti, saranno contenti. I dolci possono far male, mangiandone troppi. Luigi passa il suo tempo divertendosi. Tutti possono imparare questa lezione, leggendola attentamente.

3. all'*imperativo* affermativo (2ª persone e 1ª persona plurale)

Contentiamoci così. Affacciati al finestrino. Se vedi la signora Mina, chiamala. Se vedi un porta-bagagli, chiamalo. Chiamane uno. Portateci questi bagagli e metteteli sul treno. Portate su le valigie e mettetele sulla rete. Comprami un panino. Comprati le sigarette. Mandatemi un telegramma. Ecco lo scontrino: mettilo nella tua borsa. Dov'è la borsa? Cercala. Dove sono i biglietti? Cercali. Dove sono le caramelle? Cercale. Dov'è l'orario? Cercalo. Ecco i giornali: mettiamoli qui. Ecco l'orario: mettiamolo qui.

Quando un pronome è unito agli imperativi *da'*, *fa'*, *sta'*, *va'*, *di'*, il pronome raddoppia la consonante iniziale.

Dammi la borsa! Dalla a me. Fammi un piacere. Fatti dare lo scontrino. Falle coraggio. Facci coraggio. Stammi a sentire. Vammi a comprare una rivista. Dimmi la verità. Dille tutto. Dicci tutto.

4. all'avverbio **ecco**

Eccoci qua. Dove sei? Eccomi qui. Volevi il giornale? Eccoti il giornale. Tenga: eccole la mancia. Dov'è lo scontrino? Eccolo qui. Dove sono i biglietti? Eccoli qui. Dov'è la borsa? Eccola là. Dove sono le valigie? Eccole lassù. Non ho sigarette: oh, eccone una.

OPPOSTI

Partenza (da)	– Arrivo (a)
Prendere il treno	– Perdere il treno
Montare (salire) in treno	– Scendere dal treno
Spedire un baule, gli sci	– Ritirare un baule, gli sci
Accompagnare alla stazione	– Andare a prendere alla stazione

ESPRESSIONI IDIOMATICHE.

Mettersi in viaggio	Viaggiare in 1ª, 2ª classe
Cambiare treno	Fare economia
Trovare posto	Meno male
Tutto è a posto	È andata bene!

UN PROVERBIO.

Tutto è bene ciò che finisce bene.

Esercizi.

1. Completare con gli altri pronomi personali:

Eccomi qui. *Dammi* il tempo di guardare. Mina non poté *lasciarmi* partire senza *dirmi* addio. Dovrò *contentarmi* di un cestino da viaggio. *Comprami* un panino. Arrivai di sera, e non c'era nessuno a *prendermi* alla stazione. Mina volle *darmi* dei fiori. *Mi* promise di *scrivermi.* Carlo *mi* vide, e *io* dovei *fermarmi* a parlare con lui. Devo *alzarmi* presto.

2. Scrivere 10 frasi usando dei pronomi affissi.

3. Domande:

Perché quando ci mettiamo in viaggio compriamo un orario?
Perché compriamo dei giornali?
Dove dobbiamo mettere le valigie in treno?
Che cosa dobbiamo fare se vogliamo avere un posto nel treno?
Perché il marito non ha riservato i posti?
Dov'erano gli sci? Che cosa doveva fare il porta-bagagli?
Che cosa dice il marito alla moglie quando questa non trova la borsa?
Che cosa dice quando la moglie non trova i biglietti?
Che cosa dice la moglie riguardo alle borse da viaggio?
Perché il marito e la moglie aspettano la signora Mina?
Chi ha telefonato alla signora Mina? Perché?
Perché la signora Mina è andata alla stazione?
? – Le ha portato dei fiori.
? – Perché a quell'ora la vettura-ristorante è chiusa.
? – Devono contentarsi di due cestini da viaggio.
? – Compriamo i biglietti alla biglietteria.
? – Dobbiamo prenotarlo in un'agenzia di viaggi.

4. Sostituire l'oggetto diretto con un pronome affisso (*lo, la, li, le*). Es.: Compra il giornale. *Compralo.*

Leggi i giornali.	Cercate le chiavi.	Beviamo il caffè.
Ascolta la radio.	Ripetete la frase.	Facciamo i conti.
Apri le valigie.	Guardate l'orario.	Diciamo la verità.
Chiudi quel cassetto.	Riservate i posti.	Apriamo le finestre.
Imposta la lettera.	Leggete le notizie.	Mandiamo un saluto.

5. Sostituire l'oggetto indiretto con un pronome affisso (*mi, gli, le, ci,* ecc.).
   Es.: Scrivi a tuo cugino. *Scrivigli.*

   1. Scrivi a tuo padre, – a tua madre, – a me, – a noi, – a loro.
   2. Scrivete a Enzo, – a Maria, – a me, – a noi, - agli amici.
   3. Manda un saluto a Iva, – a Ugo, – a me, – a noi, – ai tuoi.
   4. Rispondete a me, – a noi, – a Diego, – a Lina, – a tutti.
   5. Di' la verità a noi, – a me, – a Gino, – a Lia, – ad ambedue.
   6. Dai una mano a Lapo, – a Mara, – a me, – a noi, – ai ragazzi.
   7. Dite tutto a me, – al babbo, – alla mamma, – a noi, – a loro.
   8. Fai un piacere a noi, – a me, – a lei, – a lui, – a quei tre.

6. Inserire il verbo della frase + il pronome affisso del complemento.
   Es.: Paga il conto: .... subito. *Paga il conto: pagalo subito.*

   1. Guarda queste fotografie: .... alla luce.
   2. Guardate quel quadro: .... da lontano.
   3. Leggi quella lettera: .... ad alta voce.
   4. Chiamate un tassì: .... per telefono.
   5. Telefona a tuo padre: .... prima di partire.
   6. Scriviamo alla signora Marta: .... appena arriviamo.
   7. Se volete invitare i vostri amici, ... per Natale.
   8. Mangiamo questa pizza: .... ora che è calda!

7. Mettere al posto del corsivo il verbo indicato + pronome affisso.
   Es.: Lei può *fare a me* un favore? *Lei può farmi un favore?*

   1. Chiamate il cameriere e *date a lui* la mancia.
   2. Lei può *accompagnare noi* alla stazione?
   3. Se domattina non mi sveglio, (voi) per favore *chiamate me.*
   4. Il treno parte alle 8.30, non vorrei *perdere il treno.*
   5. Giulia, *fai a me* un piacere: *dai a me* quella valigia.
   6. Ragazzi, *fate a me* il santo piacere di stare zitti!
   7. Dov'è Mirella? Vorrei *salutare lei* e *dire a lei* addio.
   8. Non c'è? Se la vedi, *saluta lei* e di' *a lei* addio per me.

8. Rispondere: *Ecco* + pronome.

   1. Dov'è l'ingresso?
   2. Dov'è l'uscita?
   3. Dove sono i biglietti?
   4. Dove sono le sigarette?

Rispondere: *Cercare* + pronome.

   1. Dov'è la mia borsa?
   2. Dov'è il mio passaporto?
   3. Dove sono i miei guanti?
   4. Dove ho messo le chiavi?

LEZIONE 37ª

IL VILLAGGIO

Si fa presto a visitare un villaggio di montagna. Esso consiste generalmente di una strada principale con piccole strade laterali che vanno a finire negli orti e nei campi, alcune portando in alto verso il monte, altre in basso verso un torrente.

La piazza è il centro della vita del villaggio. Qui sorge la chiesa con l'abitazione del parroco, il municipio, la scuola, la farmacia e l'ufficio postale. Non lontano c'è l'osteria, dove gli uomini si riuniscono la sera a parlare del più e del meno e a fare una partita a carte, fumando il sigaro o la pipa e bevendo del buon vino. Lì vicino c'è la locanda: poche stanze odorose di spigo, dove gli ospiti di passaggio possono dormire tranquillamente, finché i galletti dei pollai vicini, o le campane della chiesa, li svegliano appena si fa chiaro.

Ci sono pochi negozi in un villaggio. C'è il macellaio che vende la carne; il fornaio che vende il pane e la pasta; il pizzicagnolo che vende salame, prosciutto e altri generi alimentari. E non manca certo una specie di emporio, dove si trova un po' di tutto: pentole, scarpe, borse, stoffe, giocattoli e granate, tutto insomma, eccetto la cosa che particolarmente cerchiamo.

In fondo al villaggio c'è generalmente un giardinetto pubblico, dove i vecchi vanno a scaldarsi al sole sulle panchine, e i ragazzi a ruzzare insieme liberamente.

La popolazione di un piccolo villaggio è composta per lo più di artigiani e braccianti. I braccianti aiutano spesso i contadini nel lavoro dei campi. Quasi tutti questi uomini appartengono alla vecchia generazione, perché oggi molti giovani preferiscono cambiare vita e andare a lavorare nelle fabbriche e nei cantieri delle città.

La vita è tranquilla in un villaggio. Durante il giorno si sente solo il rumore degli artigiani che lavorano nelle loro botteghe, la voce del postino che distribuisce la posta, il suono delle campane, il grande orologio del campanile che batte le ore, il chiacchierìo delle donne che si fermano a parlare quando s'incontrano, o si parlano dalla strada alle finestre. E verso sera si sente il grido del lattaio che fa regolarmente il suo giro, raccogliendo ciarle e portandole, insieme al latte, di porta in porta.

A buio, il villaggio diviene silenzioso e deserto. Tutti vanno a letto presto. Solo qualche rara luce filtra debolmente attraverso le persiane chiuse. La giornata è finita. Domani sarà uguale a oggi, perché la vita cambia pochissimo, eccetto quando un battesimo, un matrimonio o un funerale mettono in subbuglio il villaggio, poiché tutti si conoscono, e tutti condividono la gioia e il dolore.

Com'è nitido e riposante il piccolo cimitero fuori del villaggio, con le sue semplici croci adorne di fiori! Là dormono in pace coloro che furono amici o parenti, e sembrano lieti di essere insieme anche nel luogo dell'ultimo riposo, vicini nella morte come furono vicini nella vita.

Il dottore, il parroco e il maestro sono le persone più importanti del villaggio, e sono rispettate moltissimo da tutti. Infatti essi sembrano rappresentare i tre elementi che formano l'uomo stesso: il corpo, l'anima e la mente.

VERBI IRREGOLARI.

sorgere	: sorgo	– sorsi	– sorto
comporre	: compongo	– composi	– composto
appartenere	: appartengo	– appartenni	– appartenuto
condividere	: condivido	– condivisi	– condiviso.

GRAMMATICA: L'AVVERBIO.

1. L'avverbio è invariabile ed accompagna il verbo per ampliare il suo significato. La più gran parte degli avverbi si forma dagli aggettivi, aggiungendo *-mente* alla forma femminile.

tranquillo (-a)	– tranquillamente	libero (-a)	– liberamente
tortuoso (-a)	– tortuosamente	intimo (a-)	– intimamente.

2. Gli aggettivi in *-le* e *-re* perdono l'*e* finale.

generale	– generalmente	particolare	– particolarmente
debole	– debolmente	regolare	– regolarmente.

3. Alcuni aggettivi sono anche avverbi. Ecco i più comuni:

molto ≠ poco	piano ≠ forte	chiaro ≠ buio
vicino ≠ lontano	alto ≠ basso	solo, certo.

C'è chi guadagna molto e chi guadagna poco. Lì vicino c'è la locanda, non lontano c'è l'osteria. Cammina piano, perché è buio e non vedo nulla. Parla piano, non sono sordo! Parla forte, altrimenti non sento. Alcune strade portano in alto verso il monte, altre in basso verso il torrente. Il gallo canta appena si fa chiaro. Di giorno si sente solo il suono delle campane. Non manca certo una specie di emporio, dove si trova un po' di tutto.

4. Gli avverbi possono avere il comparativo e superlativo, come gli aggettivi:

presto, più presto, prestissimo	≠ tardi, più tardi, tardissimo
molto, più, moltissimo	≠ poco, meno, pochissimo
bene, meglio, benissimo	≠ male, peggio, malissimo.

Si fa presto a visitare un villaggio, si fa prestissimo. Se vado a letto più tardi del solito, il giorno dopo sto malissimo. Il dottore, il parroco e il maestro sono rispettati moltissimo. In campagna si sta bene e si spende poco; in città si sta forse meglio, ma si spende di più. In un villaggio la vita cambia pochissimo.

ESPRESSIONI IDIOMATICHE.

Fare il giro.

Fare una partita a carte.

Mettere in subbuglio.

Essere di passaggio.

ESERCIZI.

1. Formare gli avverbi da questi aggettivi:

Uguale, principale, chiaro, vivace, silenzioso, raro, comune, semplice, lieto, rispettoso, allegro, continuo, rapido, completo, antico, pronto, facile, difficile, naturale, cortese, felice, ottimo, nobile, libero, ideale.

2. Completare in tutte le persone:

Quand'ero in campagna andavo spesso nei prati a scaldarmi beatamente al sole. Mi piace parlare del più e del meno. Feci amicizia col dottore e il maestro, e stavo continuamente con loro. Andavo a letto presto e mi alzavo prestissimo. In questa locanda sto bene, ma certo spendo moltissimo. Se leggo piano, capisco meglio. Quando cambio letto, dormo malissimo. Se vado a letto tardi mi sveglio tardissimo. In campagna mangio molto, più che in città, e sto benissimo.

3. Domande:

Com'è generalmente formato un villaggio?
Quali sono gli edifici principali di un villaggio?
Come passano la sera e la domenica gli uomini del villaggio?
Dove alloggia l'ospite di passaggio? Che cosa lo sveglia al mattino?
Vi sono molti negozi in un villaggio? Quali?
Com'è composta la popolazione di un villaggio?
Quali suoni si sentono di giorno in un villaggio?
C'è molto movimento la sera in un villaggio? Perché?
Quando tutto il paese è in subbuglio?
Com'è il cimitero di un villaggio?
? – Perché in un villaggio tutti si conoscono o sono parenti.
? – Essi sono il dottore, il parroco e il maestro.
? – È accanto alla chiesa.
? – Sono: il corpo, l'anima e la mente.

4. Scrivere queste frasi con avverbi di senso opposto.

1. Io abitavo molto *lontano*.
2. Mi alzavo *presto* la mattina.
3. Guadagnavo *meno* di adesso.
4. Andavo *raramente* in città.
5. La vita scorreva *lentamente*.
6. Mangiavo *quasi sempre* a casa
7. Molta gente lavora *di notte*.
8. E vive *silenziosamente*.
9. Parla più *forte*, per piacere!
10. Se parli *adagio*, capisco *meglio*.

5. Riempire gli spazi vuoti con gli avverbi adatti.

    1. " Lei è stato .... in America? " " Oh sì, io ci vado .... "
    2. Oh, com'è ....! Andiamo ...., altrimenti perdiamo il treno.
    3. Piove .... È .... che Lei si metta l'impermeabile.
    4. Per leggere ...., bisogna leggere ....
    5. Io ho fatto del mio .... per contentarti.
    6. Molta gente vuole lavorare .... e guadagnare ....
    7. In quella trattoria si mangia .... e si spende ....
    8. Quando non abbiamo .... denaro, è .... non viaggiare.
    9. Quel ragazzo mangia ....; perciò è così grasso.
    10. Io la sera mangio ...., altrimenti non dormo ....

6. In ogni frase, sostituire le parole in corsivo con uno dei seguenti avverbi, in modo che il senso della frase sia lo stesso:

presto, esattamente, oggigiorno, anticamente, rapidamente, allegramente, tranquillamente, generalmente, incessantemente, lentamente, lungamente, silenziosamente, assai.

    1. *Nel passato* in un villaggio si viveva *in modo calmo*.
    2. La gente lavorava *in silenzio* e camminava *senza fretta*.
    3. I ragazzi giocavano *ridendo e scherzando* nelle piccole strade.
    4. Le donne che s'incontravano si fermavano a parlare *per molto tempo*.
    5. Ma *adesso* la vita di un villaggio è *molto* diversa.
    6. Il cinema, la radio e la TV hanno cambiato tutto *in poco tempo*.
    7. La gente non va più a letto *di buon'ora* come faceva *una volta*.
    8. Le ragazze si vestono *proprio* come le ragazze di città.
    9. In ogni villaggio c'è *di solito* un'industria di qualche specie.
    10. E tutti corrono e corrono *senza fermarsi mai*.

7. Continuare il dialogo, dando adeguate risposte.

    1. Come sta Lei oggi?   4. Lei è stato mai in Grecia?
    2. Lei si alza presto o tardi?   5. Lei usa spesso il telefono?
    3. Lei sa soltanto l'inglese?   6. A chi ha telefonato ultimamente?

8. Tema: 1. I vantaggi della vita di campagna.
          2. Descrivete un villaggio dove avete abitato per qualche tempo.

LA CITTÀ

Quasi tutte le grandi città sorgono sulla riva di un fiume. In antico le città erano circondate da alte mura che le difendevano dagli attacchi del nemico e dalle epidemie. Ma con l'andar del tempo, le città si allargarono, le mura furono abbattute, e nuovi edifici sorsero al di là, formando così una nuova periferia.

Una città è divisa in rioni. Vi sono i rioni centrali, dove il traffico è intenso di giorno e di notte; i rioni semicentrali, meno rumorosi e molto comodi per la loro posizione vicina al centro; i rioni moderni, tranquilli, puliti, con larghe strade e ombrosi viali, belle case e giardini; nelle grandi città vi sono anche i rioni popolari, situati generalmente nella parte più antica della città e abitati da povera gente. Questi vecchi rioni si compongono di misere case, viuzze strette, tortuose e quasi sempre umide, perché il sole vi penetra a fatica e l'acqua piovana asciuga difficilmente.

In una città vi sono piazze, strade, viali, vicoli, ponti, parchi e giardini. Le strade sono asfaltate o lastricate; i veicoli corrono sulla parte centrale, e ai lati vi sono i marciapiedi per i pedoni.

Che movimento c'è nel centro di una città! La gente cammina su e giù: chi in fretta, chi adagio, fermandosi di quando in quando davanti alle vetrine dei negozi o davanti ai monumenti.

Quando si cammina per la città, bisogna stare sul marciapiede, altrimenti si corre il rischio di essere investiti. Agl'incroci delle vie principali il traffico è controllato dai vigili urbani e dai semafori colorati. Ogni tanto il vigile, o la luce rossa del semaforo, trattiene la fiumana di automobili, autobus, torpedoni, autocarri, furgoni, motociclette e biciclette, per lasciar passare i pedoni da una parte all'altra della strada. È facile perdersi in una grande città che non si conosce bene: in quel caso bisogna rivolgersi a un vigile, il quale ci indicherà la via giusta da seguire.

Nelle vaste metropoli, come Londra, Parigi, Nuova York, ecc., vi è una ferrovia sotterranea che porta celermente da un punto all'altro della città.

Di notte la città è illuminata da grosse lampade elettriche, dalle luci sfolgoranti delle vetrine e dalle insegne luminose sopra i negozi, alberghi, teatri, cinematografi e ritrovi notturni.

Gli edifici più importanti di una città sono: il palazzo comunale o Comune, il tribunale, la questura, l'ufficio postale, vari ospedali, cliniche e manicomi, oltre a scuole, biblioteche, musei e gallerie; vi sono anche molte chiese e una cattedrale (la sede del vescovo), con la cupola, il campanile, alte guglie, statue e ornamenti di ogni specie.

La città è governata dal sindaco e dagli assessori comunali, e l'amministrazione è tenuta dagli impiegati nei vari uffici, come l'ufficio dell'Anagrafe dove si registrano le nascite, le morti e i matrimoni; l'Ufficio d'Igiene che si occupa di quanto riguarda la salute dei cittadini: il cibo che entra in città, le fognature, la pulizia delle strade, e cose simili; l'Ufficio delle Belle Arti che cura la manutenzione dei musei, delle gallerie e dei monumenti; il Corpo dei Pompieri che fronteggia prontamente ogni emergenza: incendi, inondazioni, ecc.

La popolazione di una città si compone di cittadini e di turisti nazionali e stranieri. I cittadini abitano in case, appartamenti, villini, palazzi e ville. I visitatori prendono generalmente alloggio negli alberghi e nelle pensioni; se si trattengono più a lungo, prendono volentieri delle camere ammobiliate in affitto, oppure si sistemano come ospiti paganti in famiglie private, col vantaggio di sentirsi come a casa, imparare più facilmente la lingua e conoscere da vicino gli usi, la mentalità e i caratteri del paese.

VERBI IRREGOLARI.

difendere : difendo – difesi – difeso
trattenere : trattengo – trattenni – trattenuto
comporre : compongo – composi – composto.

GRAMMATICA: AVVERBI E LOCUZIONI AVVERBIALI.

Un avverbio composto di più parole si chiama locuzione avverbiale.

1. *Avverbi di quantità:*

poco ≠ molto	tanto, quanto	abbastanza, ancora
più ≠ meno	troppo, assai	punto, affatto.

Ho camminato molto, poco, più di ieri, meno di ieri. Non ho camminato affatto. Ho camminato tanto quanto basta. Ho speso troppo, assai, abbastanza, ma ho ancora del denaro da spendere.

2. *Avverbi di modo:*

bene ≠ male	volentieri ≠ malvolentieri	talmente, perfino
presto ≠ adagio	apposta ≠ casualmente	così, come, ecc.

Locuzioni avverbiali: in fretta, a stento, a fatica, a malapena, di passaggio, per mezzo di, in affitto, ad alta voce, a bassa voce, a memoria, ad un tratto, all'improvviso, a poco a poco, ecc.

Conosci questa città? La conosco poco e male. Per la strada, c'è chi cammina in fretta, chi adagio. Presto e bene non avviene. Prendo volentieri una camera in affitto. Non l'ho fatto apposta, l'ho fatto casualmente. Sono talmente (così) stanco, che cammino a stento. Leggi adagio e ad alta voce. Non si imparano le lingue ad un tratto, ma a poco a poco, per mezzo dello studio e della pratica.

3. *Avverbi di tempo:*

prima ≠ poi, dopo	sempre ≠ mai	tuttora ≠ non più
presto ≠ tardi	spesso ≠ raramente	(di) già ≠ non ancora.

Locuzioni: in antico, con l'andar del tempo, di giorno e di notte, quasi sempre, quasi mai, ogni tanto, di quando in quando, a lungo, per sempre, di solito, d'ora in poi, prima o poi, in avvenire, una volta, un tempo, di buon'ora, qualche volta, ecc.

È tuttora (ancora) qui? Non è ancora partito? Non c'è più, è già partito. È partito per sempre. Vai spesso in città? Ci vado ogni tanto (raramente). Prima o poi capirai che ho ragione. In antico (una volta, un tempo) le città erano circondate da alte mura. Con l'andar del tempo le mura furono abbattute. Nel centro il traffico è sempre intenso di giorno e di notte. D'ora in poi (in avvenire) voglio studiare di più. Di solito vado a letto di buon'ora.

4. *Avverbi di luogo:*

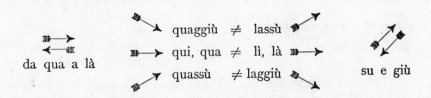

Locuzioni: da ogni parte, da vicino, da lontano, a pochi passi, da una parte all'altra, al di qua, al di là, ai lati, a destra, a sinistra, ecc.

Vieni qui. Vai là. Gira di qui e gira di là, finalmente trovai la strada. Per andare alla stazione si passa di qui o di qua? Studia questa lezione da qui a qui. Abiti di qua dal fiume, o di là? Abito a destra della chiesa, a pochi passi da casa tua. È tutto un correre da qua a là per le stanze, su e giù per le scale. Vedi quella torre lassù? E quel fiume laggiù? La ferrovia sotterranea porta da una parte all'altra della città. Ai lati della strada ci sono i marciapiedi. È bene conoscere da vicino gli usi del paese. I veri amici si amano anche da lontano.

5. *Avverbi di affermazione, negazione, dubbio:*

certo	nemmeno	niente	forse
sicuro	neanche	nulla	chissà!
proprio	neppure	davvero	eccome!

Locuzioni: senza dubbio, di certo, di sicuro, senz'altro, in verità, del tutto, per nulla, mica, ecc.

In questa strada non c'è neppure (neanche, nemmeno) un vigile. Sono proprio (davvero) contento di essere venuto in Italia. Luigi non è contento per nulla (affatto). Certo, ha speso molto denaro. Sei stato in America? Certo! Sicuro! Eccome! Non mangio nulla. Non è mica vero! Chi è quell'uomo? Chissà! In verità non lo so. Forse è uno straniero. È uno straniero di certo (di sicuro, senza dubbio, senz'altro). All'una di notte le strade sono del tutto deserte.

Frasi utili.

Qual è la via per andare alla stazione? Vado bene per la stazione?
Come si chiama questa strada? Che strada è questa?
Dov'è la fermata dell'autobus? È a cento metri da qui.
Vada avanti (a diritto) fino alla fine della strada, dell'isolato.
Volti a destra, a sinistra, volti l'angolo, attraversi il ponte.
Torni indietro. Prenda la prima strada a sinistra.
Da questa parte, da quella parte.
Quanto ci vuole per arrivare al Duomo? È lontano da qui?
È a pochi passi. È piuttosto lontano. Ci vuole un'ora di cammino.
Mi sono perduto. Non so che strada prendere. Ho sbagliato strada.
Posso accompagnarla a casa? Posso offrirle un passaggio?
Sì, grazie, se può darmi un passaggio mi fa piacere.
Attento dove mette i piedi. Non c'è via d'uscita.

ESERCIZI.

1. Scrivere 10 frasi usando avverbi, e 10 usando locuzioni avverbiali.

2. Coniugare:

Abito vicino al centro, ma lontano dalla scuola. Non vorrei per nulla
abitare nel quartiere popolare, al di là del fiume. Mi piace uscire per
commissioni, camminare adagio e fermarmi ogni tanto a guardare
le vetrine. La città mi piace più di notte che di giorno. Presi in affitto
una casa fuori di città, ma non vi rimasi a lungo: era troppo piccola.
Prima di attraversare la strada, guardo sempre a destra e a sinistra.
Non ho ancora fatto alcun piano per l'avvenire.

3. Domande:

Perché le antiche città erano circondate da mura?
Com'è composta una città? Com'è divisa?
Quali sono le caratteristiche dei vari rioni?
Cos'è il traffico? Com'è controllato?
Perché i pedoni devono camminare sui marciapiedi?
Come sono illuminate le strade di notte?
Chi si occupa della pulizia della città? In che modo?

Cos'è una ferrovia sotterranea? C'è in ogni città?
Quali sono i principali edifici di una città?
Da chi è governata una città? Come?
Dove si registrano le nascite, le morti e i matrimoni?
Dove sono giudicati i criminali?
Dove abitano i cittadini e i turisti?
? – Abitano nei quartieri popolari.
? – Perché il sole vi penetra a fatica.
? – Non si disturbi, grazie, abito qui vicino.
? – Attraversate la strada e andate a diritto.
? – È a circa mezz'ora di cammino.
? – I ritrovi notturni restano aperti fino alle due di notte.
? – È il tassì.

4. Queste sono informazioni. Trovare le domande di richiesta.

  1. Guardi: è laggiù all'angolo.
  2. È piuttosto lontano, ma Lei può prendere l'autobus.
  3. Quel bar è di solito aperto fino a mezzanotte.
  4. Vada fino al ponte, e poi volti a destra.
  5. C'è un Ostello per la gioventù al di là del ponte.
  6. La via che Lei cerca è in un'altra parte della città.
  7. Mi dispiace, non lo so. Sono uno straniero.
  8. Non si disturbi. Grazie, preferisco andare a piedi.
  9. No, grazie. Ho già prenotato una camera all'albergo.
  10. Non insista. Le ho detto di no. Basta così.
  11. Per favore mi lasci in pace. Vada per la sua strada.
  12. Telefoni subito al 113! Ecco tre gettoni.

5. Completare queste frasi.

  1. Nel centro di una grande città le strade sono ....
  2. Se per caso io non so il nome di una strada, io ....
  3. Ad un tratto, io non sapevo dove ero. Allora ....
  4. Io non capii abbastanza bene la risposta. Perciò ....
  5. L'altro giorno ho incontrato un amico, e insieme ....
  6. Non sapevo dove parcheggiare la mia macchina, per cui ....
  7. La strada era chiusa al traffico per lavori, per cui ....
  8. Oggi ho visitato tre musei, e ora ....
  9. Ero stanco e volevo un tassì. Fermai un passante e ....
  10. La "zona blu" di una città è una zona dove ....
  11. Con tutto questo traffico è proprio difficile ....
  12. Di notte la periferia di una città è ....

6. In questo brano usare il tempo giusto dei verbi indicati e marcare tutti gli avverbi e le locuzioni avverbiali.

Io sono un vigile. Una volta io *trovarsi* di passaggio in una piccola città, e *dovere* portare una lettera al figlio del sindaco. Dopo cena (io) *mettersi* in cammino. A quell'ora le piccole strade *essere* per lo più deserte e poco illuminate. (io) *Girare* di qua e di là, e alla fine *trovare* la casa. (io) *Avvicinarsi* alla porta e *sonare* il campanello.

Una vecchietta *affacciarsi* alla finestra e *domandare*: " Che cosa *volere* a quest'ora di notte? "

" Mi *scusare*: *stare* qui il sindaco? " le *chiedere*.

" No, " mi *rispondere*. " Il sindaco *avere* cambiato casa. "

" Per favore, Lei *potere* dirmi dove *abitare* adesso? "

" A dieci minuti da qui, accanto alla Questura. "

" Da che parte si *passare* per andarci? Io non *essere* di qui. "

" (Lei) *Prendere* quella strada laggiù a sinistra, e quando *arrivare* al semaforo *voltare* a destra. A metà di quella strada Lei *vedere* la Questura. C'è il cartello fuori, non *potere* sbagliare. "

Io la *ringraziare* e *avviarsi* da quella parte. *Avere* fatto poca strada, quando all'improvviso una macchina mi *passare* accanto così di corsa che quasi mi *investire*. Io *fare* appena in tempo a *scansarsi*, alzando le braccia minacciosamente. Il conducente *vedere* il mio gesto nello specchietto retrovisivo. *Fermarsi* di botto, *scendere* e *venire* verso di me, urlando: " Lei *guardare* dove *camminare*! Non *tenere* il naso per aria! " e cose simili.

Essere un giovane sui vent'anni. Io lo *prendere* per un braccio. "Ehi, ragazzo! " *esclamare*, " Tu, perché *correre* così a pazzo, specie di notte! Io sono un pubblico ufficiale: (tu) *mostrare a me* la patente. "

" Mi *lasciare* stare! " *gridare* il ragazzo. Ma io *volere* vedere la sua patente. Toh! (lui) *Essere* la persona che io *cercare*.

Naturalmente io gli *consegnare* subito la lettera. Lui *scusarsi*, e *andare* a finire che noi *passare* la serata insieme in grande allegria.

7. Tema: La mia strada nelle varie ore del giorno.

NEGOZI

Lungo le strade e intorno alle piazze delle città ci sono vari negozi, e le insegne indicano che specie di merce è venduta in quei negozi.

La merce è esposta nelle vetrine, e su ciascun articolo c'è un cartellino col prezzo. La sera i negozi sono bene illuminati, e la notte sono protetti da saracinesche che vengono alzate la mattina e abbassate la sera all'ora della chiusura.

L'arredamento di un negozio è composto di scaffali o armadi lungo le pareti, di un banco, dove·il negoziante e i suoi commessi mostrano la merce ai clienti, e una cassa alla quale i clienti pagano ciò che comprano.

Oltre ai negozi, ci sono i grandi magazzini, con ogni specie di articoli nei vari reparti. Là troviamo il reparto dell'abbigliamento, della merceria, degli articoli casalinghi, della tappezzeria e molti altri. In una parte del locale ci sono gli uffici per l'amministrazione.

Adesso guardiamo che merce è venduta nei vari negozi.

Noi compriamo il pane dal panettiere; la carne dal macellaio; il pesce dal pescivendolo; la verdura dal fruttivendolo; il latte, il burro e le uova dal lattaio; i dolci dal pasticcere. Se vogliamo mangiare fuori, andiamo in un ristorante o in una trattoria, e per un pasto in fretta, la tavola calda offre antipasti, tortellini, ravioli, panini ripieni, vino e birra.

Il droghiere vende lo zucchero, il caffè, il tè, cibo in scatola, ecc. In Italia il droghiere è spesso anche il tabaccàio, che, oltre a vendere sigari, sigarette, fiammiferi e pipe, vende anche il sale e i francobolli.

In una mesticheria troviamo il necessario per pulire e abbellire la casa: spazzole, granate, cera, sapone, vernici e pennelli.

Quando abbiamo bisogno di medicine, andiamo in una farmacia, e là generalmente troviamo anche cipria, dentifrici, brillantina, profumi e tutto ciò che serve alla cura e all'igiene della nostra persona.

In quanto al vestiario, compreremo gli abiti confezionati in un negozio di confezioni, oppure, se vogliamo abiti su misura, la sarta cucirà gli indumenti da donna, il sarto gli indumenti da uomo.

Quindi acquisteremo le scarpe, i sandali e le pantofole in una calzoleria, e infine il cappellaio provvederà i cappelli per gli uomini, e la modista i graziosi cappelli per le signore.

Un negozio importante è la merceria, che fornisce ai sarti e alle sarte il materiale per il loro lavoro, cioè: aghi, spilli, filo, bottoni, ecc.

L'uomo che vende i fiori è un fioraio. La sua vetrina è una gioia degli occhi e una festa di colori.

Però il negozio più bello di tutti è quello del gioielliere. Le signore si fermano incantate davanti alla sua sfolgorante vetrina piena di pietre preziose: brillanti, smeraldi, rubini e zaffiri, montati in anelli, braccialetti, collane e spilli. Ci sono inoltre vezzi di perle e di corallo, catene e orologi d'oro, e tanti altri ninnoli di ogni specie e qualità.

Se il negozio del gioielliere è una calamita per le donne, il negozio di ferramenta è una calamita per gli uomini. Ad essi piace girellare fra gli oggetti di ferro, rotoli di corda, maniglie, chiavi e serrature. Là trovano gli attrezzi per il giardino, il necessario per la scatola degli arnesi, e poi forbici, cavatappi, apriscatole, chiodi e viti in quantità.

Tutti questi negozianti comprano la loro merce all'ingrosso e la vendono al minuto, fuorché il venditore all'asta, che riceve articoli in deposito e li vende al maggior offerente, e infine l'umile rigattiere che compra roba usata e la vende nel suo disordinato negozio.

Alla fine della stagione, in molti negozi c'è una liquidazione, durante la quale si vendono le rimanenze a prezzo ridotto, per far posto agli acquisti della nuova stagione.

Verbi irregolari.

spendere   : spendo   – spesi   – speso
proteggere : proteggo – protessi – protetto
ridurre   : riduco   – ridussi – ridotto
convenire : convengo – convenni – convenuto.

GRAMMATICA: La congiunzione.

La congiunzione è invariabile, e serve a congiungere fra loro le varie parti del discorso.

1. Oltre alle congiunzioni semplici: *e, o, se, né, ma, però, anzi, anche, pure,* ecc., vi sono varie congiunzioni formate da *che.* Ecco le più usate:

perché   – Aprirò un negozio, perché mi piace il commercio.
poiché   – Poiché questo articolo non va, è inutile insistere.
purché   – Vi vendo questa merce, purché mi paghiate a contanti.
finché   – La liquidazione durerà finché la merce non è esaurita.
benché   – Benché sia domenica, i caffè sono aperti.
affinché – Assicureremo la merce, affinché non vada perduta.
giacché – Giacché vai in città, passa dal sarto e paga il conto.

2. Altre congiunzioni composte sono:

perciò   – Egli ha fatto cattivi affari, perciò ha fallito.
tuttavia – È bene fidarsi, tuttavia non bisogna fidarsi troppo.
siccome – Siccome fra poco c'è una liquidazione, conviene aspettare.
inoltre – Il tabaccaio ha inoltre il monopolio del sale.
oppure   – Potete scrivere, oppure telefonare.
neppure – I ristoranti non chiudono neppure la domenica.
cioè   – Pagherò a rate, cioè (vale a dire) a intervalli stabiliti.

3. Alcune congiunzioni reggono l'indicativo, altre il congiuntivo, altre l'indicativo e il congiuntivo.

Indicativo		Congiuntivo		Indic. e cong.
quindi	mentre	affinché	purché	finché non
dunque	infatti	per quanto	a patto che	appena
perciò	e poi	quantunque	come se	fuorché
siccome	in quanto	sebbene	a meno che	cosicché
poiché	vale a dire	benché	qualora	anche se

Non ho denaro, quindi (dunque, perciò) non posso fare spese. Siccome (poichè) piove, vuoi un ombrello? Mentre tu sei fuori, io scriverò delle lettere. Per quanto (quantunque, sebbene, benchè) abbia scritto a Luigi molte volte, non ho mai avuto risposta. Amo Luigi come se fosse mio fratello, anche se non lo merita. Infatti non potrei amarlo di più, anche se fosse mio fratello. Ti presto questo libro purchè (a patto che) tu lo legga. La saracinesca viene alzata al mattino, appena si apre il negozio. Troverai il principale nel suo ufficio, qualora (a meno che) non sia uscito, cosicchè gli potrai parlare. Riceve tutti i giorni fuorchè il sabato.

FRASI IDIOMATICHE.

Vendere (o comprare) a contanti, a cambiali, a credito, a rate.
Vendere (o comprare) all'ingrosso (in grande quantità) ≠ al minuto.
Fare il bilancio, l'inventario, uno sconto, una riduzione.
Questo articolo va ≠ non va (c'è, o non c'è, vendita).
Quanto costa? Può ridurre il prezzo? Sono prezzi fissi.
È troppo caro. Costa troppo. Non posso spendere tanto.
L'ho comprato per poco, per quasi nulla, per un pezzo di pane.
Posso provarmi questo cappello? queste scarpe? questo vestito?
Quando devo tornare per la prova? Devo riprovarlo ancora?
Pago qui o alla cassa? Da quale parte è la cassa?
Ha da cambiare diecimila lire? questo assegno?
Mi dispiace, non ho il resto, non ho spiccioli.
Ripasserò domani. Ci penserò. Non voglio altro, grazie.

PROVERBIO.

Chi più spende meno spende.

Esercizi.

1. Coniugare:

Aprirò un negozio di confezioni, purché mi convenga. Compro all'ingrosso e vendo al minuto. Se non faccio l'inventario, non posso fare neanche il bilancio. Quando devo tornare per la prova? Gestirò questo negozio come se fosse mio. Andavo ogni mattina a fare la spesa al mercato, anche se avevo poca roba da comprare. Non ho neanche uno spicciolo: sono al verde.

2. Domande:

Perché esistono i negozi? Dove sono?
Dov'è segnalata ed esposta la merce?
Chi compra la merce? da chi? Chi la vende? a chi?
In quanti modi si può pagare ciò che si compra?
In che consiste l'arredamento di un negozio?
Cos'è una saracinesca? Quando si alza? Quando si abbassa?
Cos'è un grande magazzino?
Dove compriamo la roba da mangiare?
Qual è la differenza fra: ristorante, trattoria, tavola calda?
Cosa compriamo dal droghiere? dal farmacista?
Dove compriamo il sale? i giornali? la ceralacca? il formaggio?
Chi vende le scarpe? i cappelli? le calze? i bottoni?
Cos'è un negozio di ferramenta?
Cosa c'è in una scatola di arnesi?
Cosa vende il cartolaio? il libraio? il gioielliere?
Che differenza c'è fra un rigattiere e un antiquario?
Cosa fa il venditore d'asta?
Quando e perché c'è una liquidazione?
Cosa vuol dire « fare l'inventario »?
Quando e perché si fa l'inventario? il bilancio?
Quali negozi restano aperti la domenica? Perché?
? – Si comprano dal fioraio.
? – L'ho comprato da un rigattiere per un pezzo di pane.
? – Perché alle donne piacciono i gioielli, agli uomini gli arnesi.
? – Sono rispettivamente i negozi del lattaio, farmacista, macellaio, droghiere, fornaio, pasticcere, merciaio, libraio, cartolaio.

3. Tema: «Stamattina sono andata a fare spese.... ». Proseguite, dando un dettagliato resoconto dei vostri acquisti.

4. Sostituire le parole in corsivo con congiunzioni sinonime, scegliendole fra: *sebbene, almeno, infine, siccome, cioè, oppure.*

Io avevo voglia di una pelliccia macchiata, *vale a dire* di giaguaro, o di leopardo, o *se non altro*.... di gatto. Ma *poiché* avevo pochi soldi, aspettavo un'occasione.

Un giorno, durante il periodo delle liquidazioni, io vidi una bella pelliccia di leopardo nella vetrina di un negozio. *Benché* sulla porta ci fosse scritto " **Occasioni** ", esitai un poco. *Alla fine* mi feci coraggio ed entrai.

5. Scrivere il dialogo fra la commessa e la cliente, secondo le indicazioni.

Io salutai la commessa con molto garbo.
Lei rispose al saluto. Poi mi domandò in che poteva servirmi.
Io dissi che avevo intenzione di comprare una pelliccia.
Lei mi chiese che specie di pelliccia preferivo.
Io risposi che mi piaceva molto la pelliccia che era in vetrina.
La commessa mi spiegò che quella era una pelliccia rara, poiché la caccia ai leopardi era proibita, e mi domandò se volevo sapere il prezzo.
Io dichiarai che non potevo permettermi una grossa spesa. Quindi era inutile che lei mi dicesse il prezzo....
Ma la commessa lo disse: un prezzo da capogiro. Tuttavia, essa aggiunse che, trattandosi di una rimanenza, poteva fare uno sconto, purché io pagassi in contanti.
Io dissi che non potevo pagare tanto, neppure con lo sconto.
Allora lei mi chiese se volevo vedere altre pellicce meno care.
Ma io preferii di no. La ringraziai, mi scusai del disturbo, la salutai ed uscii.

6. Leggere questo paragrafo in 3ª persona. Soggetto: Diana.

Però, in un giornale che era sul banco del negozio io avevo visto una reclame: la figura di una ragazza con una pelliccia di leopardo, e sotto c'era scritto: " **Pellicce sintetiche, calde. Prezzi incredibili.** " e l'indirizzo della ditta.

Andai là. Mi provai una pelliccia di leopardo sintetico, leggera, soffice, un sogno. E.... costava poco. La comprai immediatamente.

Uscii dal negozio felice e contenta, anche se il leopardo che avevo nel sacco non era nato, né aveva mai ruggito, nelle misteriose foreste dell'India!

LEZIONE 40ª

IN AEREO

Oggi la tendenza moderna, coi comodi e rapidi **mezzi di trasporto**, è di viaggiare non solo per affari ma anche per piacere. La gente lavora, e guadagna abbastanza denaro per spenderne una parte in viaggi e visitare nuovi paesi al di là delle proprie frontiere. Quando l'estate si avvicina, tutti cominciamo a fare i piani per le vacanze. Entriamo nelle agenzie di viaggi, prendiamo gli opuscoli coi vari itinerari, ce li portiamo a casa e li studiamo con attenzione; se andiamo con un amico o un'amica, glieli mostriamo, e insieme finalmente prendiamo una decisione secondo la spesa, i desideri e il tempo che abbiamo.

Il tempo: ecco il grande problema del giorno. Spesso il tempo che abbiamo non è molto: un viaggio per terra o per mare prende una gran parte di quel tempo prezioso: non possiamo permettercelo. Allora il solo mezzo per noi è l'aeroplano: il mezzo più rapido di tutti.

Avendo deciso di viaggiare in aereo, prima di tutto dobbiamo procurarci i posti in un apparecchio di una Compagnia Aerea, e incarichiamo un'agenzia di viaggi di procurarceli. Sui biglietti c'è la data, l'ora in cui dobbiamo trovarci alla stazione terminale della Compagnia e l'ora del decollo dell'apparecchio dall'aeroporto.

Alla stazione terminale, un funzionario della Compagnia ci chiederà i biglietti: noi dovremo mostrarglieli. Poi peserà il nostro bagaglio. È permesso portare venti chili per persona; se c'è eccedenza, ce la farà pagare. Dopo ciò ogni passeggero riceve una carta d'imbarco e passa nella sala d'aspetto, in attesa del torpedone che lo condurrà all'aeroporto.

Quando siamo all'aeroporto, c'è da passare la dogana. Un altro funzionario esaminerà i nostri passaporti, ci domanderà se abbiamo nulla da dichiarare, e qualche volta ci chiederà le chiavi delle valigie per verificarne il contenuto. Se nelle valigie c'è merce soggetta a dogana e non gliel'abbiamo dichiarata, ci farà pagare la dogana e anche una multa. Perciò, avendo tale merce, sarà bene dichiarargliela subito e pagare soltanto la dogana.

Finalmente il numero del nostro volo è annunziato. Ci chiedono le carte d'imbarco per ritirarcele, ed eccoci sulla pista di volo. Il nostro apparecchio è là, pronto per decollare. Ogni passeggero, quando è sull'aereo, deve allacciarsi la cintura di sicurezza; potrà slacciarsela durante il volo, ma dovrà allacciarsela di nuovo al momento dell'atterraggio.

A bordo dell'aereo il passeggero passa il tempo senza accorgersene. Può chiedere ciò che vuole. Desidera un caffè o un whisky? Glielo portano subito. Dei dolci? Glieli offrono in grandi vassoi. Un'informazione? Gliela danno con esattezza. Delle sigarette? Gliele procurano di ogni marca. La hostess è a sua completa disposizione per tutto il viaggio, cercando di renderglielo comodo e piacevole.

Intanto l'aereo, col suo prezioso carico umano, vola come un uccello gigantesco sopra i monti e le valli, i mari e i fiumi, le città e i villaggi, attraversa le nuvole e percorre lo spazio a velocità fantastica. E il passeggero, seduto nella sua comoda poltrona, legge, fuma, chiacchiera e dorme.

Quando l'ora dell'atterraggio si avvicina, c'è un risveglio generale. Cominciano le domande. " A che ora atterriamo? Siamo in orario? C'è la nebbia? " E le risposte: " No, no, sono nuvole. Siamo in perfetto orario. Tutto va bene."

Ecco la pista d'atterraggio in lontananza. Il treno volante rallenta la velocità, plana dolcemente, tocca terra, si ferma. In poche ore ha trasportato l'uomo di affari, o il turista, da una parte all'altra del globo, evitandogli i disagi e la stanchezza di un lungo viaggio di terra o di mare.

GRAMMATICA: I DOPPI PRONOMI.

I pronomi *mi, ti, si, ci, vi* possono essere seguiti da altri pronomi.

Soggetto	Dativo	Accusativo	
Piero	manda a me	un libro	
Piero	mi manda	un libro	
Piero	me	lo	manda

1. ***Mi, ti, si, ci, vi*** diventano ***me, te, se, ce, ve*** davanti a un altro pronome.

	mi	manda	un	libro	– me lo	manda
	ti	manda	dei	libri	– te li	manda
Piero	si	compra	una	rivista	– se la	compra
	ci	compra	le	sigarette	– ce le	compra
	vi	parla	di	Venezia	– ve ne	parla

2. Il pronome ***gli*** (*to him*) diventa ***glie,*** ed è unito all'altro pronome.

	gli	manda	un	libro	– glielo	manda
	gli	manda	dei	libri	– glieli	manda
Piero	gli	compra	una	rivista	– gliela	compra
	gli	compra	le	sigarette	– gliele	compra
	gli	parla	di	Venezia	– gliene	parla

3. Le forme ***glielo, glieli, ecc.*** servono anche per il femminile.

Se lui, o lei, vuole un caffè — glielo portano
Se lui, o lei, vuole dei dolci — glieli portano
Se lui, o lei, vuole una birra — gliela portano
Se lui, o lei, vuole le banane — gliele portano
Se lui, o lei, ne vuole soltanto due — gliene portano due

Piero voleva il mio indirizzo, e io glielo detti.
Maria voleva una sigaretta, e io gliela offrii.
Mia figlia desiderava dei libri, e io glieli mandai.
Mio figlio desiderava delle cravatte, e io gliele comprai.
Mia moglie desiderava una borsa, e io gliene comprai due.
Desidera un giornale, signore? Glielo porto subito.
Questa è la sua borsa, signora: gliela metto qui.
Voleva delle sigarette, signore? Gliele procuro subito.
Se vuole dei tortellini, signore, gliene ordino una porzione.

DOPPI PRONOMI AFFISSI.

I doppi pronomi sono uniti ad alcune forme del verbo.
Una di queste forme è l'infinito:

Infinito + dativo + accusativo	*Infinito + riflessivo + accusativo*	
È necessario scriver-**me-lo**	Desidero	comprar-**me-lo**
È necessario scriver-**te-lo**	Desideri	comprar-**te-lo**
È necessario scriver-**glie-lo**	Desidera	comprar-**se-lo**
È necessario scriver-**ce-lo**	Desideriamo	comprar-**ce-lo**
È necessario scriver-**ve-lo**	Desiderate	comprar-**ve-lo**
È necessario scriver-**lo** loro	Desiderano	comprar-**se-lo**

Come i pronomi semplici, questi pronomi sono uniti:

1. all'*infinito*

Vuole dare un libro a me	–	Vuole darmelo
Vuole dare una penna a te	–	Vuole dartela
Vuole dare la mancia a lui	–	Vuole dargliela
Vuole dare delle rose a lei	–	Vuole dargliele
Vuole offrire dei dolci a noi	–	Vuole offrirceli
Vuole offrire del vino a voi	–	Vuole offrirvelo
Vuole parlare di ciò a lei	–	Vuole parlargliene

2. al *gerundio*

Mandando un libro a lui	–	Mandandoglielo
Offrendo una rosa a lei	–	Offrendogliela
Scrivendo questo a noi	–	Scrivendocelo
Comprando dei dolci a voi	–	Comprandoveli
Pagando i conti a lui	–	Pagandoglieli
Dando le chiavi a lei	–	Dandogliele
Parlando di ciò a noi	–	Parlandocene

3. all'*imperativo*

Manda un libro a me!	–	Mandamelo!
Porta un regalo a lui!	–	Portaglielo!
Offri una rosa a lei!	–	Offrigliela!
Date i giornali a noi!	–	Dateceli!
Date le chiavi a noi!	–	Datecele!
Scrivete ciò a Piero!	–	Scriveteglielo!
Dite ciò a Maria!	–	Diteglielo!

4. all'avverbio *ecco*

Ecco il lapis per te!	–	Eccotelo!
Ecco una penna per lui	–	Eccogliela
Ecco dei fiori per lei	–	Eccoglieli
Ecco un caffè per Lei, signore!	–	Eccoglielo!
Ecco a Lei la chiave, signora!	–	Eccogliela!
Ecco dei dolci per Lei, signore!	–	Eccoglieli!
Ecco le rose per Lei, signora!	–	Eccogliele!
Ecco una rivista per voi!	–	Eccovela!

FRASI UTILI:

" Niente da dichiarare? " " Niente. Può guardare, se vuole. "
" Che cosa c'è in quella valigia? " "Biancheria ed effetti personali. "
" Gli effetti sono usati? " " Sì, sono tutti usati. "
" Tabacco? " " Niente tabacco. " "Profumi? " "Niente profumi. "
" Sigarette? " " Soltanto la quantità permessa. "
" Regali? " " Soltanto piccole cose di poco valore. "
" Liquori? " " Ho tre bottiglie di gin. Quant'è la dogana? "

FRASI IDIOMATICHE:

Viaggiare per affari. Viaggiare per piacere.
Spendere il denaro in viaggi, in libri, ecc.
Fare i piani per le vacanze, per un viaggio, ecc.
Passare la dogana.
Essere a disposizione. Essere in orario ≠ essere in ritardo.
Toccare terra. Tutto va bene!

———

Esercizi.

1. Completare in tutte le persone:

Quando mi piace una cosa, me la compro. Anche se spendo molto, non me ne importa. Adesso me ne vado. Desidero andarmene a casa. Questo viaggio costa troppo: non posso permettermelo. Se ho bisogno di denaro, i miei me lo mandano. Se non ho sigarette, posso procurarmele in aereo. Quando ho molto bagaglio, me lo faccio spedire per ferrovia. Se vedo Carlo, gliene parlo. Se incontro Maria, glielo dico.

2. Sostituire i nomi con pronomi:

Aprite la valigia (apritela). Apritemi la valigia (apritemela). Offrimi una sigaretta! Potete spedirmi i libri? – le scarpe? – la valigia? – il baule? Ci scriverai una lettera? Vi manderò una fotografia, – dei giornali, – delle riviste. Manderò un mazzo di fiori alla signora, – delle rose. Mi permettete ciò? Vi sono grato di ciò. Dammi la borsa, – il cappello, – i guanti. Devo scrivere a lui? – a lei? Devo scrivere ciò a lui? – a lei? Dimmi ciò. Ditemi ciò. Non posso dirle questo. Non posso dirvi questo.

3. Trovare gli opposti:

Decollo. Decollare. Devo allacciarmi la cintura. Devo allacciarmela. L'aereo si alza. Alzano gli occhi. Un lento mezzo di trasporto. Un viaggio lungo, scomodo e spiacevole. Tutto va bene!

4. Domande:

Perché oggi la gente viaggia più spesso di prima?
La gente viaggia soltanto per affari?
Che cosa facciamo quando l'estate si avvicina?
Perché spesso decidiamo di viaggiare in aereo?
Che cosa facciamo per procurarci i biglietti?
Avendo dei liquori, a chi dobbiamo dichiararli? Perché?
Quando dovremo mostrare i nostri passaporti?
Quando i funzionari ci danno le carte d'imbarco?
Quando ce le ritirano?
Che cosa deve fare il passeggero appena è sull'aereo?
Quante volte deve il passeggero allacciarsi la cintura?
Che cosa fa la hostess durante il volo?
Quando comincia l'aereo ad abbassarsi?
? – È scritta sul biglietto dell'aereo.
? – Lo attendiamo alla Stazione Terminale.
? – Il più rapido mezzo di trasporto è l'aereo.
? – È il tassì, o la sotterranea.
? – Perché sperano di andarci un giorno o l'altro.

5. Inserire due pronomi negli spazi vuoti.

   1. Che belle rose! .... regalate una?
   2. Se tu vuoi conoscere quella persona, io .... presento.
   3. Lei deve andare dal medico oggi: .... ricorderà?
   4. Signore, non capisco questa regola. Per favore .... ripeta.
   5. Se io vi chiedo un favore, voi .... farete?
   6. È inutile fabbricare cappelli: oggi nessuno .... mette.
   7. Se voi volete vedere i miei quadri, io .... mostro.
   8. Per favore ci mandi quei libri: .... mandi al più presto.

6. Inserire un pronome doppio negli spazi vuoti.

   1. Ho fatto delle belle fotografie e .... manderò.
   2. Se Lei vuole comprare la mia macchina, io .... vendo.
   3. Le piace questo libro? Sì? Allora io .... regalo.
   4. Giulio voleva il mio indirizzo, ma io non .... detti.
   5. Se Lei vuole vendere i suoi dischi, ... compro io.
   6. Mariella non aveva abbastanza denaro, e io .... prestai.
   7. Mio figlio vorrebbe le chiavi di casa, ma io non .... do!
   8. Se Lei non ha capito questi pronomi, io .... spiego di nuovo.

7. Unire il verbo della frase al doppio pronome.
   Es.: Compra un giornale a Carlo. *Compraglielo.*

1. Passa l'orario a Gianna.	9. Dammi un lapis.
2. Racconta il fatto a Leo.	10. Dammi la borsa.
3. Manda dei fiori a Luisa.	11. Dagli i giornali.
4. Manda dei dolci a Marco.	12. Dalle le riviste.
5. Offrite a noi una birra.	13. Dimmi il numero.
6. Portate a me un gelato.	14. Dille la verità.
7. Compratevi una valigia.	15. Falle il favore.
8. Scrivici sopra il nome.	16. Fagli capire ciò.

   1. Scrivimi il tuo indirizzo: .... su questa busta.
   2. Portate quei fogli al Signor Bei: .... nel suo ufficio.
   3. Per favore, dai la ricevuta al direttore: .... subito.
   4. Spediteci la nostra corrispondenza: .... appena arriva.
   5. Impostami queste lettere: .... al più presto.
   6. Voglio dirti la verità, e voglio .... subito.
   7. Prenditi una vacanza: .... in estate.
   8. E includici l'Italia: .... in ogni modo!

COMMIATO

Adesso, cari amici, è venuto il momento di salutarci, perché le lezioni di questo libro sono finite. La mia intenzione è stata di presentarvi delle lezioni semplici e pratiche per farvi imparare l'italiano di cui avete bisogno: la lingua che si sente in Italia nelle vie, nei negozi, negli alberghi, nei teatri e caffè, e che si legge sui giornali e sulle riviste del giorno.

Credo di aver raggiunto il mio intento, tenendo la mente aperta alle vostre difficoltà, cercando di aiutarvi a superarle col grande mezzo della chiarezza e con spirito di comprensione e simpatia. Per molti mesi, attraverso queste pagine io sono entrata nelle vostre case e nelle vostre scuole come una presenza viva, la presenza di una persona amica fra amici. Ma anche gli amici, spesso, si dicono addio.

"Addio" è una parola triste, perché indica una separazione, una fine. Ma per noi non è esattamente così. Quello che avete imparato non è la fine, perché imparare non ha fine. È soltanto il mezzo che vi permetterà di procedere con passo sicuro verso altre forme di cultura: per alcuni potrà essere la letteratura, per altri il giornalismo, la politica, il commercio ed altre ancora, secondo le vostre inclinazioni e predilezioni, ma che richiedono di sapere già intendere e parlare il semplice italiano di tutti i giorni. Tuttavia, basterà soltanto quest'ultima prerogativa per darvi il desiderio di conoscere meglio e con più interesse l'Italia e gli italiani, stabilire utili contatti, fare nuovi amici ed avere una continuità nel tempo.

Perciò adesso io non dirò la parola che segna un termine.

Dirò semplicemente:

Ciao!

Verbi

Coniugazione del verbo « essere »

Indicativo		Congiuntivo	
Presente	*Passato prossimo*	*Presente*	*Passato prossimo*
sono	sono stato -a	sia	sia stato -a
sei	sei stato	sia	sia stato
è	è stato	sia	sia stato
siamo	siamo stati -e	siamo	siamo stati -e
siete	siete stati	siate	siate stati
sono	sono stati	siano	siano stati
Imperfetto	*Trapass. prossimo*	*Imperfetto*	*Trapassato*
ero	ero stato -a	fossi	fossi stato -a
eri	eri stato	fossi	fossi stato
era	era stato	fosse	fossi stato
eravamo	eravamo stati -e	fossimo	fossimo stati -e
eravate	eravate stati	foste	foste stati
erano	erano stati	fossero	fossero stati

		Imperativo	
Perfetto	*Trapass. perfetto*	*Positivo*	*Negativo*
fui	fui stato -a	—	—
fosti	fosti stato	sii!	non essere!
fu	fu stato	sia!	non sia!
fummo	fummo stati -e	siamo!	non siamo!
foste	foste stati	siate!	non siate!
furono	furono **stati**	siano!	non siano!

		Condizionale	
Futuro	*Futuro anteriore*	*Presente*	*Passato*
sarò	sarò stato -a	sarei	sarei stato -a
sarai	sarai stato	saresti	saresti stato
sarà	sarà stato	sarebbe	sarebbe stato
saremo	saremo stati -e	saremmo	saremmo stati -e
sarete	sarete stati	sareste	sareste stati
saranno	saranno stati	sarebbero	sarebbero stati

Participio *passato*: stato

Gerundio { *semplice* : essendo
composto : essendo stato

Coniugazione del verbo « avere »

Indicativo		Congiuntivo	

Presente	*Passato prossimo*	*Presente*	*Passato prossimo*
ho	ho avuto	abbia	abbia avuto
hai	hai avuto	abbia	abbia avuto
ha	ha avuto	. abbia	abbia avuto
abbiamo	abbiamo avuto	abbiamo	abbiamo avuto
avete	avete avuto	abbiate	abbiate avuto
hanno	hanno avuto	abbiano	abbiano avuto

Imperfetto	*Trapass. prossimo*	*Imperfetto*	*Trapassato*
avevo	avevo avuto	avessi	avessi avuto
avevi	avevi avuto	avessi	avessi avuto
aveva	aveva avuto	avesse	avesse avuto
avevamo	avevamo avuto	avessimo	avessimo avuto
avevate	avevate avuto	aveste	aveste avuto
avevano	avevano avuto	avessero	avessero avuto

Imperativo

Perfetto	*Trapass. perfetto*	*Positivo*	*Negativo*
ebbi	ebbi avuto	—	—
avesti	avesti avuto	abbi!	non avere!
ebbe	ebbe avuto	abbia!	non abbia!
avemmo	avemmo avuto	abbiamo!	non abbiamo!
aveste	aveste avuto	abbiate!	non abbiate!
ebbero	ebbero avuto	abbiano!	non abbiano!

Condizionale

Futuro	*Futuro anteriore*	*Presente*	*Passato*
avrò	avrò avuto	avrei	avrei avuto
avrai	avrai avuto	avresti	avresti avuto
avrà	avrà avuto	avrebbe	avrebbe avuto
avremo	avremo avuto	avremmo	avremmo avuto
avrete	avrete avuto	avreste	avreste avuto
avranno	avranno avuto	avrebbero	avrebbero avuto

Participio *passato*: avuto

Gerundio { *semplice* : avendo
{ *composto* : avendo avuto

Coniugazioni regolari

Infinito

Parl-**are**	Tem-**ere**	Part-**ire**

Indicativo

Presente

parl-o	tem-o	part-o
parl-i	tem-i	part-i
parl-a	tem-e	part-e
parl-iamo	tem-iamo	part-iamo
parl-ate	tem-ete	part-ite
parl-ano	tem-ono	part-ono

Imperfetto

parl-avo	tem-evo	part-ivo
parl-avi	tem-evi	part-ivi
parl-ava	tem-eva	part-iva
parl-avamo	tem-evamo	part-ivamo
parl-avate .	tem-evate	part-ivate
parl-avano	tem-evano	part-ivano

Passato prossimo

ho parlato	ho temuto	sono partito (-a)
hai parlato	hai temuto	sei partito
ha parlato	ha temuto	è partito
abbiamo parlato	abbiamo temuto	siamo partiti (-e)
avete parlato	avete temuto	siete partiti
hanno parlato	hanno temuto	sono partiti

Perfetto (o passato remoto)

parl-ai	tem-ei	part-ii
parl-asti	tem-esti	part-isti
parl-ò	tem-è	part-ì
parl-ammo	tem-emmo	part-immo
parl-aste	tem-este	part-iste.
parl-arono	tem-erono	part-irono

Trapassato prossimo

avevo parlato	avevo temuto	ero partito (-a)
avevi parlato	avevi temuto	eri partito
aveva parlato	aveva temuto	era partito
avevamo parlato	avevamo temuto	eravamo partiti (-e)
avevate parlato	avevate temuto	eravate partiti
avevano parlato	avevano temuto	erano partiti

Trapassato perfetto

ebbi parlato	ebbi temuto	fui partito (-a)
avesti parlato	avesti temuto	fosti partito
ebbe parlato	ebbe temuto	fu partito
avemmo parlato	avemmo temuto	fummo partiti (-e)
aveste parlato	aveste temuto	foste partiti
ebbero parlato	ebbero temuto	furono partiti

Futuro

parl-erò	tem-erò	part-irò
parl-erai	tem-erai	part-irai
parl-erà	tem-erà	part-irà
parl-eremo	tem-eremo	part-iremo
parl-erete	tem-erete	part-irete
parl-eranno	tem-eranno	part-iranno

Futuro anteriore

avrò parlato	avrò temuto	sarò partito (-a)
avrai parlato	avrai temuto	sarai partito
avrà parlato	avrà temuto	sarà partito
avremo parlato	avremo temuto	saremo partiti (-e)
avrete parlato	avrete temuto	sarete partiti
avranno parlato	avranno temuto	saranno partiti

Congiuntivo

Presente

par-li	tem-a	part-a
parl-i	tem-a	part-a
parl-i	tem-a	part-a
parl-iamo	tem-iamo	part-iamo
parl-iate	tem-iate	part-iate
parl-ino	tem-ano	part-ano

Imperfetto

parl-assi	tem-essi	part-issi
parl-assi	tem-essi	part-issi
parl-asse	tem-esse	part-isse
parl-assimo	tem-essimo	part-issimo
parl-aste	tem-este	part-iste
parl-assero	tem-essero	part-issero

Passato

abbia parlato	abbia temuto	sia partito (-a)
abbia parlato	abbia temuto	sia partito
abbia parlato	abbia temuto	sia partito
abbiamo parlato	abbiamo temuto	siamo partiti (-e)
abbiate parlato	abbiate temuto	siate partiti
abbiano parlato	abbiano temuto	siano partiti

Trapassato

avessi parlato	avessi temuto	fossi partito (-a)
avessi parlato	avessi temuto	fossi partito
avesse parlato	avesse temuto	fosse partito
avessimo parlato	avessimo temuto	fossimo partiti (-e)
aveste parlato	aveste temuto	foste partiti
avessero parlato	avessero temuto	fossero partiti

Condizionale

Presente

parl-erei	tem-erei	part-irei
parl-eresti	tem-eresti	part-iresti
parl-erebbe	tem-erebbe	part-irebbe
parl-eremmo	tem-eremmo	part-iremmo
parl-ereste	tem-ereste	part-ireste
parl-erebbero	tem-erebbero	part-irebbero

Passato

avrei parlato	avrei temuto	sarei partito (-a)
avresti parlato	avresti temuto	saresti partito
avrebbe parlato	avrebbe temuto	sarebbe partito
avremmo parlato	avremmo temuto	saremmo partiti (-e)
avreste parlato	avreste temuto	sareste partiti
avrebbero parlato	avrebbero temuto	sarebbero partiti

Imperativo

—		—		—
parl-a!		tem-i!		part-i!
parl-i!		tem-a!		part-a!
parl-iamo!		tem-iamo!		part-iamo!
parl-ate!		tem-ete!		part-ite!
parl-ino!		tem-ano!		part-ano!

Participio
Passato

parl-ato		tem-uto		part-ito

Gerundio
Semplice

parl-ando		tem-endo		part-endo

Composto

avendo parlato		avendo temuto		essendo partito

VERBI IRREGOLARI PIÙ COMUNI

(Disposti in ordine alfabetico)

accèndere   *p. p.* acceso
Perf. accesi, accendesti, accese;
   accendemmo, accendeste, accesero.

accògliere come cògliere

accòrgersi (riflessivo)   *p. p.* accòrto
Perf. mi accorsi, ti accorgesti, si ac-
   còrse; ci accorgemmo, vi accor-
   geste, si accòrsero.

amméttere come mettere

andare   *p. p.* andato
Pres. ind. vo (vado), vai, va;
   andiamo, andate, vanno.
Fut. anderò, ecc. (e andrò).
Cond. anderèi, ecc. (e andrèi).
Pres. cong. vada, vada, vada;
   andiamo, andiate, vadano.
Imperat. -, vai! vada!
   andiamo! andate! vadano!

apparire   *p. p.* apparso
Perf. apparvi, apparisti, apparve;
   apparimmo, appariste, apparvero.

appartenere come tenere

appèndere   *p. p.* appeso
Perf. appesi, appendesti, appese;
   appendemmo, appendeste, appesero.

apprèndere come prèndere

aprire   *p. p.* apèrto
Perf. aprii, apristi, aprì;
   aprimmo, apriste, aprirono.

attèndere come tèndere

bere   *p. p.* bevuto
Perf. bevvi, bevesti, bevve;
   bevemmo, beveste, bevvero.
Fut. berrò, berrai, ecc.
Cond. berrèi, berresti, ecc.

cadere   *p. p.* caduto
Perf. caddi, cadesti, cadde;
   cademmo, cadeste, caddero.
Fut. cadrò, cadrai, ecc.
Cond. cadrèi, cadresti, ecc.

chièdere   *p. p.* chièsto
Perf. chièsi, chiedesti, chièse;
   chiedemmo, chiedeste, chièsero.

chiùdere   *p. p.* chiuso
Perf. chiusi, chiudesti, chiuse;
   chiudemmo, chiudeste, chiusero.

cògliere   *p. p.* còlto
Pres. còlgo, cògli, còglie;
   cogliamo, cogliete, còlgono.
Perf. còlsi, cogliesti, còlse;
   cogliemmo, coglieste, còlsero.
Cong. pres. còlga, còlga, còlga;
   cogliamo, cogliate, còlgano.
Imperat. -, cògli! còlga!
   cogliamo! cogliete! còlgano!

comporre come porre

comprèndere come prèndere

concèdere   *p. p.* concèsso
Perf. concèssi, concedesti, concèsse;
   concedemmo, concedeste, concèssero.

conclùdere come chiudere

condurre come tradurre

confóndere *p. p.* confuśo
Perf. confuśi, confondesti, confuśe; confondemmo, confondeste, confuśero.

conóscere *p. p.* conosciuto
Perf. conobbi, conoscesti, conobbe; conoscemmo, conosceste, conobbero.

contenere come tenere

convìncere come vìncere

córrere *p. p.* corso
Perf. corsi, corresti, corse; corremmo, correste, corsero.

corrèggere come règgere

corrispóndere come rispondere

créscere *p. p.* cresciuto
Perf. crebbi, crescesti, crebbe; crescemmo, cresceste, crebbero.

cucire *p. p.* cucito
Pres. cucio, cuci, cuce; cuciamo, cucite, cuciono.

cuòcere *p. p.* còtto
Pres. cuòcio, cuòci, cuòce; cociamo, cocete, cuòciono.
Perf. còssi, cocesti, còsse; cocemmo, coceste, còssero.

dare *p. p.* dato
Pres. do, dài, dà; diamo, date, dànno.
Perf. dètti, desti, dètte; demmo, deste, dèttero.
Fut. darò, darai, ecc.
Cond. darèi, daresti, ecc.
Cong. pres. dia, dia, dia; diamo, diate, diano.
Imperf. dessi, dessi, desse; dessimo, deste, dessero.
Imperat. -, dai! dia! diamo! date! diano!

decìdere *p. p.* deciśo
Perf. deciśi, decidesti, deciśe; decidemmo, decideste, deciśero.

descrìvere come scrivere

difèndere *p. p.* difeso
Perf. difesi, difendesti, difese; difendemmo, difendeste, difesero.

diffóndere come confondere

dipèndere *p. p.* dipeso
Perf. dipesi, dipendesti, dipese; dipendemmo, dipendeste, dipesero.

dipingere *p. p.* dipinto
Perf. dipinsi, dipingesti, dipinse; dipingemmo, dipingeste, dipinsero.

dire *p. p.* detto
Pres. dico, dici, dice; diciamo, dite, dicono.
Imperf. dicevo, dicevi, ecc.
Perf. dissi, dicesti, disse; dicemmo, diceste, dissero.
Fut. dirò, dirai, ecc.
Cond. dirèi, diresti, ecc.
Cong. pres. dica, dica, dica; diciamo, diciate, dicano.
Imperf. dicessi, dicessi, dicesse; dicessimo, diceste, dicessero.
Imperat. -, di'! dica! diciamo! dite! dicano!

dirìgere *p. p.* dirètto
Perf. dirèssi, dirigesti, dirèsse; dirigemmo, dirigeste, dirèssero.

discùtere *p. p.* discusso
Perf. discussi, discutesti, discusse; discutemmo, discuteste, discussero.

dispiacere come tacere

distèndere come tèndere

distìnguere *p. p.* distinto
Perf. distinsi, distinguesti, distinse; distinguemmo, distingueste, distinsero.

divenire come venire

divìdere   *p. p.* diviśo
Perf. diviśi, dividesti, diviśe;
dividemmo, divideste, diviśero.

dolersi   *p. p.* doluto
Pres. mi dòlgo, ti duòli, si duòle;
ci dogliamo, vi dolete, si dòlgono.
Perf. mi dòlsi, ti dolesti, si dòlse;
ci dolemmo, vi doleste, si dòlsero.
Fut. mi dorrò, ti dorrai, ecc.
Cond. mi dorrèi, ti dorresti, ecc.
Cong. mi dòlga, ti dòlga, si dòlga;
ci dogliamo, vi dogliate, si dòlgano.
Imperat. -, duòliti! si dòlga!
dogliamoci! doletevi! si dòlgano!

dovere   *p. p.* dovuto
Ind. pres. devo (debbo), devi, deve;
dobbiamo, dovete, devono (deb-
bono).
Fut. dovrò, dovrai, dovrà, ecc.
Cond. dovrei, dovresti, dovrebbe;
dovremmo, dovreste, dovrebbero.
Cong. pres. deva (debba), deva, deva;
dobbiamo, dobbiate, devano (deb-
bano).
Imperat. -, devi! deve!
dobbiamo! dovete! devono! (deb-
bano!).

esclùdere come chiudere

esprìmere   *p. p.* esprèsso
Perf. esprèssi, esprimesti, esprèsse;
esprimemmo, esprimeste, esprèssero.

fare (facere)   *p. p.* fatto
Pres. fo (faccio), fai, fa;
facciamo, fate, fanno.
Perf. feci, facesti, fece;
facemmo, faceste, fecero.
Fut. farò, farai, ecc.
Cond. farèi, faresti, ecc.
Cong. pres. faccia, faccia, faccia;
facciamo, facciate, facciano.
Imperf. facessi, facessi, facesse;
facessimo, faceste, facessero.

Imperat. -, fai! faccia!
facciamo! fate! facciano!

fìngere   *p. p.* finto
Perf. finsi, fingesti, finse;
fingemmo, fingeste, finsero.

giacere come tacere

giocare   *p. p.* giocato
Pres. giuòco, giuòchi, giuòca;
giochiamo, giocate, giuòcano.
Cong. pres. giuòchi, giuòchi, giuòchi;
giochiamo, giochiate, giuòchino.
Imperat. -, giuòca! giuochi!
giochiamo! giocate! giuòchino!

giùngere   *p. p.* giunto
Perf. giunsi, giungesti, giunse;
giungemmo, giungeste, giunsero.

inclùdere come chiudere

intèndere come tèndere

invàdere   *p. p.* invaśo
Perf. invaśi, invadesti, invaśe;
invademmo, invadeste, invaśero.

lèggere   *p. p.* lètto
Perf. lèssi, leggesti, lèsse;
leggemmo, leggeste, lèssero.

mantenere come tenere

méttere   *p. p.* messo
Perf. miśi, mettesti, miśe;
mettemmo, metteste, miśero.

mòrdere   *p. p.* mòrso
Perf. mòrsi, mordesti, mòrse;
mordemmo, mordeste, mòrsero.

morire   *p. p.* mòrto
Pres. muòio, muòri, muòre;
moriamo, morite, muòiono.
Fut. morrò, morrai, morrà;
morremo, morrete, morranno.
Cond. morrèi, morresti, morrèbbe;
morremmo, morreste, morrèbbero.
Cong. pres. muòia, muòia, muòia;
moriamo, moriate, muòiano.

Imperat. -, muòri! muòia!
moriamo! morite! muòiano!

muòvere   *p. p.* mòsso
Pres. muòvo, muòvi, muòve;
moviamo, movete, muòvono.
Perf. mòssi, movesti, mòsse;
movemmo, moveste, mòssero.

nàscere   *p. p.* nato
Pres. nasco, nasci, nasce;
nasciamo, nascete, nascono.
Perf. nacqui, nascesti, nacque;
nascemmo, nasceste, nacquero.

nascóndere   *p. p.* nascosto
Perf. nascosi, nascondesti, nascose;
nascondemmo, nascondeste, nascosero.

offèndere   *p. p.* offeso
Perf. offesi, offendesti, offese;
offendemmo, offendeste, offesero.

ottenere come tenere

parere   *p. p.* parso
Pres. paio, pari, pare;
pariamo, parete, paiono;
Perf. parvi, paresti, parve;
paremmo, pareste, parvero.
Fut. parrò, parrai, ecc.
Cond. parrèi, parresti, ecc.
Cong. pres. paia, paia, paia;
pariamo, pariate, paiano.

percuòtere   *p. p.* percòsso
Perf. percòssi, percotesti, percòsse;
percotemmo, percoteste, percòssero.

pèrdere   *p. p.* pèrso (o perduto)
Perf. pèrsi, perdesti, pèrse;
perdemmo, perdeste, pèrsero.

perméttere come mettere

persuadere   *p. p.* persuaśo
Perf. persuaśi, persuadesti, persuaśe;
persuademmo, persuadeste, persuaśero.

piacere come tacere.

piàngere   *p. p.* pianto
Perf. piansi, piangesti, pianse;
piangemmo, piangeste, piansero.

porre (ponere)   *p. p.* posto
Pres. pongo, poni, pone;
poniamo, ponete, pongono.
Imperf. ponevo, ponevi, ecc.
Perf. posi, ponesti, pose;
ponemmo, poneste, posero.
Fut. porrò, porrai, ecc.
Cond. porrèi, porresti, ecc.
Cong. pres. ponga, ponga, ponga;
poniamo, poniate, pongano.
Imperat. -, poni! ponga!
poniamo! ponete! pongano!

potere   *p. p.* potuto
Pres. pòsso, puòi, può;
possiamo, potete, pòssono.
Fut. potrò, potrai, ecc.
Cond. potrèi, potresti, ecc.
Cong. pres. pòssa, pòssa, pòssa;
possiamo, possiate, pòssano.

prèndere   *p. p.* preso
Perf. presi, prendesti, prese;
prendemmo, prendeste, presero.

pretèndere come tèndere.

produrre come tradurre

prométtere come mettere

protèggere   *p. p.* protètto
Perf. protèssi, proteggesti, protèsse;
proteggemmo, proteggeste, protèssero.

raccògliere come cògliere

raggiùngere come giùngere

règgere   *p. p.* rètto
Perf. rèssi, reggesti, rèsse;
reggemmo, reggeste, rèssero.

rèndere   *p. p.* reso
Perf. resi, rendesti, rese;
rendemmo, rendeste, resero.

respìngere come spìngere

riconóscere come conoscere

rìdere   *p. p.* riso
Perf. risi, ridesti, rise;
    ridemmo, rideste, risero.

ridurre come tradurre

rimanere   *p. p.* rimasto
Pres. rimango, rimani, rimane;
    rimaniamo, rimanete, rimangono.
Perf. rimaši, rimanesti, rimaše;
    rimanemmo, rimaneste, rimašero.
Fut. rimarrò, rimarrai, ecc.
Cond. rimarrèi, rimarresti, ecc.
Cong. pres. rimanga, rimanga, ecc.
    rimaniamo, rimaniate, rimangano.
Imperat. -, rimani! rimanga!
    rimaniamo! rimanete! rimangano!

rispóndere   *p. p.* risposto
Perf. risposi, rispondesti, rispose;
    rispondemmo, rispondeste, risposero.

riuscire come uscire

rivòlgere come vòlgere

rómpere   *p. p.* rotto
Perf. ruppi, rompesti, ruppe;
    rompemmo, rompeste, ruppero.

salire
Pres. salgo, sali, sale;
    saliamo, salite, salgono.
Cong. pres. salga, salga, salga;
    saliamo, saliate, salgano.
Imperat. -, sali! salga!
    saliamo! salite! salgano!

sapere   *p. p.* saputo
Pres. so, sai, sa;
    sappiamo, sapete, sanno.
Perf. sèppi, sapesti, sèppe;
    sapemmo, sapeste, sèppero.
Fut. saprò, saprai, saprà, ecc.
Cond. saprei, sapresti, ecc.
Cong. pres. sappia, sappia, sappia;
    sappiamo, sappiate, sappiano.

Imperat. -, sappi! sappia!
    sappiamo! sappiate! sappiano!

scégliere   *p. p.* scelto
Pres. scelgo, scegli, sceglie;
    scegliamo, scegliete, scelgono;
Perf. scelsi, scegliesti, scelse;
    scegliemmo, sceglieste, scelsero.
Cong. pres. scelga, scelga, scelga;
    scegliamo, scegliate, scelgano.
Imperat. -, scegli! scelga!
    scegliamo! scegliete! scelgano.

scéndere   *p. p.* sceso
Perf. scesi, scendesti, scese;
    scendemmo, scendeste, scesero.

scòrgere   *p. p.* scòrto
Perf. scòrsi, scorgesti, scòrse;
    scorgemmo, scorgeste, scòrsero.

scrìvere   *p. p.* scritto
Perf. scrissi, scrivesti, scrisse;
    scrivemmo, scriveste, scrissero.

scuòtere   *p. p.* scòsso
Pres. scuòto, scuòti, scuòte;
    scotiamo, scotete, scuòtono.
Imperf. scotevo, scotevi, ecc.
Perf. scòssi, scotesti, scòsse;
    scotemmo, scoteste, scòssero.
Cong. pres. scuòta, scuòta, scuòta;
    scotiamo, scotiate, scuòtano.
Imperat. -, scuoti! scuòta!
    scotiamo! scotete! scuòtano!

sedere   *p. p.* seduto
Pres. sièdo, siedi, siède;
    sediamo, sedete, sièdono.
Cong. pres. sièda, sièda, sièda;
    sediamo, sediate, sièdano.
Imperat. -, siedi! sièda!
    sediamo! sedete! sièdano!

šméttere come mettere

sonare   *p. p.* sonato
Pres. suòno, suòni, suòna;
    soniamo, sonate, suònano.

Cong. pres. suòni, suòni, suòni;
soniamo, soniate, suònino.
Imperat. -, suòna! suòni!
soniamo! sonate! suònino!

sorgere   *p. p.* sorto
Perf. sorsi, sorgesti, sorse;
sorgemmo, sorgeste, sorsero.

sorrìdere come rìdere

sospèndere come appèndere

spàrgere   *p. p.* sparso
Perf. sparsi, spargesti, sparse;
spargemmo, spargeste, sparsero.

sparire come apparire

spèndere   *p. p.* speso
Perf. spesi, spendesti, spese;
spendemmo, spendeste, spesero.

spèngere   *p. p.* spènto
Perf. spènsi, spengesti, spènse;
spegnemmo, spengeste, spènsero.

spìngere   *p. p.* spinto
Perf. spinsi, spingesti, spinse;
spingemmo, spingeste, spinsero.

stare   *p. p.* stato
Pres. sto, stai, sta;
stiamo, state, stanno.
Perf. stètti, stesti, stètte;
stemmo, steste, stèttero.
Fut. starò, starai, ecc.
Cond. starèi, staresti, ecc.
Cong. pres. stia, stia, stia,
stiamo, stiate, stiano.
Imperf. stessi, stessi, stesse;
stessimo, steste, stessero.
Imperat. -, stai! stia!
stiamo! state! stiano!

strìngere   *p. p.* stretto
Perf. strinsi, stringesti, strinse;
stringemmo, stringeste, strinsero.

supporre come porre

tacere   *p. p.* taciuto
Pres. taccio, taci, tace;
tacciamo, tacete, tacciano.
Perf. tacqui, tacesti, tacque;
tacemmo, taceste, tacquero.
Fut. tacerò, tacerai, ecc.
Cond. tacerèi, taceresti, ecc.
Cong. pres. taccia, taccia, taccia;
tacciamo, tacciate, tacciano.
Imperat. -, taci! taccia!
tacciamo! tacete! tacciano!

tèndere   *p. p.* teso
Perf. tesi, tendesti, tese;
tendemmo, tendeste, tesero.

tenere   *p. p.* tenuto
Pres. tèngo, tieni, tiène;
teniamo, tenete, tèngono.
Fut. terrò, terrai, terrà, ecc.
Cond. terrèi, terresti, terrèbbe, ecc.
Perf. tenni, tenesti, tenne;
tenemmo, teneste, tennero.
Cong. pres. tènga, tènga, tènga;
teniamo, teniate, tèngano.
Imperat. -, tièni! tènga!
teniamo! tenete! tèngano!

tìngere   *p. p.* tinto
Perf. tinsi, tingesti, tinse;
tingemmo, tingeste, tinsero.

tògliere come cògliere

tradurre (traducere)   *p. p.* tradotto
Pres. traduco, traduci, traduce;
traduciamo, traducete, traducono.
Imperf. traducevo, traducevi, ecc.
Perf. tradussi, traducesti, tradusse;
traducemmo, traduceste, tradussero.
Fut. tradurrò, tradurrai, ecc.
Cond. tradurrèi, tradurresti, ecc.
Cong. pres. traduca, traduca, ecc.
traduciamo, traduciate, traducano.
Imperf. traducessi, traducessi, ecc.
Imperat. -, traduci! traduca!
traduciamo! traducete! traducano!

trascórrere come correre

trasméttere come mettere

trattenere come tenere

uccìdere　　　　*p. p.* ucciśo

Perf. ucciśi, uccidesti, ucciśe;
uccidemmo, uccideste, ucciśero.

udire　　　　*p. p.* udito

Pres. òdo, òdi, òde;
udiamo, udite, òdono.
Cong. pres. òda, òda, òda;
udiamo, udiate, òdano.
Imperat. -, òdi! oda!
udiamo! udite! òdano!

uscire　　　　*p. p.* uscito

Pres. èsco, èsci, èsce;
usciamo, uscite, èscono.
Cong. pres. èsca, èsca, èsca;
usciamo, usciate, èscano.
Imperat. -, èsci! èsca!
usciamo! uscite! èscano!

valere　　　　*p. p.* valso

Pres. valgo, vali, vale;
valiamo, valete, valgono.
Perf. valsi, valesti, valse;
valemmo, valeste, valsero.
Fut. varrò, varrai, varrà, ecc.
Cond. varrei, varresti, ecc.
Cong. pres. valga, valga, valga;
valiamo, valiate, valgano.

vedere　　　　*p. p.* visto e veduto

Perf. vidi, vedesti, vide;
vedemmo, vedeste, videro.
Fut. vedrò, vedrai, ecc.
Cond. vedrèi, vedresti, ecc.

venire　　　　*p. p.* venuto

Pres. vèngo, vieni, viène;
veniamo, venite, vèngono.
Perf. venni, venisti, venne;
venimmo, veniste, vennero.
Fut. verrò, verrai, verrà, ecc.
Cond. verrèi, verresti, verrèbbe, ecc.
Cong. pres. vènga, vènga, vènga;
veniamo, veniate, vèngano.
Imperat. -, vièni! vènga!
veniamo! venite! vèngano!

vìncere　　　　*p. p.* vinto

Perf. vinsi, vincesti, vinse;
vincemmo, vinceste, vinsero.

vìvere　　　　*p. p.* vissuto

Perf. vissi, vivesti, visse;
vivemmo, viveste, vissero.
Fut. vivrò, vivrai, ecc.
Cond. vivrèi, vivresti, ecc.

volere　　　　*p. p.* voluto

Pres. vòglio, vuòi, vuòle;
vogliamo, volete, vògliono.
Perf. vòlli, volesti, vòlle;
volemmo, voleste, vòllero.
Fut. vorrò, vorrai, vorrà, ecc.
Cond. vorrèi, vorresti, ecc.
Cong. pres. vòglia, vòglia, vòglia;
vogliamo, vogliate, vògliano.
Imperat. -, vògli! vòglia!
vogliamo! vogliate! vògliano!

vòlgere　　　　*p. p.* vòlto

Pres. vòlgo, vòlgi, vòlge;
volgiamo, volgete, vòlgono.
Perf. vòlsi, volgesti, vòlse;
volgemmo, volgeste, vòlsero.

Vocaboli delle lezioni

I.

primo, prima – *first*
lezione – *lesson*
èssere – *to be*
io sono – *I am*
tu sèi – *you are*
lui, lèi è – *he, she is*
noi siamo – *we are*
voi siète – *you are*
loro sono – *they are*
il, i, la, le – *the*
un, una – *a*
alcuni, alcune – *some*
maestro, (-a) – *teacher*
allièvo, (-a) – *pupil*
a scuòla – *at school*
a casa – *at home*
a Firènze – *in Florence*
in Italia – *in Italy*
domanda – *question*
risposta – *answer*
còsa – *what*
chi – *who*
ragazzo – *boy*
ragazza – *girl*
signor(e) – *Mr., gentleman, sir*
signora – *Mrs., lady, madam*
signorina – *Miss, young-lady*
uòmo, dònna – *man, woman*
dove, dov'è – *where, where is*
come, com'è – *how, how is*
bèllo – *beautiful*
numero – *number*
giorno – *day*
settimana – *week*
lunedì – *Monday*
martedì – *Tuesday*
mercoledì – *Wednesday*
giovedì – *Thursday*
venerdì – *Friday*
sabato – *Saturday*
il lunedì – *on Monday*
pròssimo – *next*
scorso – *last*
mattina – *morning*
pomeriggio – *afternoon*
sera – *evening*
nòtte – *night*
convenèvoli – *greetings*
buòn giorno! *good day!*
salve! – *hallo!*
arrivederci! – *see you soon!*
addio! ciao! – *good-bye!*
per favore – *please*
grazie – *thank you*
tante grazie – *thank you very much*
prègo – *don't mention it*
coniugare – *to conjugate*
rispondere – *to answer*

2.

còsa, còse – *thing, things*
intorno – *round*
questo (-a) – *this*
questi (-e) – *these*
quello (-a) – *that*
quelli (-e) – *those*
libro – *book*
quadèrno – *copy-book*
lapis, matita – *pencil*
penna. – *pen*
gomma – *india-rubber*
scatola – *box*
tavola – *table*
sèdia – *chair*
poltrona – *armchair*
stanza – *room*
soffitto – *ceiling*

muro - *wall*
quadro - *picture*
orològio - *watch, clock*
finèstra - *window*
pòrta - *door*
lavagna - *blackboard*
carta geografica - *map*
librerìa - *bookcase*
stufa - *stove*
lampada - *bulb*
cos'è - *what is*
cosa sono - *what are*
quanti (-e) - *how many*
c'è, ci sono - *there is, there are*
sopra, sotto - *on, under*
fra - *between, among*
davanti - *before*
diètro - *behind*
accanto - *beside*
qui, là - *here, there*
lassù - *up there*
laggiù - *down there*
ora, adèsso - *now*
prèsso - *by, near*
a dèstra - *on the right*
a sinistra - *on the left*
soltanto - *only*
apèrto, chiuso - *open, closed*
lettura - *reading*
che freddo! - *how cold it is!*
che caldo! - *how hot it is!*
che giòia! - *what a joy!*
che bèlla còsa! - *how nice!*
ancora! - *again!*
bène! - *good!*
benone, benissimo - *very well*
in anticipo - *early*
in ritardo - *late*
contènto - *pleased*
scontènto - *ill-pleased*

3.

ufficio - *office*
scrivania, scrittoio - *writing-desk*
con, di, per - *with, of, for*
cassetto - *drawer*
dentro, fuòri - *inside, out*

lavoro - *work*
fòglio di carta - *sheet of paper*
busta - *envelope*
francobollo - *postage stamp*
mòdulo - *form*
telèfono - *telephone*
elènco telefònico - *telephone book*
cestino - *basket*
carta straccia - *waste paper*
macchina da scrivere - *typewriter*
piccolo, ampio - *small, large*
sgabèllo - *stool*
dattilògrafo (-a) - *typist*
anche - *also*
calendario - *calendar*
vuòto, pièno - *empty, full*
impiegato (-a) - *clerk*
casa - *house, home*
ora - *hour, now*
ogni - *every*
eccètto - *except*
movimento - *movement*
ripòso - *rest*
silenzioso, rumoroso - *silent, noisy*
articolo - *article*
sbaglio - *mistake*
nato (-a, -i, -e) - *born*
molto - *very, much*
pòco - *little (of quantity)*
città - *town*
paròla - *word*
orario - *time-table, routine*
schèda - *registration card*
tutto - *all, the whole, everything*
pagina - *page*
per chi - *for whom*
quando - *when*

4.

cassa - *case*
meccanismo - *the works*
lancetta - *hand (of a clock)*
polso - *wrist*
sveglia - *alarm clock*
che ore sono? - *what time is it?*
preciso - *precise*

circa, quasi – *about, nearly*
le tre passate – *gone three*
mèżżo, metà – *half*
meno, più – *less, more*
tèmpo – *time, weather*
strumento – *instrument*
miśurare – *to measure*
lungo, corto – *long, short*
giusto – *right*
perché – *why, because*
avanti, indiètro – *fast, slow*
uccèllo – *bird*
cuculo – *cuckoo*
campanèllo – *bell*
fastidio – *bother*
inoltre – *besides*
prezioso – *precious*
òro, argènto – *gold, silver*
metallo cromato – *chromium plate*
infine – *finally*
famoso – *famous*
come – *like, as, how*
piazza, strada – *square, street*
mòro – *negro*
bèllo – *beautiful, lovely*
minuto – *minute*
colombo – *dove*
a un tratto – *suddenly*
in aria – *in the air*
qualche vòlta – *sometimes*
spesso, raramente – *often, seldom*
sèmpre, mai – *always, never*
da – *by, from*
semplice – *simple*
amico (-a) – *friend*
mese, sècolo – *month, century*
invece – *instead*
tardi, prèsto – *late, early*
mondo – *world*
fèsta, vacanza – *holiday*
mettere – *to put*
completare – *to complete*
prima (di), dopo – *before, after*

5.

avere – *to have*
fame, sete – *hunger, thirst*

sonno – *sleep*
ragione, tòrto – *right, wrong*
fretta, paura – *haste, fear*
avere biśogno di – *to need*
avere vòglia di – *to feel like*
pèrdere – *to lose*
avere i nèrvi – *to have the blues*
avere da fare – *to have a lot to do*
avere 10 anni – *to be ten years old*
incontro – *meeting*
come va? – *how are you getting on?*
tròppo – *too, too much*
che cos'ha? – *what is the matter with him?*
un raffreddore – *a cold*
un po' (pòco), un pochino – *a little*
è un po' giù – *is down in the dumps*
nòia – *bore, nuisance*
a lètto – *in bed*
òggi, domani – *to-day, to-morrow*
venire, andare – *to come, to go*
un'altra vòlta – *another time*
con piacere – *with pleasure*
allora – *then*
tanti saluti – *kind regards*
altrettanto – *the same to you*
divertimento – *fun, amusement*
buòn divertimento! – *enjoy yourself!*
non c'è male – *not so bad*
così e così – *so so*
mal di tèsta – *headache*
nulla, niènte – *nothing*
per nulla, affatto – *not at all*
piuttòsto – *rather*
passeggiata – *walk*
ridere – *to laugh*
forse – *perhaps*
denaro – *money*
bambino (-a) – *child*
giardino – *garden*
guarito – *recovered*
secondo – *according to*

6.

un intero – *a whole*
e così via – *and so on*
ultimo – *the last*

penultimo – *the last but one*
decina – *about ten*
dożżina – *dozen*
ventina – *about twenty*
data – *date*
quanti ne abbiamo? – *what day of the month is it?*
anno – *year*
vacanza, giorno festivo – *holiday*
compleanno – *birthday*
tanti auguri – *many wishes*
segnati – *marked*
oltre a – *in addition to*
Capodanno – *New year's day*
perciò – *therefore*
periodo – *period*
Pasqua – *Easter*
quaresima – *Lent*
in ricòrdo – *in remembrance*
copèrta di – *covered with*
è finito – *is over*
campo – *field*
òrto – *kitchen garden*
profumo – *scent*
ecco – *here is*
fiore – *flower*
vicino – *near*
tutti – *everybody*
èssere via – *to be away*
in campagna – *in the country*
in montagna – *in the mountains*
al mare – *at the seaside*
di nuòvo – *again*
fèsta dei Santi – *All Saints' Day*
cattivo – *bad*
fuòco – *fire*
acceso – *lighted*
caminetto – *fireplace*
Natale – *Christmas*
albero – *tree*
candela – *candle*
dono, regalo – *gift, present*
caro – *dear*
famiglia – *family*
allegria – *merriment*
danza – *dance*
attesa – *waiting*

nuòvo, vècchio – *new, old*
a. C. (avanti Cristo) – *B. C.*
d. C. (dopo Cristo) – *A. D.*
biglietto – *card*
vivíssimi auguri – *warmest wishes*
speranża – *hope*
nastro – *ribbon*
copertina – *cover*

7.

nero – *black*
bianco – *white*
verde – *green*
giallo – *yellow*
grigio – *grey*
marrone – *brown*
cièlo, tèrra – *sky, earth*
èrba – *grass*
latte – *milk*
carbone – *coal*
acqua – *water*
incolore – *colourless*
nuvola – *cloud*
fòglia – *leaf*
avana – *light brown*
arancione – *orange colour*
vestito – *frock, dress*
parete – *wall*
cane – *dog*
fiume – *river*
monte – *mountain*
padre – *father*
madre – *mother*
sangue – *blood*
temporale – *thunderstorm*
stagione - *reason*
cenere – *ash*
fine – *end*
gènte – *people*
luce – *light*
neve – *snow*
brève – *brief*
celèste – *pale blue*
dolce – *sweet*

facile – *easy*
fedele – *faithful*
fòrte – *strong*
gentile – *kind*
giovane – *young*
grande – *great, large*
triste – *sad*
utile – *useful*
calore – *heat*
pera – *pear*
mela – *apple*
ciliègia – *cherry*
arancia – *orange*
primavèra – *spring*
invèrno – *winter*
chiaro, scuro – *light, dark*
pèsco – *peach-tree*
bandièra – *flag*
perfino – *even*
compito – *task*
arcobaleno – *rainbow*
ponte – *bridge*
birra – *beer*
sènza – *without*
sabbia – *sand*
piètra – *stone*

8.

al contrario – *on the contrary*
specialmente – *especially*
garòfano – *carnation*
narcišo – *narcissùs*
mughetto – *lily of the valley*
in mèżżo a – *in the middle of*
vasca – *pond*
rotonda – *round*
statua – *statue*
alto, basso – *high, low*
gètto d'acqua – *jet of water*
chiesa – *church*
ciprèsso – *cypress*
pino – *pine-tree*
platano – *plane-tree*
panchina – *bench*
nido – *nest*

paradišo – *paradise*
com'èssere – *what to be like*
com'è una casa ? – *what is a house like?*
brutto – *ugly*
largo, stretto – *large, narrow*
diritto, curvo – *straight, bent*
spècchio – *mirror*
stòmaco – *stomach*
Santo Padre – *the Pope*
santo cièlo! – *good gracious!*
tutto il santo giorno – *all day long*
scaffale – *shelf*
spettacolo – *spectacle, view*

9.

lavorare – *to work*
sole – *sun, sunshine*
vedere – *to see*
insegnante – *teacher*
parlare – *to speak*
ascoltare – *to listen*
guardare – *to look*
sentire – *to feel*
desidèrio – *desire*
invece di – *instead of*
correre – *to run*
felice – *happy*
tornare, ritornare – *to return*
pensare – *to think*
è duro – *it is hard*
stare – *to stay*
fuòri – *out, outside*
cominciare – *to begin*
stesso – *same*
ognuno – *each one*
sembrare – *to seem*
domani – *tomorrow*
vita – *life*
strada, via – *street, way*
sentièro – *path*
agevole – *easy*
passo – *step*
offrire – *to offer*
meraviglia – *wonder*

salire – *to go up, to climb*
forza – *strength*
volontà - *will*
camminare – *to walk*
fino a – *as far as*
un certo punto – *a certain point*
lontano – *far, far off*
portare – *to lead*
uòmini – *men*
luna – *moon*
abbastanza – *enough, rather*
frequentare – *to attend*
capire – *to understand*
credere – *to believe, to think*
parli piano – *speak slowly*
vero – *true*
sperare – *to hope*
davvero – *indeed*
imparare – *to learn*
dormire – *to sleep*

10.

compire – *to accomplish*
prèndere – *to take, to get*
laurea – *university degree*
preferire – *to prefer*
legge – *law*
professionista (pl. -i) – *professional man*
mèdico – *physician*
ingegnère – *engineer*
avvocato – *lawyer*
entrare – *to enter*
aula - *class-room, lecture room*
presentare – *to introduce*
ripètere – *to repeat*
spiegare – *to explain*
commentare – *to comment on*
costruire – *to build, construct*
proibire – *to forbid*
lodare – *to praise*
sbagliare – *to make a mistake*
corrèggere – *to correct*
incoraggiare – *to encourage*
sostituire – *to replace*

lèggere – *to read*
a turno – *in turn*
finire – *to finish*
viaggio – *journey, voyage*
all'èstero – *abroad*
paeṣe – *country*
stabilire – *to establish*
affari – *business*
amicizia – *friendship*
unire – *to unite*
abolire – *to abolish*
colto – *cultured*
lingua stranièra – *foreign language*
balbettare – *to speak brokenly*
regolarmente – *regularly*
costanza – *constancy*
ricordate – *remember*
segreto – *secret*
biṣogna – *one must*
sappiamo – *we know*
insegnare – *to teach*
abituato – *accustomed*
amare – *to love*
piacevole – *pleasant*
ci interèssa – *we are interested in*
ci piace – *we like (it pleases us)*
piacere (sostantivo) – *pleasure*
punire – *to punish*
ubbidire – *to obey*
pulire – *to clean*
impedire – *to prevent*
biaṣimare – *to blame*
dimenticare – *to forget*
noioso – *boring*
fumare – *to smoke*
muratore – *bricklayer*
cittadino – *citizen*

11.

gita – *trip, run*
automòbile, macchina – *car*
fare – *to do, to make*
fa freddo – *it is cold*
fare una gita – *to go for a run*

sapere – *to know*
posto, sedile – *seat*
fare una telefonata – *to make a call*
dare un colpo di telèfono – *to give a ring*
che fai di bèllo ? – *how are things with you? How are you getting on?*
stare – *to stay, to live*
stare bène – *to be well, all right*
leggèro – *slight*
dare nòia – *to bother, to annoy*
va bène – *that's all right, all right*
veramente – *as a matter of fact*
trovare – *to find*
andare a trovare – *to go and see*
andare a prèndere – *to fetch*
chièdere – *to ask*
fare il bagno – *to take a bath, bathe*
fare colazione – *to have breakfast*
fare presto, tardi – *to be quick, late*
còfano – *bonnet*
carrozzeria – *car body*
fuòri sèrie – *special model*
fare il pièno (di) – *to fill up (with)*
benżina, òlio – *petrol, oil*
distributore – *petrol station*
verificare – *to check*
pressione – *pressure*
ruòta – *wheel*
serbatoio – *tank*
è carica – *is charged*
stèrzo – *steering column*
frizione – *clutch*
frèno – *brake*
funzionare – *to work*
un guasto – *something wrong*
èssere in panna – *to have a breakdown*
fare rumore – *to make a noise*
strano – *strange*
mettere in mòto – *to start*
aprire, chiudere – *to open, to shut*
portare – *to carry*
bagaglio, porta-bagagli – *luggage, boot*
stare fermo – *to keep still*
stare buòno – *to keep quiet*
battere contro – *to knock against*
cric – *jack (to raise a wheel)*
ruòta di ricambio – *spare wheel*

ècco fatto – *that's done*
pronto – *ready*
stare per – *to be about to*
partire – *to leave*
parare – *to shelter, to protect*
parabrezza – *windscreen*
dare una mancia – *to give a tip*
montare in – *to step into*
sportèllo – *car door*
via, vèrso – *off we go, towards*
urto, paraurti – *bump, bumper*
fango, parafanghi – *mud, mudguards*
tergicristallo – *windscreen wiper*
fari – *head lights, rear lights*
targa – *number plate*
volante – *steering wheel*
balèstre – *springs*
guidare (una macchina) – *to drive*
cambiare marcia – *to change gear*
sorpassare – *to overtake*
voltare – *to turn*
dare un passaggio – *to give a lift*
accelerare – *to accelerate*
rallentare – *to slow down*
frenare – *to brake*
fermare – *to pull up*
avere la fèbbre – *to have a fever*
avere la tosse – *to have a cough*
patente di guida – *driving licence*
notizie – *news*
a spasso – *for a stroll*
a pièdi – *on foot*
ballare, cantare – *to dance, to sing*
in bicicletta – *by bicycle*
in autobus – *by bus*
in trèno – *by train*
dare un eżame – *to take an exam*
compito – *task, prep*
fare una domanda – *to ask a question*
fare una viżita – *to pay a visit*
fare l'autostop – *to thumb a lift*
fare in tèmpo – *to be in time*
che tèmpo fa ? – *what is the weather like?*
fa bèl tèmpo – *it is fine*
il tèmpo è bello – *it is fine*
fare piangere – *to make (one) cry*
non fa nulla – *never mind*

tutto fa – *every little helps*
albèrgo – *hotel*
pensione – *boarding house*
stare in pièdi – *to stand*
come stai? – *how are you?*
stare di casa – *to live*
vicino, lontano – *near, far*
stare parlando – *to be talking*
sapere cantare – *to be able to sing*
lo sò, non lo sò – *I know, I don't know*
giocare – *to play*
altrimenti – *otherwise*

12.

un pò (pòco) – *a little*
valle – *valley*
pianura – *plain*
catena (di monti) – *range*
lentamente – *slowly*
fianco – *side, slope*
ghiaccio – *ice*
ghiacciaio – *glacier*
roccia, roccioso – *rock, rocky*
bòsco – *wood*
pineta – *pine-wood*
paeśe – *provincial town*
lago – *lake*
salato – *salty*
sorgènte – *source*
da principio – *at first*
torrente – *torrent*
masso – *boulder*
a vòlte – *at times*
diślivèllo – *drop*
terreno – *soil, ground*
cadere – *to drop, to fall*
cascata – *waterfall*
affluènte – *tributary*
śboccare (in) – *to empty (into)*
scòpo – *purpose*
mèżżo – *means*
iśola – *island*
tazza – *cup*
bicchière – *glass*
vino – *wine*
stòffa – *material*

estate – *summer*
compassione – *pity*
disegnare – *to draw*
partire – *to leave*
parlare male di – *to talk ill of*
litro – *litre*
birra – *beer*
secco – *dry*
fango – *mud*
altezza – *height*

13.

confinare con – *to border on*
versante – *slope*
meridionale – *southern*
bagna Trènto – *passes through Trento*
attraversare – *to cross*
a pòca distanza – *at a short distance*
ai pièdi – *at the foot*
mèta – *lure, goal*
in tutto il mondo – *all over the world*
paeśaggio – *landscape*
vapore – *steam*
disegno – *drawing*
fondo – *bottom*
da quale parte – *which way*
negòzio – *shop*
droghière – *grocer*
zio – *uncle*
da te – *at your house*
tutti – *everybody*
pacco – *parcel*
macchina da scrivere – *typewriter*
macchina da cucire – *sewing-machine*
camicia da nòtte – *nightdress*
scarpe – *shoes*
qualcòsa da mangiare – *something to eat*
da un'ora – *for an hour*
aver notizie – *to hear*
dipènde da – *it depends on*
tèmpo da cani – *beastly weather*
comprare – *to buy*
al piano di sopra – *on the floor above*
restare – *to stay on*
in aèreo – *by plane*
passare dal – *to call at*

fioraio – *florist*
valigia – *suitcase*
calze – *stockings*
lana, di lana – *wool, woollen*
barattolo – *tin box*
sciare – *to ski*

14.

gatto – *cat*
cavallo – *horse*
asino – *donkey*
scimmia – *monkey*
selvatico – *wild*
grazioso – *graceful, pretty*
sciòcco – *silly*
canile – *kennel*
fare la guardia – *to keep watch*
cuccia – *bed (for cat or dog)*
cucina – *kitchen*
focolare – *range*
salòtto – *sitting-room*
sofà – *sofa*
stalla – *stable*
almeno – *at least*
gabbia – *cage*
pesce – *fish*
tartaruga – *tortoise*
gallo, gallina – *cock, hen*
pulcino – *chick*
òca – *goose*
tacchino – *turkey*
coniglio – *rabbit*
piccione – *pigeon*
contadino – *peasant*
bue, buòi – *ox, oxen*
mucca – *cow*
pòrco, pòrci – *pig, pigs*
pecora – *sheep*
pollo, pollaio – *chicken, hen-coop*
coniglièra – *hutch*
porcile – *pigsty*
ovile – *sheepfold*
ciascuno – *each*
uòvo, uòva – *egg, eggs*
tirare – *to pull, to draw*
vaglia – *postal order*

re – *king*
fico – *fig*
camicia – *shirt*
bugìa – *lie*
autista – *driver*
papa – *pope*
stèmma – *coat-of-arms*
gènte – *people*
ròba – *things*
uva – *grapes*
dintorni – *surroundings*
fondamenta – *foundations*
nòzze – *wedding*
mano – *hand*
ala – *wing*
dito – *finger, toe*
braccio – *arm*
labbro – *lip*
grido – *cry, scream*
miglio – *mile*
còrpo – *body*
òsso – *bone*
carne – *meat, flesh*
esseri vivi – *living beings*
bacio – *kiss*
baco – *worm*
ṡgraziato – *clumsy*
ṡgarbato – *rude*
pulito, spòrco – *clean, dirty*
filo – *thread*
seta – *silk*

15.

pelo – *hair*
gamba, zampa – *leg, paw*
coda – *tail*
al posto di – *instead of*
leone – *lion*
crinièra – *mane*
còllo – *neck*
squame – *scales*
nuotare – *to swim*
pinne – *fins*
gròsso – *big*
pescecane – *shark*
scuòtere – *to strike*

capitare l'occasione – *to get the chance*
vìpera – *viper*
sèrpe – *snake*
rèttile – *reptile*
strisciare – *to slither*
fuggire – *to run away*
lucèrtola – *lizard*
ragno – *spider*
bruco – *caterpillar*
baco da seta – *silk-worm*
millepièdi – *centipede*
sembrare – *to seem*
penne – *feathers*
artiglio – *claw*
volare – *to fly*
becco – *bill*
acchiappare – *to catch*
beccare – *to peck*
cibo – *food*
lasciare – *to leave*
mosca – *fly*
moscerino – *gnat*
żanżara – *mosquito*
vèspa – *wasp*
pungiglione – *sting*
succhiare – *to suck*
pungere – *to sting*
affliggere – *to pester*
mußo – *muzzle*
mantèllo – *coat*
mancare di – *to lack, to miss*
pagare – *to pay*
giocare – *to play*
vìncere – *to win*
conoscere – *to know*
cucire – *to sew*
cuòcere – *to cook*
legare – *to tie*
dimenticare – *to forget*
piegare – *to fold*
pregare – *to pray*
negare – *to deny*
scacciare – *to drive away, to swat*
consigliare – *to advise*
dipìngere – *to paint*
spìngere – *to push*
spèngere – *to put out*

piangere – *to cry, to weep*
scegliere – *to choose*
libro giallo – *detective story*
viaggiare – *to travel*
forno – *oven*
cuòcere al forno – *to bake*
bambola – *doll*
giocare a carte – *to play cards*
a contanti – *for cash*
geloso – *jealous*
sarta – *dressmaker*
cuòca (-o) – *cook*
aquila – *eagle*
carne cruda – *raw meat*
sopportare – *to stand, to bear*

16.

genitori – *parents*
parènti – *relatives*
marito, moglie – *husband, wife*
figlio, figlia – *son, daughter*
figli (tutti) – *children*
nònno – *grandfather*
nònna – *grandmother*
nònni (tutti) – *grandparents*
nipote – *grandchild, nephew, niece*
patrigno – *step-father*
figliastro – *step-son*
parenti acquistati – *in-laws*
suòcero – *father-in-law*
suòcera – *mother-in-law*
gènero – *son-in-law*
nuòra – *daughter-in-law*
cognato – *brother-in-law*
cognata – *sister-in-law*
padrino – *godfather*
figliòccio – *godson*
parènti stretti – *close relatives*
parènti lontani – *distant relatives*
biscugino – *second cousin*
stato civile – *civil status*
scapolo – *bachelor*
nubile – *single (woman)*
sposato – *married*

vedovo (-a) – *widower, widow*
cognome – *family name*
dònna di servizio – *maid of all work*
di casa – *belonging to the family*
babbo, mamma – *daddy, mummy*
avere moglie – *to have a wife*
figlia unica – *only daughter*
da parte di mia madre – *on my
  mother's side*
perciò – *therefore*
né.... né – *neither.... nor*
in tutti – *in all*
i mièi – *my people*
di mio – *of my own*
padri – *forefathers*
èssere pari – *to be quits*
fidanzato con – *engaged to*
un mio amico – *a friend of mine*
comprensivo – *understanding*
educato – *good-mannered*

17.

parco – *park*
passeggiare – *to walk*
lago, laghetto – *lake, little lake*
pianta – *plant*
vecchietto – *little old man*
vendere – *to sell*
colorato – *coloured*
tromba – *trumpet*
trombetta – *toy trumpet*
legno, di legno – *wood, wooden*
pescare – *to fish*
nuotare – *to swim*
gettare – *to throw*
barca, barchetta – *boat, little boat*
soldato – *soldier*
bambinaia – *children nurse*
fare amicizia – *to make friends*
mentre – *while*
tènda – *curtain*
angolo – *corner*
casetta – *little house*
giornale – *newspaper*

fare la maglia – *to knit*
innamorati – *sweethearts*
sottovoce – *very softly*
sorridere – *to smile*
cappuccino – *coffee with frothy milk*
sala – *large room, hall*
scala – *staircase*

18.

chiamare – *to call*
io mi chiamo – *my name is*
occuparsi (di) – *to concern oneself*
compra e vendita – *buying and selling*
agenzìa – *agency*
svegliarsi – *to wake up*
alzarsi – *to get up*
mettersi – *to put on*
vestaglia – *dressing-gown*
pantòfole – *slippers*
rallegrarsi – *to feel happier*
piòvere – *to rain*
rattristarsi – *to become sad*
consolarsi – *to console oneself*
accòrgersi – *to become aware*
farsi la barba – *to shave*
lavarsi – *to wash oneself*
pettinarsi – *to comb oneself*
vestirsi – *to dress*
incamminarsi – *to set out*
cliènte – *customer*
interessarsi (di) – *to become interested*
trattenersi – *to stay on*
affari – *business*
aspettare – *to wait*
sedersi – *to sit down*
pasto – *meal*
riposarsi – *to rest*
addormentarsi – *to go to sleep*
contentarsi – *to content oneself*
accèndere – *to light*
divertirsi – *to enjoy oneself*
fermarsi – *to stop*
giardinière – *gardener*
affrettarsi – *to hasten*

riunirsi – *to gather*
cena – *supper*
sentirsi – *to feel*
annoiarsi – *to get bored*
uscire – *to go out*
del più e del meno – *of this and that*
avvicinarsi – *to get near*
decidersi – *to make up one's mind*
spogliarsi – *to undress*
coricarsi – *to go to bed*
ammalarsi – *to fall ill*
lamentarsi – *to complain*
pentirsi – *to repent*
stancarsi – *to get tired*
vigile – *policeman*
impermeabile – *waterproof*

19.

apparecchiata – *laid*
raccontare – *to tell*
appartenere – *to belong*
tenere – *to keep*
giorni feriali – *weekdays*
pòsso – *I can*
dèvo – *I must*
aiutare – *to help*
faccènde – *housework*
inoltre – *besides*
apparecchiare – *to lay the table*
desinare – *lunch*
stanza da pranzo – *dining-room*
distèndere – *to spread*
tovaglia – *tablecloth*
scodèlla – *soup-plate*
minèstra – *soup*
caraffa – *jug*
posate – *cutlery*
cucchiaio – *spoon*
coltèllo – *knife*
forchetta – *fork*
tovagliòlo – *napkin*
che còsa manca? – *what is missing?*
insalata – *salad*
ci vuòle – *we want, it takes*
òlio – *oil*

aceto – *vinegar*
sale – *salt*
pepe – *pepper*
ampolla – *cruet-stand*
salièra – *salt-cellar*
pepaiòla – *pepper-box*
cestina – *basket*
fruttièra – *fruit-stand*
credènza – *sideboard*
tazzina – *little cup*
zucchero – *sugar*
zuccherièra – *sugar-basin*
vuòle – *likes to have*
zucchero a quadretti – *lumps of sugar*
cassetto – *drawer*
come si dève – *right and proper*
che altro – *what else*
pronto – *ready*
zuppièra – *tureen*
fumante – *steaming*
volere – *to want, to like*
dovere – *to have to, to owe*
rimanere – *to stay(on), to remain*
bere – *to drink*
non pòsso fare a meno di – *I can't help*
non ne pòsso più! – *I can't stand any more!*
odiare – *to hate*
rotto – *broken*
falegname – *carpenter*
quanto ci vuòle – *how long does it take*
se Dio vuòle! – *please God!*
dovere (sostan.) – *duty*
deve arrivare – *is due*
tenersi al corrènte di – *to keep abreast with*
tenere a mente – *to bear in mind*
rimanere male – *to be taken aback*
mi fa male – *doesn't agree with me*

20.

bevande – *drink*
dire – *to say, to tell*
pietanza – *dish*
tògliere – *to take away*
sano – *wholesome*
nutriènte – *nourishing*

succo – *juice*
pomodòro – *tomato*
farinata di avena – *porridge of oats*
pane tostato – *toast*
burro – *butter*
mièle – *honey*
marmellata – *marmalade, jam*
prosciutto – *ham*
frittata – *omelette*
uòva sòde – *hard boiled eggs*
uòva strapazzate – *scrambled eggs*
uòva affrittellate – *fried eggs*
affogare – *to drown*
uòva affogate – *poached eggs*
pancetta – *bacon*
morire – *to die*
spuntino – *snack*
biscòtti – *biscuits*
panini ripièni – *sandwiches*
paste, pasticcini – *cakes*
asciutto – *dry*
tartina – *open sandwich*
torta – *tart*
gènere – *sort*
bròdo – *broth*
minestrone – *vegetable soup*
formaggio – *cheese*
ferro – *iron*
ai fèrri – *grilled*
bollito – *boiled*
fritto – *fried*
arròsto – *roast, roasted*
in umido – *stewed*
al sangue – *underdone, red*
tènero – *tender*
insipido – *tasteless*
carne di maiale – *pork*
salsicce – *sausages*
maturo – *ripe*
acèrbo – *green*
aspro – *sour*
amaro – *bitter*
diventare – *to become*
vassoio – *tray, dish*
pòrgere i vassoi – *to hand round the dishes*
versare – *to pour*

sparecchiare – *to clear the table*
portare via – *to take away*
manzo – *beef*
vitèlla – *veal*
agnèllo – *mutton, lamb*
caccia – *game*
carciòfi – *artichokes*
pisèlli – *peas*
fagiolini – *green beans*
caròte – *carrots*
biètola – *beet*
cavolo – *cabbage*
cavolfiore – *cauliflower*
mandarini – *tangerines*
susine – *plums*
albicòcche – *apricots*
fragole – *strawberries*
noci – *walnuts*
nocciòle – *hazelnuts*
noccioline – *peanuts*
pinòli – *pine-seeds*
fichi secchi – *dry figs*
uva – *grapes*
uva secca – *raisins*
datteri – *dates*
prugne – *prunes*
odori – *herbs*
prezzemolo – *parsley*
sèdano – *celery*
aglio – *garlic*
cipolla – *onion*
salvia – *sage*
basilico – *basil*
rosmarino – *rosemary*
salsa – *sauce*
acciuga – *anchovy*
sugo – *gravy*
agrumi – *citrus fruit*
uscire – *to go out*
salire – *to go up*
verità – *truth*
còsa ne dici? – *what do you think about it?* (ne – *of it*)
còsa vuòl dire? – *what does it mean?*
cioè a dire – *that is to say*
come dice il provèrbio – *as the saying goes*

còsa vièni a fare ? — *what are yon coming here for?*
far due passi — *to go for a stroll*
riuscire — *to succeed, to manage*
non ci rièsco — *I can't do it*
scale — *stairs*
stanchezza — *weariness*
vergogna — *shame*
malattia — *illness*
dolore — *sorrow, pain*
morire dalla vòglia di — *to be dying to*
udire — *to hear*
fare un brindiśi — *to drink a toast*
un caffè — *a cup of coffee*
trattoria — *small restaurant*
da « Sabatini » — *at " Sabatini's "*
sul sèrio — *in earnest*
far commissioni — *to run errands*
pensare — *to think*
prèndere sonno — *to fall asleep*
fare tardi la sera — *to stay up at night*
lo stesso — *the same*

21.

non è più — *it is no longer*
non ancora — *not yet*
spuntare — *to sprout*
inconveniènte — *drawback*
variabile — *changeable*
brillare — *to shine*
tira vènto — *the wind is blowing*
mèglio — *better*
diventare — *to become*
sèmpre più — *more and more*
afoso — *sultry*
miètere — *to reap*
grano — *corn*
arida — *parohed, dry*
seccarsi — *to dry up*
per mancanza — *for lack*
ad un tratto — *all of a sudden*
lampo — *flash of lightning*
tuòno — *peal of thunder*
fulmine — *lightning*

lì per lì — *just then*
ciprèsso — *cypress*
pino — *pine-tree*
allòro — *laurel*
abete — *fir-tree*
sèmpreverde — *evergreen*
vendemmia — *vintage*
cògliere — *to pick*
in lontananza — *in the distance*
spari — *shots*
cacciatori — *sportsmen*
funghi — *mushrooms*
mòre — *blackberries*
vita — *life*
improvviśamente — *suddenly*
piegarsi — *to stoop*
piòggia — *rain*
staccarsi — *to detach*
spazzato — *swept away*
attraènte — *attractive*
squallida — *bleak*
nudo — *bare*
inaridito — *withered*
gèlo — *frost*
nebbia — *fog*
umido — *damp*
bagnato — *wet*
fangoso — *muddy*
rallegrare — *to cheer up*
mèglio che può — *as best they can*
rondine — *swallow*
òttimo — *very good*
pèssimo — *very bad*
c'è il sole — *the sun is shining*
piòve a dirotto — *it is pouring*
freddo da cani — *perishing cold*
si rasserena — *it is clearing up*
tempaccio — *vile weather*
non fa che — *it does nothing but*
al sole — *in the sun*
all'ombra — *in the shade*
sotto la piòggia — *in the rain*
bellissimo — *very fine, marvellous*
spèndere — *to spend*
infimo — *very low*
andare a caccia — *to go shooting*
andare a pescare — *to go fishing*

22.

mite – *mild*
riscaldare – *to heat*
coraggio – *courage*
vasto – *wide*
spiffero – *draught*
scialle – *shawl*
tremare – *to shiver*
tossire – *to cough*
starnutire – *to sneeze*
rifugiarsi – *to take shelter*
arrostire – *to roast*
gelare – *to freeze*
raccòlto – *snug*
termosifone – *central heating*
bruciare – *to burn*
legna – *firewood*
riscaldamento centrale – *central heating*
caldaia – *boiler*
còmodo – *comfortable*
solo – *alone*
fare compagnia – *to keep company*
crepitìo – *crackling*
fiamma – *flame*
forma – *shape*
combustìbile – *fuel*
di sòlito – *usually*
fornèllo – *range*
un tèmpo – *once*
massaia – *housewife*
affumicare – *to blacken*
frigorifero – *refrigerator*
lavatrice – *washing machine*
sorgere – *to rise*
alba – *sunrise*
tramontare – *to set (of the sun)*
crepuscolo – *dusk*
tramonto – *sunset*
pericoloso – *dangerous*
rovesciarsi – *to fall over*
danno – *damage*
incèndio – *fire*
accèndere – *to light*
fiammifero – *match*
cera – *wax*
interruttore – *switch*

luna – *moon*
stella – *star*
l'orsa maggiore – *the Great Bear*
la via lattea – *the Milky Way*
granchio – *crab*
gemèlli – *twins*
bilance – *scales*
tradurre – *to translate*
condurre – *to lead*
porre – *to place*
lampione – *lamp-post*
lampionaio – *lamp-lighter*
mendicante – *beggar*
fissare (con gli òcchi) – *to stare*
sordomuto – *deaf and dumb*
allora – *then, in those days*

23.

merènda – *picnic*
cesto – *basket*
ròba – *things*
barboncino – *poodle*
abbaiare – *to bark*
saltare – *to jump*
filare – *to dash*
attravèrso – *across*
traffico – *traffic*
dopo pòco – *before long*
periferìa – *outskirts*
villetta – *bungalow*
in fiore – *in bloom*
prato – *meadow, lawn*
margherita – *daisy*
asfaltata – *asphalted*
finchè – *until*
avanti – *forward*
indiètro – *backward*
radura – *glade*
soleggiata – *sunny*
posare – *to lay*
per tèrra – *on the ground*
quèrcia – *oak*
edera – *ivy*
salice – *willow*
saltellare – *to hop*

volare via – *to fly away*
raccontare – *to tell*
appoggiarsi – *to lean*
sdraiarsi – *to lie down*
copèrta – *rug*
godere – *to enjoy*
beato – *blissful*
mormorio – *murmur*
sussurro – *whispering*
dorata – *golden*
rumoroso – *noisy*
sembrare – *to seem*
cercare (trans.) – *to look for*
seguire – *to follow*
correre diètro a – *to run after*

24.

commèdia – *play*
compagnìa – *cast*
attore – *actor*
attrice – *actress*
rappreśentazione – *performance*
coda (di persone) – *queue*
botteghino – *box office*
mettersi in coda – *to queue up*
biglietto – *ticket*
atrio – *hall*
maschera – *usher*
posto (a teatro) – *seat*
fila – *row*
platèa – *floor of the house*
poltroncina di platèa – *back stall*
al complèto – *full house*
poltrona (a teatro) – *front stall*
palco – *box*
gradinata – *circle*
loggione – *gallery*
intorno, in giro – *around*
chi.... chi – *some.... others*
salutare – *to greet*
guardare in giro – *to look around*
binòcolo – *opera-glasses*
sparire – *to disappear*
sipario – *curtain*
scèna – *scenery*

luci della ribalta – *footlights*
palcoscènico – *stage*
rappreśentare – *to represent*
capanna – *hut*
ad un lato – *on one side*
quinte – *wings*
viale – *drive*
allungarsi – *to stretch away*
scenario – *back scenery*
pèrdersi – *to get lost*
cupo – *very dark*
recitare – *to act*
calare – *to drop slowly*
scròscio – *loud burst*
applauśo – *applause*
applaudire – *to applaud*
gli spettatori – *the audience*
velluto – *velvet*
inchinarsi – *to bow*
fare un giro – *to take a turn*
ridotto – *foyer*
prima dònna – *leading lády*
regista (il) – *producer*
magnifico – *magnificent*
spettacolo – *spectacle*
voltarsi – *to turn round*
gridare di giòia – *to exclaim with joy*
abbracciare – *to embrace*
animatamente – *animatedly*
separarsi – *to part*
promettere – *to promise*
un passaggio – *a lift*
ritrovarsi – *to meet again*

25.

nascere – *to be born*
morire – *to die*
vita giovanile – *youthful life*
nòbile (sost. e agg.) – *noble*
cultura – *culture*
abitare – *to live, inhabit*
crescere – *to grow*
cuòre – *heart*
ragione – *reason*
spośare – *to marry*

mòrte – *death*
lungamente – *for a long time*
vivere – *to live*
felicità – *happiness*
letterato – *man of letters*
regione – *region*
rompere – *to break*
intèndere – *to understand*
finalmente – *at last, finally*
scegliere – *to choose*
divenire – *to become*
òpera letteraria – *literary work*
poeśia – *poetry (also: poem)*
infèrno – *hell*
racconto – *account, story*
regno – *realm, kingdom*
descrivere – *to describe*
condurre – *to lead*
pericolo – *danger*
cerchio – *circle*
giungere – *to reach*
fino a – *as far as*
incontrare – *to meet*
pena – *pain*
raccògliere – *to collect*
sentimento – *feeling*
lòtta – *struggle*
bène, male (sost.) – *good, evil*
viśione ideale – *ideal sight*
cantica – *long narrative poem*
contenuto – *contents, substance*
portare – *to bring*
livèllo – *level*
affermarsi – *to become established*
cadere – *to fall*
pèrdere – *to lose*
guida – *guide*

26.

arto – *limb*
schèletro – *skeleton*
muscolo – *muscle*
pèlle – *skin*
castano – *chestnut colour*
biondo – *fair*
brizzolato – *going grey*

ricciuto – *curly*
ondulato – *waved*
liscio – *straight, smooth*
folto – *thick*
rado – *thin*
calvo – *bald*
parrucca – *wig*
fronte – *forehead*
òcchio – *eye*
naso – *nose*
bocca – *mouth*
mento – *chin*
guancia – *cheek*
orecchio – *ear*
carnagione – *complexion*
anziano – *elderly*
ruga – *wrinkle*
barba – *beard*
baffi – *moustache*
radersi – *to shave*
masticare – *to chew*
lingua – *tongue*
gustare – *to taste*
gola – *throat*
polmoni – *lungs*
respirare – *to breathe*
stòmaco – *stomach*
digerire – *to digest*
pètto – *chest*
dòrso – *back*
spina dorsale – *spine*
spalla – *shoulder*
gomito – *elbow*
còscia – *thigh*
ginòcchio – *knee*
polpaccio – *calf*
caviglia – *ankle*
unghia – *nail*
mancino – *left-handed*
nutrirsi – *to feed*
scorrere – *to flow*
cervèllo – *brain*
cranio – *skull*
sède – *seat*
pensièro – *thought*
benèssere – *welfare*
pazzo – *mad*

salvare – *to save*
mi fa male – *it hurts me*
scoppiare – *to break out*
valore – *value*
dare valore – *to appreciate*

27.

trattare – *to deal with*
udito – *hearing*
odorato – *smell*
gusto, gustare – *taste, to taste*
tatto – *touch, tact*
percepire – *to perceive*
miope – *short-sighted*
presbite – *long-sighted*
da lontano – *from afar*
da vicino – *closely*
occhiali – *spectacles*
sventura – *misfortune*
cièco – *blind*
fischiare – *to whistle*
conferènza – *lecture*
discorso – *speech*
duro d'orecchio – *hard of hearing*
sordo – *deaf*
muto – *dumb*
riguardo a, in quanto a – *as regards*
a che sèrve – *what is the use*
avvertire – *to warn*
aria viziata – *stuffy air*
nocivo – *harmful*
ruvido – *rough*
morbido – *soft*
sensibile – *sensitive*
acuto – *sharp*
anche se – *even if*
chi (interr.) – *who, whom*
quale (interr.) – *which*
borsa – *bag*
bastone – *stick*
rivista – *magazine*
croce – *cross*
avere tatto – *to be tactful*
agire – *to act, behave*
mobilia – *furniture*

di buòn gusto – *in good taste*
di mio gusto – *to my taste*
buòn fiuto – *keen nose*

28.

mali – *ills*
infanzia – *childhood*
soggètto a – *liable to*
malattia – *disease, illness*
subire – *to undergo*
morbillo – *measles*
scarlattina – *scarlet fever*
parotite – *mumps*
pertosse – *whooping cough*
contagioso – *catching*
diffondersi – *to spread*
curare – *to treat, to nurse*
bastare – *to be enough*
dolere – *to hurt*
duòle – *it hurts*
brivido – *shiver*
tastare – *to feel*
ricètta – *prescription*
sorvegliare – *to watch*
cura – *treatment, cure*
casa di cura – *nursing-home*
infermièra – *nurse*
chirurgo – *surgeon*
guarire – *to recover, to cure*
pomata – *ointment*
riacquistare – *to regain*
fòrza – *strength*
languire in un ospedale – *to be confined to the hospital*
bène (sostant.) – *blessing*
male, dolore – *ache, pain*
mal di cuòre – *heart disease*
fegato – *liver*
rèni – *kidneys*
nevrite – *neuritis*
tifo – *typhoid fever*
insònnia – *sleeplessness*
esaurimento – *breakdown*
l'avrò anche detto – *I may have said so*
curarsi – *to take care of oneself*
trascurarsi – *to neglect oneself*

grave – *serious*
guarire – *to recover*
strapazzarsi – *to overdo*
migliorare – *to get better*
peggiorare – *to get worse*
stare a dièta – *to stay on a diet*
fare una cura – *to undergo a cure*
farsi una radiografia – *to have an X-ray*
farsi levare un dente – *to have a tooth out*
soffrire di – *to suffer from*
żabaione – *egg-punch*
fare l'infermièra – *to be a nurse*
colpa mia – *my fault*
foruncolo – *boil*

29.

sano – *healthy*
praticare – *to practise*
fòrza – *strength*
calcio (col piède) – *kick.*
calcio (giuòco) – *football game*
lo sci – *skiing*
nuòto – *swimming*
ciclismo – *cycling*
equitazione – *riding*
pattinaggio – *skating*
pugilato – *boxing*
scherma – *fencing*
sportivo (agg.) – *sporty*
sportivo (sost.) – *sportsman*
assistere – *to attend*
incontro, partita – *match*
gara, competizione – *competition*
campione – *champion*
giuòco – *game*
avere luògo – *to take place*
terreno – *ground*
calciatore – *footballer*
squadra (sportiva) – *team*
sbarra – *bar*
cercare di – *to try to*
mandare – *to send*
pallone – *foot-ball*
avversario – *opponent*

difèndere – *to defend*
portière – *goal keeper*
arbitro – *referee*
rete – *net*
segnare una rete – *to score a goal*
tifoso – *fan*
agitarsi – *to fret*
urlare – *to shout*
zuffa – *fight, brawl*
azzuffarsi – *to fight*
attraversare – *to cross*
lanciare una palla – *to toss a ball*
canèstro – *basket*
palla canèstro – *basket-ball game*
di mano in mano – *from hand to hand*
gettare – *to throw*
piscina – *swimming pool*
allenamento – *training*
fare i tuffi – *to dive*
trampolino – *diving-board*
sci nautico – *water skiing*
trainare – *to tow*
motoscafo – *speedboat*
canottaggio – *boating*
rinforzare – *to strengthen*
cantare – *to sing*
spòrt invernale – *winter sport*
pattini – *skates*
pattini a rotèlle – *roller-skates*
pista – *rink, track*
uniforme (agg.) – *even*
sellino – *saddle*
manubrio – *handlebar*
pedale – *pedal*
pedalare – *to cycle*
crescènte – *growing*
raro – *rare*
ciclomotore – *motorscooter*
tuttavia – *however*
apprezzabile – *appreciated*
parcheggiare – *to park*
comitiva – *party*
richièdere – *to require*
un paio – *a pair*
svago – *pastime*
buòn umore – *good humour*
fare bène a – *to be good for*

legare – *to bind*
qualunque cosa – *anything*
volentieri – *willingly*
impaurirsi – *to get frightened*
bisogno – *need*
trascurare – *to neglect*
respirare – *to breathe*
si parla italiano – *Italian spoken*
lezione di guida – *driving lesson*
stare allegri – *to make merry*
acqua bassa – *shallow water*

potrèbbe andare – *could do*
comprèndere – *to include*
a parte – *extra*
opuscolo – *folder*
tariffa – *list of prices*
telèfono intèrno – *house phone*
bagaglio – *luggage*
da questa parte – *this way*
ascensore – *lift*
sodisfatto di – *pleased with*
riassumere – *to summarize*

30.

p. v. (prossimo venturo) – *next*
gradirèi – *I should like*
a due lètti – *double-bedded*
cortese – *polite, kind*
sollecito – *prompt*
riscontro – *answer, acknowledgment*
distintamente la saluto – *yours truly*
non pròprio – *not quite*
mi dispiace – *I am sorry*
tenere sveglio – *to keep awake*
sopportare – *to bear*
sul diètro – *at the back*
vediamo – *let's see*
dunque – *well*
fattorino – *errand boy*
camerièra – *maid*
libero – *free*
dare un'occhiata intorno – *to have a look round*
mostrare – *to show*
saletta da giuòco – *card room*
dare su – *to overlook*
cortile – *courtyard*
stanza d'angolo – *corner room*
lato – *side*
strada laterale – *side street*
mamma mia! – *good gracious!*
chiudere bene – *to fit*
ovviamente – *obviously*
supporre – *to suppose*
prèzzo – *price*
riscaldamento – *heating*

31.

operaio – *workman*
specializzato – *skilled*
artigiano – *craftsman*
muratore – *bricklayer*
progètto – *plan*
pianta (di una casa) – *plan*
adatto – *suitable*
sorvegliare – *to supervise*
manovale – *labourer*
gettare le fondamenta – *to lay the foundations*
tirare su i muri – *to raise the walls*
mattone – *brick*
calcina – *mortar*
cemento armato – *reinforced concrete*
ponteggi – *scaffolding*
tetto – *roof*
tegola – *tile*
terrazza – *parapet*
idraulico – *plumber*
impianto – *plant*
tubo – *pipe*
piombo – *lead*
collocare, disporre – *to place*
caldaia – *boiler*
scaldabagno – *bath heater*
rubinetto – *tap*
filo elèttrico – *electric wire*
sistemare – *to fit in*
contatore – *meter*
lampada – *bulb*
lampadario – *chandelier*

presa di corrènte – *socket*
cornice – *frame*
persiana – *outside shutter*
vetraio – *glazier*
inserire – *to set in*
vetri (di finèstra) – *panes*
lucernario – *skylight*
fabbro – *blacksmith*
cardine – *hinge*
maniglia – *handle*
serratura – *lock*
paletto – *bolt*
lucidare – *to polish*
rivestire – *to cover*
piastrèlla – *tile*
imbianchino – *whitewasher*
scala (a piuòli) – *ladder*
scala (in muratura) – *stair*
barattolo – *tin (of paint)*
pennèllo – *paint brush*
facciata – *facade*
verniciare – *to varnish*
ringhièra – *railing*
scintillante – *shining*
vernice – *varnish, paint*
in vendita – *for sale*
in affitto – *for rent*
per mèżżo di – *by means of*
pubblicità – *advertisements*
cartèllo – *notice*
appèndere – *to hang*
dicitura – *wording*
vendesi – *for sale*
affittasi – *this house to let*
furgòne – *van*
mobilia – *furniture*
inquilino – *tenant*
mòbile – *piece of furniture*
tappezzière – *upholsterer*
ricoprire – *to cover*
riparare – *to repair*
tappeto – *carpet, rug*
porre – *to place*
targhetta – *name-plate*
soprammòbili – *knick-knacks*
accadere – *to happen*
succèdere – *to occur*
fèrro – *iron*

latta – *tin*
argilla – *clay*
rame – *copper*
ottone – *brass*
acciaio – *steel*
lama – *blade*
smalto – *enamel*
cartone – *cardboard*
cuoio – *leather*
sughero – *cork*
salvagènte – *life-belt*
paglia – *straw*
marmo – *marble*
sogno – *dream*
qualcuno – *someone*
sgomberare – *to move house*
chiave – *key*
chiacchierata – *chat*
arnese – *tool*
stabilirsi – *to settle*
officina – *workshop*
sollecitare – *to urge on*

32.

aspettare – *to wait*
ingrèsso – *hall*
arredare – *to fix*
cassapanca – *chest*
stoino – *mat*
perché, affinché – *in order that*
polvere – *dust*
fango – *mud*
attaccare – *to hang*
panni – *clothes*
attaccapanni – *hall-stand*
soprabito – *overcoat*
stanza di soggiorno – *living-room*
in mòdo che – *so that*
all'altro lato – *on the other side*
benché – *although*
tavolino da giuòco – *card-table*
allungare – *to extend*
apparecchio – *set*
televisore – *television set*
girare – *to turn*

disco – *record*
giradischi – *record-player*
svòlgere le pròprie occupazioni – *to pursue one's tasks*
trascorrere – *to while away*
lietamente – *gladly*
a meno che non – *unless*
òspite – *guest*
tinèllo – *breakfast-room*
attiguo – *adjoining*
impagliata – *with a rush seat*
credènza – *cupboard*
acquaio – *sink*
metallo inossidabile – *stainless metal*
nascondere – *to hide*
armadio a muro – *built-in wardrobe*
cassettone – *chest of drawers*
tolètta – *dressing-table*
posto – *room*
mosaico – *mosaic*
lavabo – *basin*
vasca da bagno – *bath*
doccia – *shower bath*
bisogna, occorre – *it is necessary*
ripostiglio – *box-room*
granata – *broom*
spazzola – *brush*
aspirapolvere – *vacuum-cleaner*
lucidare – *to polish*
· lucidatrice – *polishing machine*
cantina – *cellar*
sottosuòlo – *underground*
edificio – *building*
vano – *room*
a sua disposizione – *at his disposal*
chiasso – *bustle, loud noise*
è peccato che – *it is a pity that*
veramente – *actually*
piano terreno – *ground floor*
ultimo piano – *top floor*
però – *however*
pianerottolo – *landing*
giardino pènsile – *roof-garden*
aumentare – *to raise*
pigione – *rent*
comunque – *anyhow*
sebbène, quantunque – *although*
purché – *provided*

a patto che – *on condition that*
prestare – *to lend*
debito – *debt*
è ora che – *it is time that*
può darsi – *maybe*
basta che – *it is enough that*
versare (denaro) – *to pay in*
negare – *to deny*
pretèndere, esigere – *to claim*
aspettarsi – *to expect*
non veder l'ora – *to long*
dubbio – *doubt*
dubitare – *to doubt*
sospettare – *to suspect*
rincrescere, dispiacere – *to be sorry*
fare le valigie – *to pack*
al più prèsto – *as soon as possible*
ogni tanto – *every now and then*
stare in pensièro – *to worry*
sciupare – *to waste*
impermeabile – *waterproof*

33.

pittore – *painter*
seguire – *to follow*
scòrgere – *to catch sight of*
infanzia – *childhood*
per scherzo – *for fun*
preoccupato – *worried*
voltarsi – *to turn round*
riconoscere – *to recognize*
banca – *bank*
malanno – *scamp*
èssere nei guai – *to be in a mess*
ditta – *firm*
mettere giudizio – *to turn over a new leaf*
sulla buòna strada – *on the right path*
darsi alla pazza giòia – *to lead a wild [life*
fare debiti – *to get into debt*
cambiale – *bill of exchange*
disastro – *disaster*
ritirare (denaro) – *to draw*
affari – *business*
a nostra disposizione – *at our disposal*

sarèbbe ora – *it would be high time*
fare sciocchezze – *to play the fool*
canaglia – *rascal*
peso – *load, burden*
fabbrica – *factory*
sciòpero – *strike*
concorrènza – *competition*
Borsa – *Stock Exchange*
moneta – *money, currency*
scambio – *exchange*
valuta èstera – *foreign currency*
insomma – *in short*
bèga – *trouble*
a capo – *at the head*
colmare la misura – *to go the whole hog*
farsi onore – *to distinguish oneself*
lottare – *to struggle*
ricompensare – *to reward*
ingrato – *ungrateful*
pietoso – *pitiful*
angustiato – *distressed*
cassière – *teller*
dare fastidio – *to annoy*
allo scopèrto – *overdrawn*
errore – *mistake*
chièdere scuṡa – *to apologize*
simpatico – *agreeable*
per cauṡa mia – *on my account*
fare spese – *to go shopping*
locale – *place*
rivòlgere la paròla – *to address*
diventare rosso – *to blush*
consiglio – *advice*
nei riguardi – *as regards*

34.

marachèlla – *prank*
in suo aiuto – *to his rescue*
risòlvere – *to solve*
offèndersi – *to take offence*
girevole – *revolving*
sportèllo – *counter*
maneggiare – *to handle*
biglietto di banca – *banknote*
macchina calcolatrice – *calculating machine*

riempire un mòdulo – *to fill in a form*
fare calcoli – *to reckon*
assegno – *cheque*
spiccare un assegno – *to make out a cheque*
firma, firmare – *signature, to sign*
incasso – *cashing*
conto corrènte – *current account*
aggiornamento – *bringing up to date*
timbro, timbrare – *stamp, to stamp*
da parte – *aside*
gettone – *token*
cassa – *cash counter*
ṡbarra – *bar*
ṡbarrato – *crossed*
riscuòtere – *to receive* (*money*)
risparmi – *savings*
vincolo – *bond*
depòṡito vincolato – *deposit account*
a corto di – *short of*
incassare – *to cash*
portafòglio – *wallet*
carico – *loaded*
azioni industriali – *industrial shares*
obbligazioni statali – *government bonds*
immòbili, tèrre – *houses, lands*
ricchezza – *riches*
in cammino – *on my way*
sosta, sostare – *pause, to pause*
zecca – *mint*
coniare – *to coin*
stampare – *to print*
emettere – *to issue*
gli antichi – *the ancients*
indirizzo – *address*
restituire – *to give back*
riprèndere – *to take back*
male (avv.) – *badly*
rischio, rischioso – *risk, risky*
far còmodo – *to come in useful*
giro – *tour*

35.

partènza – *departure*
ti prègo – *please, if you please*
orario – *time-table*

direttissimo – *express train*
freccia – *arrow*
appena un'ora – *hardly an hour*
quindi – *therefore*
e sia – *so be it, all right*
prima di tutto – *first of all*
tirare – *to pull*
tirare giù – *to take down*
non ci arrivo – *I can't get up there*
fare il difficile – *to be difficult, fussy*
règgere – *to keep steady*
su, andiamo! – *come on!*
benedetta – *blessed (confounded)*
tentennare – *to wobble*
lasciare – *to let go*
alzare – *to lift, raise*
mezza rotta – *rickety*
fare attenzione – *to be careful*
diavolo – *devil*
in fondo – *at the bottom*
distèndere – *to spread*
biancheria – *linen*
maglia, canottièra – *vest*
mutande – *pants*
calzini – *socks*
fazzoletto – *handkerchief*
posare – *to lay*
pantaloni – *trousers*
giacca – *coat*
aiuto, aiutare – *help, to help*
conto – *bill*
personale – *staff*
sènti – *look here, listen*
cintura – *belt*
guanti – *gloves*
cravatta – *tie*
dare una mano – *to give a hand*
vestito, abito – *frock, dress*
gònna – *skirt*
abito a giacca – *coat-and-skirt*
mantèllo da viaggio – *travelling coat*
camicetta – *blouse*
golf – *cardigan, sweater*
prèndere – *to get*
d'accordo – *O. K. (agreed)*
ogni tanto – *every now and then*
fare un piacere – *to do a favour*

chiudere a chiave – *to lock*
in tasca – *in his pocket*
un momento fa – *a moment ago*
subito – *at once*
accadere – *to happen*
attèndere – *to wait*
sparire – *to disappear*
che guaio! – *what a nuisance!*
tardare – *to be long, delay*
stare fra i piedi – *to be in the way*
indumento – *garment*
camicia da nòtte – *nightdress*
combinazione – *slip*
règgicalze – *suspender belt*
busto elastico – *girdle*
pelliccia – *furcoat*
bretèlle – *braces*
panciòtto – *waistcoat*
maglione – *warm pullover*
soprabito – *overcoat*
lenzuolo – *sheet*
fèdera – *pillow-case*
asciugare – *to dry*
asciugamano – *towel*
grembiule – *apron*
còllo, colletto – *collar*
manica – *sleeve*
cernièra lampo – *zipper*
automatici – *poppers*
bottone – *button*
occhièllo – *buttonhole*
leggero – *light*
pesante – *heavy*
fiducia – *confidence, trust*

36.

èccoci qua – *here we are*
borsa – *bag, handbag*
per il momento – *temporarily*
mèttersi in viaggio – *to begin a journey*
pèrdere il treno – *to miss the train*
mostrare – *to show*
meno male – *it is a good thing*
trovare posto – *to find empty seats*

riservare – *to reserve*
prenotare – *to book*
all'improvvìso – *suddenly*
è andata bène – *it's turned out all right*
affacciarsi – *to look out*
salutare – *to greet, say good-bye*
neanche – *not even*
facchino, porta-bagagli – *porter*
a propòsito – *by the way*
spedire (un bagaglio) – *to register*
gli sci – *the skis*
ritirare – *to take back*
bagagliaio – *cloakroom*
èccolo, èccomi – *here he is, here I am*
portare – *to carry*
rete (nel treno) – *rack*
tariffa – *tariff*
còllo di bagaglio – *piece of luggage*
a còllo – *for each piece*
scontrino – *luggage ticket*
santo cielo! – *good heavens!*
insième a – *together with*
biglietto – *ticket*
cercare – *to look for*
vuotare – *to empty*
a posto – *in its place*
in pace – *in peace*
a quest'ora – *by now*
caramèlla – *fruit drop*
far male – *to upset*
bibita – *drink*
patatine fritte – *crisps*
cestino da viaggio – *lunch basket*
fare piacere – *to please*
capotrèno – *guard*
in carròzza! – *take your seats!*
macchina – *engine*
carròzza-lètto – *sleeping-car*
cambiare trèno – *to change trains*
carròzza dirètta – *through carriage*
bigliettería – *booking office*
biglietto di andata e ritorno – *return ticket*
per tèmpo – *in good time*
fare economia – *to be economical*
cuccetta – *couchette*

accompagnare alla stazione – *to see off at the station*
andare a prèndere alla stazione – *to meet at the station*
giòia – *joy*
bènvenuto! – *welcome!*
baule – *trunk*

37.

strada principale – *main street*
portare – *to lead*
in alto – *upwards*
in basso – *downwards*
parroco – *parson*
municipio – *Town Hall*
osterìa – *pub*
locanda – *inn*
spigo – *lavander*
òspite – *guest*
di passaggio – *passing through*
galletto – *young cock*
campana – *church bell*
appena – *as soon as*
macellaio – *butcher*
pizzicagnolo – *general grocer*
gèneri alimentari – *eatables*
pentola – *pot*
giocattolo – *toy*
eccètto – *except*
in fondo – *at the end*
rużżare – *to romp*
per lo più – *mostly*
bracciante – *casual labourer*
cantière – *site*
postino – *postman*
distribuire – *to deliver*
la pòsta – *mail*
suòno delle campane – *the chime of bells*
campanile – *steeple*
battere le ore – *to strike the hours*
lattaio – *milk boy*
chiacchierare – *to chatter*
chiacchierìo – *chattering*
ciarle – *bits of gossip*
a buio – *at dark, at night*

filtrare – *to filter*
mettere in subbuglio – *to cause a stir*
condividere – *to share*
dolore – *sorrow*
nitido – *neat*
riposante – *restful*
croce – *cross*
lièto – *glad*
anima – *soul*
in pantaloni – *wearing slacks*
alloggiare – *to put up*

38.

riva (di fiume) – *bank*
nemico – *enemy*
con l'andar del tèmpo – *as time went*
allargarsi – *to grow larger*   [*by*
abbattere – *to pull down*
al di là – *beyond*
rione – *district*
intènso – *thick*
rioni popolari – *slums*
viuzza, vicolo – *lane*
stretto – *narrow*
a fatica – *with difficulty*
acqua piovana – *rain water*
asciugare – *to dry*
lastricato – *paved*
marciapiède – *pavement*
pedone – *pedestrian*
di quando in quando – *every now and*
vetrina – *shop window*   [*then*
investito – *run over*
incrocio – *cross-road*
vigile urbano – *policeman*
semaforo – *traffic lights*
ogni tanto – *from time to time*
trattenere – *to hold up*
fiumana – *stream*
torpedone – *coach*
pèrdersi – *to get lost*
rivolgersi – *to go up to, to address*
sotterraneo – *underground*
celermente – *rapidly*

sfolgorante – *sparkling*
insegna – *sign*
ritròvo notturno – *night club*
questura – *police office*
manicòmio – *mad house*
bibliotèca – *library*
vescovo – *bishop*
guglia – *spire*
assessore – *councillor*
ufficio dell'anagrafe – *registry office*
nascita – *birth*
fognatura – *drainage*
manutenzione – *upkeep*
còrpo dei pompièri – *fire brigate*
fronteggiare – *to cope with*
inondazione – *flood*
cittadino – *citizen*
villino – *small villa*
prèndere allòggio – *to put up*
ammobiliato – *furnished*
da vicino – *closely*
punto (avv.) – *at all*
appòsta – *on purpose*
talmente – *so very*
perfino – *even*
a stènto, a malapena – *hardly*
all'improvvišo – *suddenly*
avvenire (verbo) – *to occur*
avvenire (sost.) – *future time*
tuttora – *still*
non più – *no longer*
di già – *already*
non ancora – *not yet*
d'ora in pòi – *from now on*
prima o pòi – *sooner or later*
da qua a là – *to and fro*
da lontano – *from afar*
a pòchi passi – *a few steps away*
al di qua – *on this side*
lato – *side*
pròprio (avv.) – *quite, really*
nemmeno, neanche – *not even*
chissà – *who knows*
del tutto – *quite, altogether*
andare avanti – *to go ahead*
isolato – *block*
un'ora di cammino – *an hour's walk*

dare un passaggio – *to give a lift*
attènto dove mettete i pièdi – *mind where you walk*
via d'uscita – *way out*

39.

insegna – *sign*
esporre – *to display*
vetrina – *shop window*
cartellino – *notice*
protèggere – *to protect*
saracinesca – *steel shutter*
alzare – *to raise*
abbassare – *to lower*
ora della chiusura – *closing-time*
arredamento – *furniture*
banco – *counter*
negoziante – *shopkeeper*
commesso – *assistant*
mostrare – *to show*
oltre a – *in addition to*
magażżino – *store*
reparto – *department*
abbigliamento – *attire*
mercerìa – *haberdashery*
articoli casalinghi – *household wares*
tappezzerìa – *tapestry*
locale – *premises*
amministrazione – *book-keeping*
pescivendolo – *fishmonger*
fruttivendolo – *greengrocer*
pasticcière – *confectioner*
tavola calda – *snack bar*
antipasti – *hors-d'ouvres*
cibo in scatola – *tin-food*
mesticherìa – *hardware shop*
abbellire – *to make beautiful*
sapone – *soap*
cipria – *face-powder*
dentifricio – *tooth-paste*
in quanto a – *as regards*
vestiario – *clothing*
confezionato – *ready-made*
su mișura – *to measure*
sarta – *dressmaker*

sarto – *tailor*
indumento – *garment*
quindi – *then, therefore*
acquistare – *to purchase*
calzolerìa – *shoe-shop*
cappellaio – *hatter*
modista – *milliner*
cioè, vale a dire – *that is to say*
ago, spillo – *needle, pin*
filo – *thread*
gioiellière – *jeweller*
incantato – *enchanted*
brillante (sost.) – *diamond*
șmeraldo – *emerald*
rubino – *ruby*
żaffiro – *sapphire*
montato – *set*
braccialetto – *bracelet*
collana – *necklace*
vezzo di pèrle – *string of pearls*
niṅnolo – *knick-knack*
calamita – *magnet*
negozio di ferramenta – *hardware store*
girellare – *to wander*
ròtolo di còrda – *coil of rope*
maniglia – *handle*
attrezżo, arnese – *tool*
fòrbici – *scissors*
cavatappi – *cork-screw*
apriscatole – *tin-opener*
chiòdo, vite – *nail, screw*
all'ingròsso – *by wholesale*
al minuto – *by retail*
venditore all'asta – *auctioneer*
offrire all'asta – *to bid*
maggiore offerènte – *highest bidder*
umile – *humble*
rigattière – *junk-seller*
liquidazione – *clearance sale*
rimanènze – *remnants*
ridurre – *to reduce*
anzi – *indeed*
poiché, siccome, giacché – *as, since*
questo articolo va – *this article sells*
pagare a contanti – *to pay cash*
assicurare – *to insure*
perciò, dunque – *therefore*

fallire – *to fail*
fidarsi – *to trust*
convenire – *to be convenient*
neppure – *not even*
a rate – *by instalments*
come se – *as if*
anche se – *even if*
qualora – *in case*
cosicché – *so that*
meritare – *to deserve*
cambiale – *bill of exchange*
sconto – *discount*
provarsi (trans.) – *to try on*
pròva – *fitting*
rèsto, spiccioli – *change*
ripassare – *to call again*

40.

aèreo – *aeroplane*
mèżżi di traspòrto – *means of transport*
per affari – *on business*
fare un piano – *to make a plan*
opuscolo – *pamphlet*
prèndere una decisione – *to make up one's mind*
spesa – *expense*
per tèrra, per mare – *by land, by sea*
non possiamo permèttercelo – *we cant afford it*
apparecchio (aèreo) – *aircraft*
compagnia aèrea – *airline company*
incaricare – *to charge, entrust*
stazione terminale – *air terminal*
decòllo – *take-off*
aeropòrto – *airport*
funzionario – *official*
pesare – *to weigh*
eccedènza di peso – *excess weight*
passeggèro – *passenger*
carta d'imbarco – *embarkation card*
sala d'aspètto – *waiting room*
passare la dogana – *to go through the customs*

dichiarare – *to declare*
multa – *fine*
tale – *such*
volo – *flight*
pista di volo – *runway*
decollare – *to take off*
allacciare – *to fasten*
cintura di sicurezza – *safety belt*
slacciare – *to unfasten*
atterraggio – *landing*
a bordo – *aboard*
vassoio – *tray*
a sua disposizione – *at his disposal*
rèndere còmodo – *to make comfortable*
intanto – *meanwhile*
carico – *load*
gigantesco – *huge*
attraversare – *to go through*
percorrere – *to run across*
spazio – *space*
velocità – *speed*
non se ne accòrge – *is not aware of it*
essere fermo – *to be still*
risveglio – *revival*
atterrare – *to land*
èssere in orario – *to arrive on time*
pista di atterraggio – *aerodrome*
in lontananza – *in the distance*
trèno volante – *flying train*
planare – *to alight*
dolcemente – *gently*
toccare tèrra – *to touch down*
uòmo di affari – *business man*
evitare – *to avoid*
disagio – *discomfort*
stanchezza – *tiredness*
esistere – *to exist*
inviare – *to send*
porzione – *dish*
effètti personali – *personal belongings*
valore – *value*
per ferrovia – *by railway*
la sotterranea – *the underground*
commiato – *farewell*

Temi di versione

These traslation passages from English into Italian deal with the specific grammar, vocabulary and subject-matter used, respectively, in each lesson of the book.

LEZIONE 1. – *Numeri. Giorni della Settimana. Verbo essere.*

Good morning! I am the teacher. Where are the boys? Ten boys are at school and two are at home. Where is Jill? Jill is at school. Is Jill a girl or a boy? Jill is a girl. And Carlo? Carlo is a boy. And Enrico? Enrico is a little boy. And Marcella? Marcella is a little girl. Where are Enrico and Marcella? Enrico and Marcella are at home Is Mr. Rossi a man or a woman? Mr. Rossi is a man. And Mrs. Rossi? Mrs. Rossi is a woman. Is Mr. Rossi at home? No, today is Monday; on Monday Mr. Rossi is not at home. Mr. and Mrs. Rossi are at home on Tuesday, Thursday and Friday. Thank you. Good-bye.

LEZIONE 2. – *Le Cose intorno a noi. Aggettivi dimostrativi.*

This is a table. On the table there is a box. In this box there are four pens, five pencils and a rubber. On this table there are also two books, three exercise books and a dictionary. The dictionary is closed. The exercise books are closed too, but the two books are open. In this room there are two doors and a window. The window is open. And the doors? One is open, one is closed. Between the two doors there is a bookcase. How many books are in that bookcase? There are three hundred books. Are there maps in this room? Yes, there is a map. Where is (it)? (It) is behind us. And beside us? Beside us there is the blackboard. What is this? (It) is a wall. What is that? (It) is a picture. Where is it? (It) is between the door and the window.

LEZIONE 3. – *Le Cose in Ufficio. L'articolo.*

We are in a room. In this room there is a clock, but not a calendar. A calendar is necessary in an office. This room is not an office. Where is the clock? It is between the two windows. On the table there is a vase with three roses. There are two drawers in this table. In one drawer there is notepaper, in another there are envelopes and stamps. By the window there is a small bookcase with many books. But there are also books on the stool, on the chairs and on the floor. What a lot of (*quanti*) books! Is there a telephone in this house? Yes, but not in this room. It is in that little room on the writing-desk, and the telephone book is by the telephone. The door of that room is shut because Pop is there. Who is Pop? A dear kitten (*gattino*); it was born last Sunday. Pop is in a box by the wall.

LEZIONE 4. – *L'Orologio. Le ore.*

What time is it? By (*A*) this watch it is 10 o'clock. But this watch is fast. Now it is 9.45, so (*così*) the watch is fifteen minutes fast. How many hands are there on this watch? There are three hands: one for the hours, one for the minutes and one for the seconds. Is there a clock in this room? Yes. By this clock it is five to ten. This clock is ten minutes slow, because it is five past ten. Big Ben is a famous clock: it is in London. But there are famous clocks in Italy too. For instance (*esempio*), in Venice there is a clock with two negroes, one on the left, one on the right. All the pigeons in St. Mark's Square are up in the air, while (*mentre*) the two negroes are in motion.

LEZIONE 5. – *Un Incontro. Verbo avere.*

" How old are you? " " I am ten years old and I am a new pupil in this school. Is there a lot to (*molto da*) do at this school? " " Yes, rather, but there are good teachers ". " Do you always feel like (*avere voglia di*) studying? " " Yes and no; when the weather is fine I don't feel like studying, I feel like going into the garden instead. " " Oh, have you a garden? " " Yes, but I haven't much time to go there. " We have no garden, but we have a balcony (*un balcone*) with a small table, some chairs and many plants. There is also a cage (*gabbia*) with three little birds (in it). " " We have a cat: Momo. " " Is Momo a big (*grosso*) cat? " " Yes, Momo is five years old, and is very sweet (*carino*), especially when he is hungry. Cats are always cold and need warmth (*caldo*). Momo's favourite place (*posto*) is in an armchair by the stove.

LEZIONE 6. – *Il Calendario. Numeri ordinali. Preposizioni articolate.*

The fourth month of the year is April. April is in spring. In spring there is the beautiful festival of Easter. May, the fifth month, is the month of roses, and the air is full of scents, because there are roses in every garden. In May it is not hot, but in August it is very hot. In August, during the holidays, I am at the seaside or up in the mountains. In September, after the holidays, we are at work again. In December there are two festivals: Christmas (on) the 25th and St. Silvestro (on) the 31st. This is to welcome (*per salutare*) the new year. A happy New Year to everyone! Thank you, the same to you!

LEZIONE 7. – *I Colori. La terminazione -e.*

All the colours are brilliant in the (*al*) sunshine. The sea and the sky are blue, but the sea is sometimes green and the sky grey. After a storm there is often a rainbow in the sky. In a rainbow there are many colours: red, orange, yellow, green, blue, violet and pink. The fruit of the cherry-tree is the cherry. Cherries are red. Lemons are yellow, but the leaves are green. Violets are violet. Snow is white. The colours of the English flag are red, white and blue. This gentleman is English. That lady is English too, and (she) is very smart. (She) has on a blue frock with a red belt (*cintura*). This lesson is brief, but it is important and useful. All these lessons are important and useful.

LEZIONE 8. – **Il Giardino.** *Aggettivi irregolari.* (*Quello, bello, buono, grande, santo*).

In a garden there are plants, flowers and trees. It is lovely to have a garden, and it is necessary when we have a dog. Mary has three beautiful dogs and a large garden. Those dogs are happy. Now that garden is full of violets and tulips, the first flowers of spring. In May there are roses of every colour: red, yellow, white and pink roses. There are also pine-trees and cypresses, tall and straight. Under those trees there are green benches, and up in the sky there are many birds, especially pigeons, because nearby (*lì vicino*) there are two big churches (*chiese*): St. Spirit's and St. Andrew's. It is pleasant to be in that garden at any (*in ogni*) hour of the day, but especially in the afternoon, when the house is quiet and there is peace around us, with a fine book and a good cup (*tazza*) of tea.

LEZIONE 9. – **Il Balcone.** *Presente dei verbi regolari.*

I speak two languages: English and Italian, because I am an English boy and because I learn Italian at school. I don't speak Italian very well, but I hope to go to Italy during the holidays. Now I sometimes listen to the Italian radio and talk Italian to an Italian friend. What do we talk about? We generally talk about sport, books, schools and many other things. In front of the school there is a big garden, with benches and many lovely flowers and trees. During the breaks were are all there. The girls walk and talk, we boys laugh and run. Beyond (*Oltre*) the garden there is a house with a balcony. We often see a young woman there. She looks at the sky, the trees and the garden. Perhaps she too, like (*come*) us, longs (*desiderare*) to be outside. It is difficult to stay in a room when the sky is blue! But on Sunday, if the weather is fine, we go to the country. It is lovely to be in the open air after a time spent (*passare*) in town. Today the Italian teacher has spoken about Italy. In Italy the sun is strong, and (it) doesn't rain (*piovere*) very often. That's (*Ecco*) why in Italy flowers need special care (*cura*). Besides (*Inoltre*), in Italian gardens there are not only flowers and trees, but also statues, benches, columns (*colonne*), dogs and other animals of marble (*marmo*) and stone. Many of these beautiful things are in the famous Boboli Gardens (*Giardino di Boboli*) in Florence.

LEZIONE 10. – *Una Visita all'Università. Verbi col presente in -isco. Forme del pronome personale.*

Italians generally understand French, and the French understand Italian, but when Italians are in France (they) prefer to speak the language of the country. I, too, when I am in Italy, prefer to speak Italian. Italians understand me and I understand them, but when (they) talk among themselves (*fra loro*) I don't understand every word. I have an Italian friend, Enrico, who often writes to me, and I answer him. I am learning Italian at the University, and I like it. When the teacher enters the classroom, the windows are open: we close them, otherwise (*altrimenti*) the noise of the traffic prevents us from hearing the teacher's voice (*voce*). If the door is open, I close it because I am near the door, and open it again for the teacher when the lesson is over. Teacher and pupils work together. He explains the grammar, with many examples, and the subject-matter of the lesson. We look at him and listen to him carefully (*attentamente*). He often asks us if we understand him. We generally answer that we do (*di sì*), because he speaks very clearly (*chiaramente*). But if one of us doesn't understand a sentence, the teacher repeats it, or writes it on the blackboard. He forbids us to talk English, and if a student does not obey, he punishes him. During the break, he calls the students together and teaches them some game, or talks to them. We often ask him to talk about Italy. So we know that it is easy to get to Italy. The trains are good, and many motorways join the big towns to each other (*l'una all'altra*). The first motorway, built in (*nel*) 1918, joins Florence to the seaside.

LEZIONE 11. – *L'Automobile di Riccardo. Presente irregolare I. (Andare, dare, fare, stare, sapere).*

I go to the University every day. If the weather is bad I go by bus, if (it) is fine I prefer to walk. Riccardo lives near me, and we go to the University together. Riccardo is a brilliant student. But not all the students are so good. Some arrive when the lesson is about to finish, and during the lesson (they) don't pay (*fare*) attention, (they) talk or make a noise. On Sunday some students go for walks, others prefer to go to the cinema or to the theatre. Riccardo has a car, and we often drive (*andare*) into the country to see some friends and play tennis with them. But if it rains, we stay at home, listen to the radio or watch television. We often talk about the holidays. Next summer, instead of going to the seaside or to the mountains, we are going to Italy. We don't know yet whether we are going by train or by plane. We are not going by car, because Riccardo's car is very old; it makes strange noises, and there is always something wrong with the engine, or the clutch, or the brakes, or the lights. We are always afraid of having a breakdown when we get into this car. Besides, there are now too many cars on the roads, and too many fools (*pazzi*) in the cars!

LEZIONE 12. – *Un po' di Geografia. Preposizioni di e con.*

I am English, and like all the English I love travelling. I often go to Italy. I like the beautiful Italian mountains, the charming lakes, the green valleys, hills and plains, the blue sea, the pine-woods along (*lungo*) the coast and the little villages on the islands. I have many friends in Italy. One of them is the owner (*proprietario*) of a mountain hotel. On one side (*lato*) of the hotel there is a torrent that forms a waterfall; on the other side there is a mountain. The top of the mountain is always covered with snow, and the slopes are covered with woods. The hotel is full of foreigners (*stranieri*): there are Germans, Austrians, Belgians, Poles, Greeks and Turks, besides (*oltre a*) many American and English people. They are all very pleased with the hotel, because the owner is kind to them, and there is a great sense of peace, by day and by night. When I need rest, I spend a few weeks at the hotel. I leave London by the 4.30 train in the afternoon and arrive there before the following (*seguente*) evening. I often go for walks with the owner's boy, who is seventeen, and is pleased to be with me because we talk English. The boy's English is not very good, and he is afraid of making mistakes. But when I talk to him, I use (*usare*) easy words and talk about simple things. Before I leave, I thank the boy's father for everything and promise to return. In fact, I always hope to return to (*in*) that little paradise.

LEZIONE 13. – *Geografia dell'Italia. Preposizioni a e da.*

Italy is a country surrounded by the sea, except in the North, where it is attached to the (*al*) rest of Europe. So Italy is a peninsula. But there are also two large islands: Sicily and Sardinia, besides some small islands that form the Tuscan archipelago. Sicily is a beautiful island, and there are many interesting things to see in the lovely surroundings (*dintorni*). There is a famous mountain with a volcano: "l'Etna". The top of this mountain is nearly always covered with snow, and down below there are olive-trees, orange groves (*aranceti*), grass and flowers. Sardinia, too, is a lovely island, especially on the north coast, where the sea is very green. In fact, this part is called " Costa Smeralda ", the Emerald Coast. Sardinia is not far from the mainland (*territorio nazionale*). Every day boats (*battelli*) go from Civitavecchia to the Emerald Coast and to other towns washed (*bagnate*) by the sea. George lives in Sardinia. I haven't seen him for a long time, but he sometimes writes to me in English and I answer him in Italian. This is useful to us, and I am beginning to understand Italian. George is here now. I have received a letter from him to-day. I am going to George's at 5 o'clock for a cup of tea. But before five I have to go to town to buy some tea-cups, a tennis racquet, tennis shoes, tennis balls, notepaper, envelopes and stamps. I have many letters to write. Then, it depends on George where we go after tea. I like George because (he) is intelligent, kind to everybody and a faithful friend.

LEZIONE 14. – *Animali Domestici. Plurale irregolare.*

Dogs are faithful and are man's friends. Not all dogs eat bones. Of course (they) prefer meat. I have three little friends at home: two black cats and a white puppy (*cucciolo*). Wild animals do not live in towns, but in woods. Oxen, cows, geese and pigs live in the country. I like to live in the country and watch (*guardare*) the hens, turkeys, pigs and sheep. During the day we see these animals in the fields. At night, pigs are in pigsties, hens in coops, sheep in sheep-folds, oxen, cows, horses and donkeys in stables. I don't like donkeys, because (they) are silly and obstinate. People who live in the country have new-laid eggs every morning and plenty of fruit: figs, grapes, apples, pears, peaches and cherries. Birds have no arms, hands or fingers; (they) have wings instead. Man has four limbs: two arms with two hands and two legs. On each hand there are five fingers. In the human body there are 206 different bones. Doctors know (*sapere*) the names of all these bones. Many of my friends are doctors: one is (a) dentist, another is an oculist, another is a chemist, but one is a poet and another a journalist. Journalists travel very often and meet many people. In spring Italian towns are full of tourists. Many of them go to Rome to see the city and, possibly, to see the Pope. A tourist often wants a taxi. In every taxi there is a taxi-driver. Taxi-drivers drive very well, but in Italy they are too fast (*veloci*) for me!

LEZIONE 15. – *Altri Animali.* *Presente dei verbi col -c- e -g-.*

We know (*sapere*) that animals have no hands, they have paws. But birds have no paws, they have legs, feet and claws. Birds catch insects in the air and eat them. The lizard, the snake and other reptiles eat caterpillars, snails and the eggs of many insects. Therefore (*quindi*) they are useful. The tails of certain animals serve to (*a*) drive insects away, especially flies. Wasps, mosquitoes and gnats sting or suck blood. The fly does not sting, but pesters (*affliggere*) men and animals. When a fly pesters me, I drive it away, but the fly generally returns. Then, if I catch it, (I) kill (*uccidere*) it, and (I) am sure it does not return any more (*più*). I often paint or read in the garden, while Mother is sewing near me. We sometimes play bridge with friends in the garden. I don't play bridge well, but the others play it very well, so I don't like playing with them, because they win, and I generally pay.

LEZIONE 16. – *La Famiglia.* *Il possessivo.*

My father, my mother, my brothers and sisters are my close relatives and also my friends. My parents are now in England. One of my sisters is at (*da*) her mother-in-law's. The old lady is not very well and is alone; her husband, sons, daughter, son-in-law and grandchildren are in Milan for the wedding (*le nozze*) of a distant relative of theirs. A nephew of hers, who is (a) widower, is marrying a cousin of daddy's, a widow. Next month I am going to Switzerland with my grandparents, my uncle and aunt. Why to Switzerland? Because my grandmother is Swiss, my aunt is married to a Swiss man, my little niece is in a Swiss school and I am engaged to a Swiss girl.

LEZIONE 17. – **Nel Parco.** *Parole alterate.*

In parks and public gardens we see many small boys and girls, babies in their prams, nurses, soldiers, old ladies with their lapdogs and little old men with their newspapers. There is also a little woman who sells rubber balls, toy trumpets, wooden horses, kites and coloured balloons. I see all this every day, because my little bedroom has a french window and a tiny balcony overlooking (*che dà su*) a small lake. Children often go there to put their little paper boats in the water. Round the house there is a little garden. Our gardener is a big man, who has a small field of his own. The good old chap (*brav'uomo*) works there with the help of his wife, a large woman who also looks after (*badare a*) hens, piglets and a small donkey. My little sister has three animals in the garden: a pretty little rabbit, a small mouse and a tiny bird. These little animals are so charming! But in the neighbouring (*vicino*) garden there is a nasty black cat that is often in our garden and looks with longing (*bramoso*) eyes at the little rabbit, mouse and bird. We also have a little dog, who hates (*odiare*) the big cat, but the poor thing is so very small that he runs away when he sees that horrid beast!

LEZIONE 18. – **La mia Giornata.** *Pronomi e verbi riflessivi.*

What is my name? My name is Angelo. What do I generally do on Sunday? First of all, I get up late; that is (*cioè*), not when I wake up, but when I feel like it, because (on) the other days I have to rise early, and it is pleasant to stay in bed and rest at least (*almeno*) once a week. Then I wash, shave, have breakfast and go out. But I don't go far (*allontanarsi*) from home, because we meet for lunch at half past twelve. In the afternoon I often go for a walk. I sometimes go with my sisters, but they get tired very soon, and every five minutes (they) stop and rest. I often go with them to concerts. All of us (*tutti noi*) at home love classical music, so we enjoy ourselves. On Sunday afternoon, if we don't feel like going out, we listen to concerts on the (*alla*) radio. On weekdays I work in an office. It is interesting work, and I like it. It is a good thing to get accustomed to (*abituarsi a*) working without complaining and without getting bored. Only those who are contented with their lot (*stato*) are really happy.

LEZIONE 19. – **L'Ora di Apparecchiare.** *Presente irregolare* II.
(*Dovere, volere, potere, tenere, rimanere*).

"Uncle Guido, may I come in?"

"Of course, my dear Lina."

"I'm tired of reading, and I want to do something. What's the weather like?"

"It must be raining, because from here I see people with their umbrellas up (*aperti*)."

"What can we do on a day like this?"

"Not much, but if you want we can go to the cinema in the afternoon."

"Sorry, today I can't."

"May I ask why you can't?"

"No, (it) is a secret."

"Your secrets! You are staying at home, because you are waiting for a telephone call. And I know that (it) is from Piero, isn't it (*non è vero*)?"

"Uncle, you mustn't ask questions. The fact is that we cannot always do what (*quello che*) we want to do."

"In other words, you don't want to stay at home, but (you) must for some mysterious reasons that nobody must know."

"Exactly. And now, my dear uncle, I must go."

"Must you go so soon? Can't you stay for lunch and go home after lunch?"

"All right, thank you. But if I remain here I want to help. What shall I do?"

"Well, it's nearly twelve, will you lay the table?"

"Yes, but I don't know where you keep things."

"As a matter of fact (*Veramente*), (it) is aunt Carmela who knows where everything is, and she is out. I can only say that we keep spoons, knives and forks in that drawer; the tablecloth and napkins must be in the other drawer; the plates and glasses are in (the) kitchen. "

" And the wine? Where do you keep the wine? "

" Well, I don't know. Or rather, I know, but I can't say. "

" You can't say! Why? "

" It is a secret. But you keep secrets, don't you? It is because aunt Carmela must not know that I know where she keeps the wine! "

LEZIONE 20. – *Cibi e Bevande. Presente irregolare* III.
(*Dire, venire, uscire, salire, morire*).

" Yes, Paolo, since (*da quando*) I have come back from Italy I have an Italian breakfast (*all'italiana*). I have a cup of black coffee, or coffee and milk, bread, butter and jam, or toast and marmalade. Then I go out. Towards eleven I have a snack, because we don't have lunch until half past one. In the afternoon I generally have tea in town, but sometimes our friends come to our house for tea. Oh, here is (*ecco*) Margherita. Margherita, will you come here? This is my friend Paolo. "

" How do you do (*Tanto piacere!*)? " says Margherita.

" How to you do (*Felicissimo!*)? " says Paolo.

" Margherita, will you have a cup of tea? "

" Yes please. I'm terribly thirsty. "

" I've told the maid to bring the tea to our little garden on the roof (*tetto*). We often go up there at tea-time. There are some plants that come from France, where the climate is warmer; here (they) die in winter, but come out (*spuntare*) again in spring. Well, Margherita, what is the news? "

" Next Monday we are giving a party, will you come? My cousin Silvia is coming too. "

" I accept with pleasure, thank you. I know that Silvia too has just (*appena*) come from Italy. What does she say about Italian food? "

" She says that (it) is very good. "

" Yes, but it is different from ours. For instance, in Italy they eat strawberries with sugar and wine, while in England we eat them with sugar and cream (*crema*). "

"I like Italian wine and Italian coffee, but I don't care for Italian tea!"

"We English say that the Italians don't know how to make tea."

"And the Italians say that the English don't know how to make coffee."

"And I say that both are right. Now I'm dying of thirst: we can have some good English tea if we go up 39 steps (*scalini*) to the roof. Come along (*Venite*)! Tea is ready!"

LEZIONE 21. – **Le Stagioni.** *Gradi di comparazione.*

In December the climate is generally as cold as in January, but it is sometimes even (*anche*) colder, and sometimes less cold. February is the shortest month of the year and also the least pleasant, because it brings rain, fog and wind. Everybody says that winter is the worst season, because it is the coldest; but it is also the gayest. For me summer is gayer, I enjoy myself more in summer than in winter. Today the weather is bad, it is colder than yesterday and it is raining. We cannot go out until (*finchè non*) it clears up. It is not pleasant to walk in the rain, but it is perhaps less pleasant to stay at home all day, especially in a house like this. We don't like this house. First of all it is far (*lontana*) from the town, the rooms are not so large as (they) seem, the kitchen is dark, some rooms are even darker than the kitchen, especially this room which is the darkest of all. Besides, the garden is bare, and there are fewer flowers than in a field. We want to leave this house as soon as (*appena*) possible and take a house either in Florence or in Milan. Mummy prefers San Gimignano, a small town near Florence. San Gimignano is full of towers, but the towers are not all alike, some are higher than others; the highest of all belongs to the oldest family of the place. And the wine of San Gimignano is very good, it is the best in Tuscany. Milan is a large town, larger than Florence, but it is very cold in winter and very hot and sultry in summer. In spite of (*malgrado*) this, the richest people live in Milan. We have a friend there. He has a lot of money, his younger brother has more money than he (has), and his elder brother, Robert, has the most money of all. Robert is the richest of the family, but also the least interesting; and because (he) has so much money, (he) thinks he is (*di essere*) the most important person in the world. Most people in Milan are like him: the richer they are, the more important they think they are. That's why (*Ecco perché*) I don't like Milan. I prefer Florence. For me Florence is the loveliest town in Italy.

LEZIONE 22. – *La Casa di Campagna. Imperfetto indicativo.*

My grandparents' house was in (the) open country, and was built on the top of a hill. It was an old house, with a garden in front and trees all around. Many years ago my family lived there. There was no electricity in the house and no central heating, but the rooms were large and beautiful, and there was a fireplace in every room. I liked the place, but I sometimes wished (*desiderare*) to live in town, like my cousins who used to come down (*là*) only during the summer holidays. While I admired (*ammirare*) my cousins' smart clothes, they admired the garden, the rare plants, the beautiful view that we enjoyed on (*da*) every side. We often had tea in the garden. While I was preparing tea, the others laid the table. We ate, drank, and then played, or went for walks.

When the days grew (*diventare*) shorter, and the leaves began to change colour, my cousins returned to town, and I remained in the big house which suddenly became very quiet. (In) the morning I went to school, but in the afternoon, when I had done my homework, I did not know what to do. The grown-ups were generally busy, and I went into the kitchen, where old Monica was either knitting by the window or, later on, cooking (*cucinare*) our supper.

It was an immense kitchen, with a roomy (*ampio*) hearth and coal ranges. In the evening it was getting cold, and Monica made a big fire. The petrol lamps threw (*gettare*) circles of light on to the table, and the flames sent flashes (*bagliori*) on to the long row (*fila*) of copper pans (*tegami*) on the wall. I sat in front of the fire and talked to Monica, or watched the flames which changed shape and colour. Outside, night was falling on the countryside, and the first stars appeared here and there. I sometimes looked at those stars and envied (*invidiare*) them, because (they) were full of light, and because from up there (they) could see everything that was happening in the world.

LEZIONE 23. – *Nel Bosco*. *Passato remoto*.

After their meal, Paolo, Riccardo and the two girls went into the wood. One of the girls tried to catch butterflies (*farfalle*), the other looked for narcissi and violets. The boys noticed a nest on the branch of a tree. Paolo wanted to climb the tree to (*per*) see if there were any eggs in the nest, but Riccardo stopped him, because he heard a strange noise. "What is that noise?" he asked.

"It's water!" exclaimed a girl.

"Yes, it is!" exclaimed the others. "There must be a brook nearby."

They went towards the noise, and soon (they) were in sight of a lovely brook. They sat down on the bank and watched the little fish in the shady places. But when Riccardo entered the water, the fish fled away. The children crossed the brook, which was not deep (*profondo*). On the other side there was a little wood (*boschetto*). They found a nice place under a tree and stopped to rest there. Suddenly a hare (*lepre*) ran past (*passare correndo davanti a*) them, and a squirrel (*scoiattolo*) jumped from one branch to another over their heads. Many animals live in woods. Are they happy? Yes and no. Why? Because unfortunately (*purtroppo*) some of them not only eat grass, but also other animals. It is the cruel (*crudele*) law of the woods and forests. The boys and girls had an interesting conversation on this subject and forgot the time, until they heard the voice of Paolo's father: "Paolo! Riccardo! Where are you? It's time to go home!" So they turned back (*tornare indietro*), walking along a shady path (*sentiero*) through the wood.

LEZIONE 24. – *Al Cinema*. *Uso del passato remoto*.

Once I loved going to the cinema and used to go there when I could. I still like it, but now I go only when I am sure there is a good film (on). For instance: last week I went to see "Il Gattopardo" with my friend Carla, because everybody was talking about that film, and I wanted to see what it was like. When we arrived there, the place was full. There was not an empty seat in the stalls or in the gallery. In a cinema, the seats in the stalls are cheaper (*costare meno*) than the seats in the gallery. Of course we went to the stalls and, as (*poiché*) Carla was hard up as usual, I paid (for) the two tickets. We had to stand for a long time. I was beginning to get tired and was thinking of going outside, where there were comfortable chairs, when two people near us got up and went out. So we could sit down, while many people who had come in before us were still standing. The film was beautiful, but a little too long. It was a good thing (*Meno male*) there was an interval at the end of each part. During one interval we went down to the bar, as Carla was thirsty. While we were drinking coffee, we met Gino, a mutual (*comune*) friend. Gino had a seat in the gallery, so we could not be together during the film, but we met him again at the exit. It was raining, and a cold wind was blowing. The street was wet and full of cars, taxis and umbrellas. Fortunately Gino had his car and offered us a lift (*passaggio*), which we accepted at once. We were running through the traffic, when I had the idea of inviting my friends to (have) a little supper (*cenetta*) in my flat. Soon we were eating heartily (*di buon appetito*), while a bright (*bel*) fire was crackling in the fireplace.

LEZIONE 25. – *Virgilio. Passato remoto irregolare.*

Dante was not the first to (*a*) imagine a journey in the kingdom of the dead. Before him " Omero ", a Greek poet of the 10th century B. C., and " Virgilio ", a Latin poet of the the 1st century B. C., had the same idea, and their heroes (*eroi*) " Ulisse " and " Enea " visited the dead and spoke to them. Virgilio was not descended (*discendere*), like Dante, from a noble family, but from a family of peasants who worked on their land (*terra*) near Mantova. Virgilio studied in Milan and Rome, but always felt a great love for the beauty and peace of the countryside, which he expressed in his youthful works. When Virgilio saw Rome for the first time, he was so impressed (*impressionato*) by its beauty that he decided to write a poem in its honour. Virgilio wrote this poem in Latin and divided it into twelve parts called " canti ". This poem became a great literary work: " L'Eneide ".

It is the account (*racconto*) of Enea's adventures, from the time when he fled from Greece after the fall (*caduta*) of Troia, until he reached Italy and built a town by the river " Tevere ". This town became a great spiritual centre, and Enea was considered the head (*capostipite*) of the Latin race (*razza*), because the Romans were descended from

— 284 —

him. During his travels, Enea visited the land of the dead and saw his own father, who prophesied (*profetizzare*) the future glory of Rome. Virgilio's poem celebrated the origin of the Italian people, and Dante, the founder (*fondatore*) of the Italian language, chose him as (*come*) companion and guide (*guida*) in his journey through Hell and Purgatory, towards the glory of Paradise.

LEZIONE 26. - *Piante, Fiori ed Alberi*. *Pronomi relativi*.

The plants that we see on the earth are living things, like the animals. Plants have no hands, no feet, no wings, yet (*eppure*) they move and feel darkness and light; they have no lungs, yet they breathe. The foods they live on (*nutrirsi di*) are air, light, water and earth. There are plants that give us food, like vegetables and wheat (*frumento*), which is the most precious, because from it we obtain (*ottenere*) the flour from which bread is made. Examples of plants, whose flowers are used for food, are artichokes and cauliflowers. Plants, whose roots we eat, are potatoes, carrots and onions. Plants, whose seeds we eat, are peas and beans. There are plants from which we get (*ottenere*) substances for our medicines; others with which we make sweet perfumes; and flowers and plants make (*rendere*) our houses and gardens beautiful. But we must not forget the trees, which give us pure air and shade, whose trunks furnish timber (*il legname*) for furniture, whose branches supply (*provvedere*) wood for our fires, and whose foliage (*il fogliame*) gives us beautiful sights and colours. Those who have seen a wood in autumn, an orchard in spring, a garden in (*sotto*) the moonlight know that plants, trees and flowers, even if they have no voices, can talk to man, the king of all living beings, with whom they share (*condividere*) the great mysteries of life: birth (*nascita*) and death.

LEZIONE 27. - *Un Quadro. I Cinque Sensi*. *Pronomi interrogativi*.

" Please sir, whose house is that? "
" Which house do you mean? "
" That one, over there. "

" It is my brother's. But, who are you? "
" A friend of his. "
" He isn't in. What do you want him for? "
" I want his opinion about a painting. "
" What painting? "
" This one, under my arm. "
" I mean what kind of painting is it? "
" Modern, of course. "
" Who painted it? "
" I did. Here is the painting. Do you like it? "
" Er— What does it mean? "
" Well, what does it tell you? "
" Nothing. "
" Of course, it's upside down (*capovolto*). Now, what do you see? "
" Is it a cauliflower? Tomatoes? Potatoes? "
" No. It's an animal. "
" Oh. What animal can it be? "
" A cat. "
" It must be a blind cat, because I don't see its eyes. Blind and deaf, I must say, as there aren't even any (*neppure gli*) ears. "

" What does it matter? Modern art isn't a photograph, is it? Look! It is a cat, and it represents the five senses. "

" What are you talking about? What has a cat to do (*avere a che fare*) with the five senses? "

" A lot. You see, the cat has smelt (*sentire l'odore di*) a rat, and is looking and listening to find out (*scoprire*) where it is. In doing so, it is using smell, sight and hearing. Right? "

" Uhm! What about touch and taste? "

" Well, the cat is also enjoying beforehand (*pregustare*) the pleasure of playing with the rat – this is touch – and feeling its mouth water (*l'acquolina in bocca*) at the idea of eating it – and this is taste. "

" But what on earth (*cosa mai*) makes you think that the cat feels its mouth water? "

" It's obvious, isn't it (*non è vero?*)? Which art is greater than the one that reveals (*rivelare*) so much in so little? "

" I know, young man (*giovanotto*). It's the art of making people believe that there is a lot where there is really nothing at all! "

LEZIONE 28. - *I Mali del Corpo. Futuro.*

I'm not feeling weel today. I have a cough, a headache and a sore throat. Mummy says she'll send for the doctor. I hope he'll tell us that I have nothing more serious (*grave*) than a chill. I know what will happen: the doctor will come, take my temperature, look at my throat and tongue, ask me many questions and then write a prescription for some awful medicine. Mummy will buy it, and I'll have to drink the horrid stuff (*robaccia*). I'll be lucky if the doctor doesn't order injections; I hate them. Perhaps he'll make me stay in bed for a few days. In that case I shan't go to school, but my friends will visit me and tell me what they are doing there. Of course, if I have measles, scarlet fever, or flu, their parents won't let (*lasciare*) them come, because those illnesses are catching, and all the children will be kept away (*lontano*) from me. I'll feel very lonely! What shall I do? I shan't be able to do much. Perhaps I'll read a book. But if I have a high temperature, Mummy won't let me read. I'll ask her to sit by me and read (aloud) a nice story. But she won't have much time for this. I'll be left alone and be bored to death. Well, it's silly to worry (*preoccuparsi*) until I know what's the matter with me. What I do know is that I'll take any (*qualunque*) medicine the doctor prescribes. I'll do what he and Mummy tell me to do, because I want to get better quickly. Staying in bed is very well when you are healthy, but very unpleasant when you are ill.

LEZIONE 29. - *Lo Sport. La particella si.*

In many Italian shops we see notices (*cartelli*) in the windows: " English spoken " or " English and French spoken ". And in theatres: "No Smoking." This notice is also to be found in the dressing-room (*spogliatoio*) on a football ground, where the players get dressed and undressed, and where they wash and rest. One must not smoke much, when one takes part in sport.

Football is the most popular game. One has only to go to one of the important matches to see this. Rich and poor, young and old, they are all there, getting excited (*agitarsi*) and shouting (*urlare*) for one side or the other. Football is a team (*di squadra*) game. One learns how to play for one's (*la propria*) team, not to play for oneself alone.

As soon as (*Appena che*) the referee's whistle (*fischio*) is heard, the two teams attack each other, while the goalkeepers stand between the goal-posts, ready to stop the ball when it comes their way (*parte*). During the game the players help one another, congratulate one another when they score a goal, and when they win a match they are proud (*orgogliosi*) of their success. If a player falls and injures himself (*farsi male*), the game stops. The other players gather round him and help him to get up; he nearly always gets up and starts playing again.

Ball games, such as football, rugby, and hockey are generally played in winter. Football is played with a big round ball, rugby with an oval ball, and hockey with a small hard ball. Tennis players use a racquet to send a small rubber ball to the other side of a net.

If one loves water sports, one must go to the seaside. One can swin in a swimming pool, but one cannot row, sail (*andare in barca a vela*), or water ski (*fare lo sci nautico*) without a lot of water. Rowing is also possible in winter if one lives near a river or a lake, because even on the coldest days, rowing keeps one warm. But in such weather swimming is not pleasant, because one cannot stay in the water for very long. All kinds of sport help to make people healthy and strong.

LEZIONE 30. – *Castelli in Aria. Condizionale.*

" The summer holidays will soon be here. How would you like to spend them, Betty? "

" I'd like to travel, stay at nice hotels where everything is done for you, and be as free as a bird. Wouldn't you? "

" Well, I don't like hotel life much. Girls like us always have to behave (*comportarsi*) like grown-ups in hotels, we have to speak softly, dress for dinner and be confined to (*in*) one room. And, as I'm a girl, I should have a single room at the back, overlooking a courtyard, and it would certainly be small. I had one like that last year. Auntie says that a hotel is like a bus, and a house is like your own car. I'd rather spend my holidays in a little house by the sea. Then I should really be free. "

" What sort of house would you have? "

" Well, first of all, it would be surrounded by a garden, so that I shouldn't get all the noises and dust from the street. On the ground floor there would be the hall, the dining-room and the kitchen. Upstairs there would be my bedroom and another bedroom for my friends. "

" And your guest-room would probably be like the one we had once, when we stayed with one of mummy's friends – a north room with draughts coming from everywhere. "

" Oh no. I would give my friends a nice sunny room overlooking the garden, with hot and cold running water and soft beds where they could sleep as long as they liked (*volere*). There wouldn't be (any) alarm clocks in the house. "

" That would be fine! Would you ask me to come? "

" It wouldn't be necessary. You could come whenever you wanted to.'

" Thank you. I don't think I could stay long though, because, as I said, I'd rather travel. And first I'd like to go to America. I'd like to see the cowboys in the west and the skyscrapers in New York. "

" America is far away! Would you be allowed to go alone? "

" Perhaps Auntie would come with me. She likes travelling too. "

" Going with an aunt would be an awful bore. She would always be saying: ' Don't do this, don't do that! ' And when you wanted to see the cowboys and the skyscrapers, she would want to see something else. "

" Of course, the best thing would be to travel round the world with another girl. When you are tired of your seaside cottage, would you like to come with me? "

" Uhm! It would cost a lot. Where could I find so much money? "

" No, it wouldn't cost very much. Do you know what we could do? We could stand at the roadside and thumb one lift after another. Whoever would refuse a lift to two children alone on the road? "

" Nobody perhaps. But do you know what they would do? They would pick us up (*raccogliere*) and drop (*depositare*) us at the next police station, and we would find ourselves back home before we had time to say ' Mamma mia! ' "

LEZIONE 31. – *La Costruzione di una Casa*. *Tempi composti*.

" I've heard you have bought a piece of land (*terreno*) in the country to build a house. Is it true? "

" Yes. I've always wanted to have a place of my own. And, as

I've made a bit of money recently, I've decided to spend the money on a house. "

" Land is dear nowadays; it must have cost a lot. "

" Yes, but I think it's a good investment. "

" Who's going to build it ? "

" A clever chap I've known for years. We've fixed the price. He has his own men: bricklayers, plumbers, carpenters, electricians and painters. So I shan't have to bother about anything. "

" Have the workmen started yet ? "

" Oh yes. The have already dug out (*scavare*) the cellar, laid the foundations and drains, and put up the scaffolding. I've been there twice, and have seen that everything is getting on all right. "

" When will you move in ? "

" As soon as it is finished. Today I've had a long talk with the builder, to chose the shutters and the railings for the stairs and balconies. "

" Stairs and balconies? Then, it will be a two-storey house. "

" Yes, with two separate flats. I'll let the one on the (*quello al*) first floor. My wife has always been keen on (*desiderosa di*) having a garden. If we have the ground floor, the garden will be ours. "

" That's true. Have you found a tenant yet ? "

" No, but I've had a few inquiries (*richieste*). "

" Well, I may be interested. You see, I've retired from business. My children have all married and gone away, and my wife and I have always loved the country. "

" Splendid! Would you like to see the plans? "

" Well, no. I've never been able to understand the plans of a house. I'd rather see the place and what has been done so far (*finora*). "

" All right. I'm going there tomorrow. Care to come along? "

" Fine. At what time ? "

" I'll call for you at 3.30. Is that all right? "

" Quite. See you tomorrow, then. "

LEZIONE 32. – *Nell'Interno di una Casa. Presente congiuntivo.*

" Mary, I expect some friends of my husband's will be coming tomorrow, but they are not likely to arrive before ten o'clock. I'd like you to get the house straight (*in ordine*) before they come. I don't want them to see brooms and brushes about (*in giro*). Oh, before I forget, it's absolutely essential that the fridge should be full of provisions, so that you won't have to go out when the guests are here. And, in case they ask to be shown round (*di vedere*) the house – as I expect they will – you'd better tidy up (*riordinare*) the kitchen, put everything into the cupboards and see that the sink, cooker, table and floors are clean. "

" Ma'am, perhaps I'd better go and buy some of the things now. I don't think it would be possible to do everything tomorrow morning. "

" I suppose you're right. Yes, you'd better go now, as long as (*purchè*) you come back soon – I mean before Mr. Rell comes home for lunch – in time to have a look (*dare uno sguardo*) at the bathroom and clean the basin, bath and shower. "

" But ma'am.... I can't possibly do all that. I may find lots of people in the shops and have to wait my turn. "

" Then you'd better buy the things in the afternoon. "

" But, ma'am.... "

" What's the matter now, Mary? If you have anything to say, then you'd better say it straight out (*subito*), before I lose my temper (*la pazienza*). "

" Well, you see, it's my free afternoon today, and my boy friend wants me to go to the cinema with him. If it weren't for this.... "

" It would be something else I suppose. "

" No. I wanted to say if it weren't for this, I'd give up (*rinunziare a*) my afternoon. Do you want me to ring up (*telefonare a*) my boy friend and say that I'm not going? "

" No, that wouldn't be fair (*giusto*). I'd rather you went to the shops at once. I'll do the bathroom. Please, will you tell Master Bob to come here? I think he is in the living room. Off you go! (*Via, vada!*) "

LEZIONE 33. – **Master Bob.** *Imperfetto congiuntivo.*

" Mother, why did you call me? What on earth do you want? "

" First, I don't want you to talk to your mother like that. Then, I want you to stop hanging about (*ciondolare*) and to do something useful instead. Finally, it's useless for you to try to hide (*nascondere*) your cigarette behind your back. I can see you're smoking, although you know that Father doesn't want you to. You're far too young. You're the most disobedient boy I know. "

"Oh mummy, you treat me as if (*come se*) I were a little boy. I'm sixteen, (you) know. Anyway (*Comunque*), you don't want daddy to smoke either. The truth is that you're afraid the smoke will spoil (*sciupare*) your curtains and rugs. "

"You'd feel just the same if you had a house of your own – as I hope you will one day. "

"But as I haven't got it yet, and I'm not likely to have one for a long time, wouldn't it be better if you just kept (*tenere*) the windows open and let people smoke in peace? Or would you rather I went into the cellar to have a smoke, as daddy does? "

"Daddy? What are you talking about? He goes there to bottle (*infiascare*) the wine! "

"He seems to go there to bottle the wine, but actually he does both things at the same time. Of course, you're not supposed to know about it. "

"I had no idea he was doing that! Now I see why he was so keen on this bottling business! And I thought he had given up (*smettere di*) smoking! "

"You kept on insisting that he should give it up, and he wanted you to believe he had, just to get (*avere*) a bit of peace. But perhaps I oughtn't to have said all this. Forget about it, mummy. Now, what do you want me to do? "

"Oh yes. First of all, have you got everything ready for school? "

"Not yet. But tomorrow's Sunday. I'll do it tomorrow. "

"I'd rather you did it today, because tomorrow some business friends of your father's are coming. It wouldn't be polite to shut yourself up in your room while they are here. "

"All right. Now I'd better go. "

"Wait a minute, please. Before you go to smoke another cigarette in your room, I want you to post these letters, then to call at the bank and change these fifty-thousand lire notes into small ones. I may need them later and I shan't have time to go myself. Then—Well, I wanted you to go down with daddy, when he comes back, to prepare the wine for tomorrow... But, after what you have told me, I think I'd better come along too. "

"O.K. Mummy, I wish you wouldn't tell daddy what I told you. He'd never forgive me if you do."

"Of course I'll tell him, you young rascal! And, if I were you, I'd hide in the cloak-room, when you hear Father's key in the door."

LEZIONE 34. – **La Banca.** *Frasi ipotetiche.*

"Banks have a lot of money in their safes. Where do they get it from?"

"From people who save it. If people didn't put their savings into a bank, banks couldn't lend money to other people, or to firms that need it to increase (*incrementare*) their business."

"Well, if I had money to put by, I shouldn't put it into a bank. Banks pay too little interest. I'd rather buy stocks and shares, which would give me a better return."

"Yes, but if your shares fell, you would lose part of your capital. It would be less risky if you bought bonds, which don't rise and fall so easily. Or, you could put your money in a deposit account."

"But could I write cheques if I had a deposit account?"

"No. In that case you wouldn't even have a cheque-book, because you couldn't draw your money just when you liked. If you want to pay your bills by cheque, you should have a current account. The interest is very small, but you would have the advantage of keeping your money in a safe place. Besides (*Inoltre*), your cheques would prove that you had paid the bills, because a record of each payment is kept in the bank."

"What would happen if one had two hundred pounds in the bank and wrote a cheque for two hundred and fifty?"

"It depends. If the manager knew the customer, he would probably ring him up and tell him that his account was overdrawn, and the customer would have to pay in the difference at once."

"And if he couldn't?"

"He would be in trouble, unless he had made arrangements (*prendere accordi*) beforehand with the manager. In that case the bank would charge him interest on the overdraught (*somma allo scoperto*)."

"I don't expect I'll have these problems, as I haven't got any money."

" This doesn't mean that you won't have any in the future, if you work hard and don't waste what you earn. There wouldn't be many poor people, if they had worked and saved when they were young. "

" You say all these sensible things, but have you saved a lot ? "

" Not so far, because I have recently drawn out most of the money to buy this little car. "

" Isn't it rather small ? Why didn't you buy a bigger one ? "

" If I had bought a big car, I should have no car at all by now ".

" Why ? "

" Because I'd have had to sell the car to buy petrol! "

LEZIONE 35. – *In Partenza. Indumenti. Imperativo.*

Mrs. Morandi and the maid are now alone. They cannot do the packing because the suitcases are locked. The keys are probably in Mr. Morandi's pocket, and he has gone out.

" Ma'am, while you are waiting for your husband, let's start doing something, or you'll miss the train. Perhaps he'll come back in time. "

" Yes, but first let's have a look at the timetable, to see what train we can catch if he is late. Where is the timetable ? Oh dear, my husband must have taken that away too! "

" Ring up the information service, ma'am, they'll tell you. "

The lady goes to the telephone. " Hallo! Hallo! The line is free, but they don't answer, as usual. Hallo? At last! Listen please, what trains are there for Rome in the afternoon? What? Speak loudly please, I can't hear what you say. (To Lucia) Lucia, come and listen to what this girl says, I don't understand her. "

" I can't, ma'am, I'm hard of hearing. Tell the girl to repeat what she said. "

" Please repeat the times again. (To Lucia) Get a pencil and write down: 14.30, 15.55. That's right, thank you. Now, please Lucia, fold my skirts, blouses and frocks. Put the shoes in those paper bags (*sacchetti*) and give them to me. Then bring here Mr. Morandi's socks, shirts, suits, and all the things that he put on his bed. Oh, here he is, thank God! (to her husband) Achille! You are back (*di ritorno*) at last! "

"At last? Why do you say 'at last'? I..."

"Don't waste time asking questions. And next time don't take the keys with you. Quick, out with (*tira fuori*) the keys."

"What keys? Look here: if you won't speak clearly, don't expect me to understand."

"Achille, listen carefully: I mean the keys of the suitcases."

"What do you want them for? You haven't packed a single thing yet."

"I couldn't. The cases are locked. You locked them because you had put your camera and other trifles (*aggeggi*) in them (*dentro*)."

"Trifles? Don't call my beautiful camera 'a trifle'. It cost me a lot of money, and there are pictures of you in it, as well as (*come pure*) of me."

"Achille, stop talking nonsense, put your hand in (your) pocket and pull out these confounded (*benedette*) keys."

"I haven't got them."

"Good heavens! Where are they?"

"Look behind you, dear, and you'll see them. They are on the chest-of-drawers, beside your gloves and handkerchiefs."

"Oh, well, better late than never! Let's be quick. Lucia, please open that suitcase at once. Achille, hand me your things. No, wait! First go into the bathroom and take what is on the shelf (*mensola*) below the mirror. Don't drop anything if you can help it. Now, let's put these shoes and slippers at the bottom. Lucia, give me that cardigan and take these trousers and coats: arrange them as best you can, we have no time to pack carefully. Good! Now push everything down. Let's try to shut this suitcase."

"We can't. It is too full. Let's take something out."

"Oh dear, no. Achille! Achille! Help! Come along quick! We can't shut this case."

Mr Morandi from the bathroom: "Sit on it!"

"Me? You sit on it! You're heavier."

Mr. Morandi appears in the doorway (*sulla porta*) with his hands full.

"All right. First, take these stupid bottles and boxes from me. Then, get out of the way, both of you, and see what a man can do! My goodness, what would you women do without us men, especially when we do the packing?"

LEZIONE 36. – *Alla Stazione. Pronomi affissi.*

Jim is going to London. His father and mother have gone to see him off at the station.

Mother: Here we are at last. Jim, give me that bag. I told daddy to buy some magazines. You can read them during the journey when you are alone.

Jim: Where is daddy?

Mother: He's gone to send your trunk to London. I can see him: there he is.

Father: Yes, here I am. Where are the suitcases?

Mother: There they are, on the rack.

Father: Good. Now, let's sit and talk. I've a lot to tell you, Jim. Listen: when you arrive at Calais, call a porter and tell him to take your luggage to the boat. Don't worry (*preoccuparsi*) if you don't see him any more, he'll turn up (*apparire*) on the boat. Don't forget to give him a tip. When you are on the boat, queue up in front of the office to have your passport stamped. You'll be given your landing ticket. Don't lose it, because you'll have to show it when you leave the boat to go to the London train. When you arrive in London, Uncle John will be there to meet you. Give him your luggage ticket and ask him to get your trunk back. At the customs they may ask you to open your suitcases for inspection. You'll have to open them and then to close them again.

Jim: Where are the keys of the trunk and the suitcases?

Father: Here they are. Take them, and mind you don't lose them. Put them in your pocket.

Mother: Remember to send us a telegram when you arrive, to let us know that you have arrived safely. You can send it from the station. Write to us once a week, to give us your news I'm sure you'll have a lot to tell us.

Jim: Shall I be able to remember everything you have said?

Father: Well, write it down on a piece of paper. Here's a piece. Now the train is starting. Do it later. Good-bye, my boy!

Mother: Be good and have a nice journey! God bless you!

LEZIONE 37. – *Verso il Villaggio. L'avverbio.*

It was getting dark, and I was coming back to my little village, through the wood, after a long day's work. I walked quickly, as it was rather late and my home not very near. Suddenly it began to rain: at first a few drops (*gocce*) here and there, but soon it was raining hard. I could hardly see where I was walking, but I went on until the path appeared strangely new to me, and I realized that I was lost. I looked around anxiously. I was alone. I heard only the rain falling steadily and noisily. "I'll certainly find the right way sooner or later," I thought, taking another path, and then another. I was beginning to be really worried, when, through the trees, I noticed the light of a house. I immediately turned in that direction. It was raining slowly now, and when I got to the house I saw a man sitting peacefully in the porch (*loggia*).

"Please, where is Roveta?" I asked him, "I want to go there."

"You have taken the wrong path, sir. Roveta isn't this way." he answered calmly.

"Is it far? How far is it? Does it take long to get there?"

"If you go through the wood, you'll have to go back a long way (*tratto*). But I'll show you a short cut (*scorciatoia*) to the main road, which is safer at night."

I thanked him warmly. Before long I could distinguish my village in (the) distance (*lontananza*), with the little church and its steeple, the clock tower and the familiar outline (*profilo*) of the houses. In half an hour I was home at last, sitting comfortably at table in front of the fire, with my wife and children around me and the dog lying (*disteso*) happily at my feet. I could not have asked for anything better.

We country people live quite simply, and are usually satisfied with the small pleasures of life.

LEZIONE 38. – *La Città. Avverbi e locuzioni avverbiali.*

At one time towns were not lit up by electric lamps, but by gas lamps, few and far between, generally placed at street corners and crossroads. There were no policemen to direct the traffic, and no traffic lights in those days, but there were not so many vehicles about either.

Nowadays nearly everybody has a car, and so the traffic has become very dense. In the streets and squares of our towns all is noise and dust. Vehicles of all sorts run incessantly to and fro, all day and all night. And you not only run the risk of being knocked down or run over at any moment, but the air gets filled with fumes (*esalazioni*), especially in the rush hours (*ore di punta*), and you gradually get poisoned.

This is the reason why many people who work in big towns prefer to live in the country and go to their offices, factories and schools by car or bus. They have to get up much earlier in the morning and they reach home later in the evening; but they have the advantages of sleeping better at night and of breathing the fresh air of the countryside.

However, there are other people who cannot bear living far from busy streets, large stores, restaurants, cinemas, theatres and night clubs. They are quite satisfied to go to a park occasionally, or, even more rarely, for a drive or a picnic in the country, usually on Sunday afternoons; but they generally finish the evening at a party or in a dance hall.

Visitors sometimes get lost in a large town and have to ask a policeman or a passer-by to show them the right way. This is what you often hear in such cases: Which is the way to the Town Hall? How long does it take to get there? Where is the bus stop? Am I right for the museum? Is this the way to the railway station? And the answers: Go straight on. Turn to the right. Take the first turning to the left. Cross the bridge. The bus stop is over there, in front of that building. The railway station is not far off. It's about ten minutes' walk (which is probably at least half an hour!).

So if you can't make head or tail of it (*raccapezzarsi*), or are in a hurry, you'd better take a taxi. This fast vehicle will get you where you want very quickly – if it does not run into another car, as happens now and then. In that case both drivers get out and begin to shout furiously at each other, completely forgetting about you!

LEZIONE 39. – *Negozi. Congiunzioni.*

The " Ponte Vecchio " in Florence is one of the oldest bridges in the world. It is an unusual and picturesque bridge, for it is lined on both sides with little shops of goldsmiths and silversmiths. Although these shops are small, there are often many people inside, especially foreigners, who have to cross the Ponte Vecchio to go to the Pitti Gallery. Therefore there are always many tourists on the bridge. They stop in front of the windows, admiring and talking about the goods, until, more often than not (*il più delle volte*), they go in and buy. In fact it is difficult to resist the temptation of these windows full of beautiful objects of every kind, where one can always find something to take home as a souvenir, or as a gift to relatives and friends.

On the bridge there are also antique shops and others with porcelain and leather goods. There is even a milliner and a hairdresser who sells perfumery as well. At one end of the bridge there is a café with small tables and chairs in front, so that one can rest and have a drink while watching the passers-by.

Let's follow a couple of foreigners who are strolling on the bridge.

" Oh look, George! " exclaims the wife, " Look at that set of ear-rings, necklace and bracelet in pearls and amethysts, set in old gold! I'm sure they can't be very expensive, and yet they look like valuable (*di valore*) jewels! "

" Yes, dear, " he replies, " but it is old-fashioned jewellery, it does not go very well with modern clothes. "

" Yes, it does, " she answers, " provided you wear it with the right dress. George, now that we are here, can't we go in and ask the price? "

" Wait a moment, " he says, playing for (*per guadagnare*) time. And then, in order to divert (*distogliere*) her attention from it: " Look at that beautiful cigarette-case! The lid's engraved (*cesellato*) by hand, isn't it? "

" Of course, George. Do you like it? " Then, as if with (*come per una*) sudden inspiration: " Listen, dear, if I buy you that case, will you buy me the set? "

At this point the assistant appears in the doorway, as if by chance (*come per caso*). " Can I help you, madam? Come in, please. "

" Thank you, but we were just looking.... " says the husband.

However, in a moment they are both inside. She tries on the necklace and likes it even more. " How much is it? " she asks timidly.

On hearing the price, the husband gives a start (*dare un sussulto*). " Oh, we can't afford that! "

" Unless you can reduce the price, " adds the wife, smiling at the assistant. " Can't you give us a little discount, as we are paying cash? "

After bargaining for quite a while, the two end by buying the gifts for each other, a gold watch for Father, a ring for Mother, a gold chain for the baby and a broach for Nurse.

" My throat's dry! " says the husband, coming out of the shop with a much lighter wallet. " Let's have a drink at that café over there. "

His wife is radiant. " Thank you, dear, you are an angel. " she says, smiling at him and blowing him a kiss, " I'm so happy! "

Well, what can a husband do, except smile back? After all, money that brings happines is well spent!

LEZIONE 40. – *Un Buon Investimento. Pronomi doppi e affissi.*

The husband and wife are now sitting at the little café, drinking tea. " Oh George, what lovely things we have bought! Let's look at them again. Here's the watch. What will Father say when we give it to him? "

" He'll be very pleased, I'm sure. The one he has is very old: that's why we thought of buying him a new one. "

" Where's the necklace? Let me see it again. Lovely! And the ear-rings? Give them to me please. Thank you. George, do you think we'll have to pay duty on them at the customs? "

" Of course. All jewels are liable to duty. "

" I have an idea. I'll put them on, you carry the watch, and we'll try to pass them off as personal belongings! "

" It's an old trick, dear. The man won't believe it. We'd better declare them to him at once. I don't want to pay a fine in addition to duty. I've already spent a lot of money. "

" Yes, we've bought so many things! "

" Too many, perhaps. Now, for heaven's sake, let's not buy anything more, or we shan't have enough money to go home. I don't want to write to Father to send me some. "

" By the way (*A proposito*), let's send him a postcard. Where are the cards we bought? "

" In your bag. You put them there yourself. "

" Shall we send him this one of the Cathedral? "

" I think we've already sent him one of the Cathedral. "

" Then, let's send him one of the Ponte Vecchio. Do write it yourself, will you? Tell him that we are now on this bridge. "

" I must also tell him that we are landing at London airport on Monday morning at 6.30. "

" Yes, let him know that. Perhaps he'll meet us at the airport. Tell me, George, at what time shall we have to be at Pisa Air Terminal on Sunday night? "

" At about 4. Our plane takes off at five, and its always on time. "

" It's a bit early, isn't it? We'll be terribly sleepy. "

" We can't help it, dear. It's a night flight, the cheapest of all. Don't forget that we are nearly broke. "

" I wonder whether we'll have to pay for excess weight on our luggage. "

" And if we do, I wonder whether I shall have any money left to pay for it. "

" It would be terrible. But listen, George. You have two overcoats, both rather heavy. Put them on, one on top of the other, instead of packing them! "

" My dear, how can I put both of them on? I should look ridiculous! What I can do is to put one on and carry the other over my arm. "

" Splendid. You're a genius! "

At this point a carriage comes rolling along the street.

" Oh George! Look at that charming carriage! And what a beautiful horse! How romantic! How I wish we could have a ride! Can we, George? It won't cost very much. I'm sure you'd love it too, wouldn't you? "

" How can I refuse, when you ask me for it like that? Come on, jump in, while I pay the bill at the café. "

" Thank you, darling (*tesoro*). Driver? Are you free? Good. I've heard about ' Le Cascine '. Can you take us there? "

In a moment our friends are comfortably settled in the carriage, driving towards the beautiful park that stands out in the distance against a red sunset. They are holding hands (*tenersi per mano*) and enjoying the little extravagance which they certainly cannot afford, but which will give them happy memories of their holiday.

It is a good investment.

INDICE

STAMPATO A FIRENZE
NEGLI STABILIMENTI TIPOLITOGRAFICI
«E. ARIANI» E «L'ARTE DELLA STAMPA»
DELLA S. P. A. ARMANDO PAOLETTI